国家出版基金项目 "船舶智能制造关键共性技术"丛书

船舶智能制造的统一数据库集成平台

周文鑫 汪 璇 张 宇 饶 靖 刘 燕 主编

哈尔滨工程大学出版社
Harbin Engineering University Press

内 容 简 介

本书指导建设面向船舶智能制造的统一数据库集成平台,主要包括面向船舶智能制造的统一数据库顶层设计、面向船舶行业应用的平台统一数据库设计规范、面向船舶智能制造的统一数据库映射关联技术与标准接口技术、面向船舶智能制造的统一数据库集成技术等内容;系统性地提出解决方案,为造船企业建设统一数据库集成平台提供指导。

本书可为造船行业从事数据库设计、构造、使用以及船舶智能制造研究等工作的人员提供参考与借鉴。

图书在版编目(CIP)数据

船舶智能制造的统一数据库集成平台 / 周文鑫等主编. — 哈尔滨:哈尔滨工程大学出版社,2023.11
ISBN 978-7-5661-4030-2

Ⅰ. ①船… Ⅱ. ①周… Ⅲ. ①造船-智能制造系统-数据库系统 Ⅳ. ①U671-39

中国国家版本馆 CIP 数据核字(2023)第 134251 号

船舶智能制造的统一数据库集成平台
CHUANBO ZHINENG ZHIZAO DE TONGYI SHUJUKU JICHENG PINGTAI

选题策划	史大伟 雷 霞 汪 璇 周长江
责任编辑	苏 莉 张 昕
封面设计	李海波

出版发行	哈尔滨工程大学出版社
社 址	哈尔滨市南岗区南通大街 145 号
邮政编码	150001
发行电话	0451-82519328
传 真	0451-82519699
经 销	新华书店
印 刷	哈尔滨午阳印刷有限公司
开 本	787 mm×1 092 mm 1/16
印 张	18.5
字 数	429 千字
版 次	2023 年 11 月第 1 版
印 次	2023 年 11 月第 1 次印刷
书 号	ISBN 978-7-5661-4030-2
定 价	98.00 元

http://www.hrbeupress.com
E-mail:heupress@hrbeu.edu.cn

《船舶智能制造的统一数据库集成平台》
编 委 会

前　　言

随着全球新一轮科技革命和产业变革深入发展,新一代信息技术与先进制造技术加速融合,为制造业高端化、智能化、绿色化发展提供了历史机遇,世界造船强国纷纷规划建设智能船厂,以智能制造为抓手,力图抢占全球制造业新一轮竞争制高点。船舶制造是典型的离散型生产,具有船厂空间尺度大、船舶建造周期相对较长、工艺流程复杂、单件小批量生产、中间产品种类繁多、物理尺寸差异大、作业环境相对恶劣等行业特点,对智能制造技术提出了特殊要求。

近年来,在国家的关心指导、行业的不断努力下,我国船舶工业实现了跨越式发展,产业规模迅速扩大,国际市场份额大幅跃升,造船三大指标位居世界前列,船舶工业核心设施和技术能力大幅提升,形成了长三角、珠三角和环渤海湾三大造船基地;造船核心设施能力达到国际领先水平,骨干船厂建立起以中间产品组织生产为特征的现代总装造船模式,并不同程度地开展了智能化转型探索工作,取得了一定成效。但是我国船舶工业大而不强的问题依然存在,造船质量、效率与世界先进造船国家相比还存在一定差距,我国船舶制造业处于数字化制造起步阶段,各造船企业发展水平参差不齐,三维数字化工艺设计能力不足,关键工艺环节装备自动化水平不高,基础数据缺乏积累,互联互通能力薄弱,集成化水平低等问题亟待解决。未来的 10~20 年是我国由造船大国向造船强国迈进的关键时期,也是我国造船企业通过技术创新实现转型升级、由大到强的重要发展机遇期,风险更大,挑战更为激烈。

为贯彻落实海洋强国、造船强国国家战略,国家相关部委先后发布了《推进船舶总装建造智能化转型行动计划(2019—2021 年)》(工信部联装〔2018〕287 号)、《船舶总装建造智能化标准体系建设指南(2020 版)》(工信厅科〔2020〕36 号)等规划文件,旨在加快新一代信息通信技术与先进造船技术的深度融合,提高我国造船效率和质量,推进船舶总装建造数字化、智能化转型。2016 年 12 月 20 日,工业和信息化部、财政部批复"船舶智能制造关键共性技术专项"项目立项,专项以船舶智能车间为对象,研究突破船舶智能制造关键共性技术,形成船舶智能制造核心技术和系统集成能力,使我国船舶企业建造技术水平跃上一个新台阶,缩短与国际先进造船国家的差距。通过"船舶智能制造关键共性技术专项"四年的研究,形成了一批船舶智能制造关键技术研究成果。为更好地推广科研成果,实现行业共享，项目组将专项的主要研究成果编辑成一套"船舶智能制造关键共性技术"丛书，该丛书以船舶智能车间为对象，通过对面向智能制造的船舶设计技术、船舶智能制造集成技术应用以及互联互通的船舶智能制造车间基础平台开发的相关研究总结，形成船舶智能制造关键共性技术的知识文库，为我国造船企业推进智能制造提供方向指引和知识支撑，助推提升企业造船效率和质量水平，为进一步构建智能船厂，实现我国由造船大国向造船强国的转变打下坚实基础。

本丛书共十一分册，各分册主要内容如下：

第一分册《船舶智能制造数字化设计技术》主要介绍船舶智能制造的数据源头数字化设计技术，包括基于统一三维模型的详细设计及审图、设计与生产集成、三维工艺可视化作业指导以及面向智能制造的产品数据管理系统开发与应用等内容。

第二分册《船舶智能制造工艺设计》主要介绍船体构件加工成形、船体焊接、管子加工、船体结构件装配、分段舾装、涂装等关键工艺环节的工艺模型设计、工艺特征描述、工艺路线设计、工艺知识库构建。

第三分册《船舶智能制造模式》主要介绍造船企业智能化转型的目标图像，分析国内骨干造船企业智能制造技术总体水平与差异，构建以信息物理系统为核心的船舶智能制造系统架构，研究船舶智能制造的设计、管控生产模式，并给出实施路径与评估评价方法。

第四分册《船舶智能制造车间解决方案》主要介绍船舶智能车间通用模型、面向智能制造的船舶中间产品工艺路线制定，提出船体分段、管子加工与分段涂装智能车间解决方案。

第五分册《船舶中间产品智能生产线设计技术》主要介绍国内骨干船厂中间产品生产线的发展现状以及对自动化、智能化程度的需求，研究型材切割、条材切割、船体小组立、平面分段、管子加工等典型中间产品生产线的设计方案，设计开发智能控制系统并验证，支持各类中间产品智能生产线的应用。

第六分册《船舶智能制造的统一数据库集成平台》主要介绍数据库顶层设计、数据库设计规范、数据库标准接口和数据库集成开发技术。

第七分册《船厂大数据技术应用》主要介绍船厂大数据应用的顶层设计、大数据质量保证、大数据分析和应用使能工具等技术，并对基于大数据的派工管控协同优化、分段物流分析与智能优化、船厂能源管控优化进行应用研究。

第八分册《船舶车间智能制造感知技术》主要介绍船舶分段制造车间定位技术、船舶制造中间产品几何信息感知技术、车间资源状态信息采集技术、船舶焊接与涂装车间环境感知应用技术。

第九分册《船舶制造车间组网技术》主要介绍船舶制造车间复杂作业环境下的网络构建和覆盖、制造过程物联，构建基于物联网的可控、可管、可扩展和可信的船舶分段制造车间网络空间架构。

第十分册《船舶智能制造海量数据传输与融合技术》主要介绍基于三维模型的海量数据传输技术及海量异构数据融合、管理技术。

第十一分册《船舶分段车间数字化多工位协同制造技术》主要介绍船舶分段制造车间切割、焊接等多工位协同作业、协同机制分析技术与船舶制造现场多数据源协同集成技术。

本丛书是项目团队花费大量时间和精力研究、编写的成果,希望能够得到广大读者的认可和支持。同时,我们也期待着读者的宝贵意见和建议,以便我们不断改进和完善本丛书的内容,为读者提供更加优质的服务和产品。

最后,我们要感谢所有参与本丛书编写和出版的人员及单位,他们的付出和支持是本丛书能够顺利出版的重要保障;还要感谢所有关注和支持智能制造技术发展的人,让我们共同推动智能制造技术在船舶行业的广泛应用和发展,为实现船舶工业数字化、智能化转型而不懈努力!

编 者

2023 年 5 月

目　　录

第1章 面向船舶智能制造的统一数据库顶层设计

1.1 概 述

制造技术与信息技术的融合度和集成度低是我国船舶制造企业普遍存在的瓶颈问题，有效的数据集成是推进船舶智能制造的重要措施。建立数据库集成平台，解决不同生产过程之间数据共享和联通问题，实现船舶制造各阶段数据源的统一，对推动船舶行业智能制造有着重要的现实意义。

1.2 船舶智能制造数据库建库模式设计

基于船舶智能制造数据库功能需求，面向智能制造的船舶数据库建库模式有两种："全库-厂级-单库"逐级模式和网状互联模式。如图 1-1 所示，统一数据库为理想的船舶行业级数据库，现阶段可由造船集团或各个船企单独维护，以数据中心的形式存在，并将其视为"全库"。厂级数据库为某个单独船企的数据存放实体，由各个部门、业务的"单库"数据组成。目前，各船企的"单库"还未实现全面的互联，数据孤岛依然存在，极大地限制了船舶行业智能制造的推动。

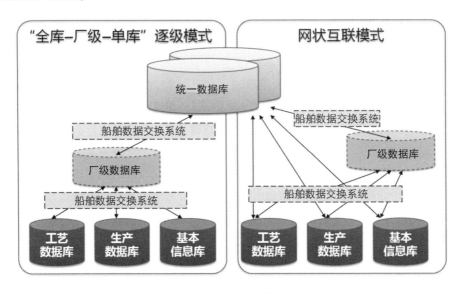

图 1-1 数据库建库模式示意图

"全库-厂级-单库"逐级模式和网状互联模式的设计难点在于如何设计出相应的船舶数据交换系统。

1.2.1 船舶数据交换系统的定义

船舶数据交换系统是基于 Java EE 研发的跨系统数据调用系统,系统研发思路起源于常用的硬件交换机。数据交换在使独立的计算机互联的同时,形成巨大的数据共享中心,船舶数据交换系统即基于这个思路而研发的。当前,政府、企业、学校等机构为了加快信息化建设,所采用的软件越来越多,大部分软件来自不同的开发厂商,各个软件都是独立的,各司其职,并没有发挥出整体效果。针对船企,船舶数据交换系统可实现各个系统数据的交互、分发,从而解决数据孤岛难题。

1.2.2 船舶数据交换系统

1.2.2.1 船舶数据交换系统的分类

实现两个网络之间船舶数据交换的典型产品有两类:ETL[数据抽取(extract),数据转换(transform),数据加载(load)]和安全隔离网闸。

ETL 负责将分布的、异构数据源中的数据(如关系数据、平面数据文件等)抽取到临时中间层后进行清洗、转换、集成,最后加载到数据仓库或数据集市中,成为联机分析处理、数据挖掘的基础。利用 ETL 来实现不同应用系统、不同数据系统之间船舶数据交换的解决方案有很多,如 IBM 公司的 Datastage,Informatica 公司的 PowerCenter 就是其中典型的代表。ETL 产品具有强大的船舶数据交换业务处理能力,但不足之处在于没有安全处理能力,一般需要借助第三方安全产品。

安全隔离网闸简称"网闸",最早用在美国、以色列、俄罗斯等国家的军方,用以解决涉密网络与公共网络连接时的安全问题。俄罗斯的 Ry Jones,以色列的 Buky Carmeli、Elad Baron、Daniel Steiner 等人都是该领域的先驱。随着电子政务的发展,我国也逐渐有了这种需求,2000 年,北京天行网安技术有限责任公司发明了国内的第一台安全隔离网闸(Topwalk-GAP)。安全隔离网闸在技术实现上,一般采用双主机架构和专用隔离硬件切断TCP/IP 协议通信,形成网络间数据隔离,以保证数据传输的高安全性;在业务支持上,以安全隔离技术为基础,提供各类应用模块,适应不同的业务应用,如数据库模块、文件模块、消息模块、邮件模块和浏览模块等来满足具有时效性的船舶数据交换需求。安全隔离网闸产品具有优良的业务性能和高安全性,能满足一些场景的船舶数据交换需求。但随着电子政务的深入发展,业务需求的复杂和数据量的高并发等情形日益彰显,单独使用安全隔离网闸在稳定性、效率和性能等方面的不足逐渐显露。为了满足对业务性能方面的高稳定性、高效率以及高安全性的综合需求,船舶数据交换系统应运而生。

1.2.2.2 船舶数据交换系统的功能特性

船舶数据交换系统用于解决不同安全级别的网络之间安全采集、传输数据的问题,并提供可审计、过程可视化、内容及安全过滤检查等功能,保证船舶数据交换安全性,同时提供多种数据库、文件采集和交换的成熟解决方案。

(1)安全功能

①安全的数据采集

以从低安全网络/域(简称"外网")向高安全网络/域(简称"内网")的数据采集方式为例,常见的 C/S 架构中,一般都在 Server 端开放固定的端口,然后由 Client 端主动推送数据,以达到数据采集的目的。但在安全上,开放端口,就意味着被攻击、入侵,被感染病毒等威胁,故我们一般认为,一个系统上,开放的端口数量和它的安全性是成反比的。为保证安全性,船舶数据交换系统一般采用主动方式获取数据,即以 Client 端的身份主动向相应的服务器获取数据,这样避免开放固定端口,使安全性得到了保证。

②安全的数据传输

为保证船舶数据交换系统非信任端服务器(UAS)和信任端服务器(TAS)之间船舶数据交换的保密性,一般采用两种方式:一种是 UAS 和 TAS 之间使用私有协议传输数据,由于私有协议不对外公布,只是供内部使用,故其安全性能得到保证;另一种是使用对称加密算法,如 DES、3DES、AES 等对数据加密传输,即使数据被窃取,也没有可读性,从而保证了安全性。但加密会影响数据传输速度,增加延迟,故这种方式适用于交换数据量适中、延迟敏感性不太强的场景。

③细粒度的安全检查

为保证内网安全,对传输至内网的数据要进行细粒度的安全检查,常见的有数据落地病毒查杀,细粒度的内容过滤、安全格式检查等,以确保仅传输规定的数据类型、数据格式。如果内部串联安全隔离网闸,将剥离所有的通信协议,使得攻击、木马等威胁失去生存的空间,安全性得到极大的提升。

④细粒度的审计管理能力

安全产品一般都提供一定的审计功能,船舶数据交换系统也不例外,系统提供详细的深度日志审计功能,细粒度到行级日志的记录,严密把关对数据库的操作,深度发掘误操作或 SQL 注入等应用安全威胁。船舶数据交换系统一般还可提供完善的业务统计及报表展现功能,不同厂家的侧重点不同,但功能一般都具有。

(2)业务功能

船舶数据交换系统不仅需要具有高安全性,还需要具有高性能、高稳定性和全面的业务支持能力。

①高性能、高稳定性

船舶数据交换系统为提供高性能、高稳定性的数据支持,在硬件上采用64位技术、多核 CPU 等,在操作系统上进行精简优化,进一步提升效率;在软件上采用带宽管理、内存管理、任务优先级等技术提升船舶数据交换系统效率和性能。据统计,船舶数据交换系统在最典型的数据库船舶数据交换上,能达到 2 000 条/秒的级别,为使用纯安全隔离网闸的 20 倍以上,在文件交换上也能达到使用纯安全隔离网闸的 2 倍以上,业务性能大幅提升,稳定性也得到了保障。

②全面的业务支持能力

随着业务场景的日益复杂化,船舶数据交换系统需要有完善的业务支持能力,一般要求其支持主流的操作系统(Unix、AIX、Linux、Windows)下的主流的文件服务器(FTP、Samba等)和数据库服务器(Oracle、SQL Server、DB2、Sybase、MySQL等)。其一般还应具有主流协议的代理功能,如 TCP、FTP、TNS、UDP、SOCKS 等协议的授权代理功能。

1.2.3 "全库–厂级–单库"逐级模式设计

单库数据库是厂、所内某个部门以某一业务为单位的数据库;厂级数据库是厂、所由单库数据库组成的以某一业务为单位的数据库集合;统一数据库是由厂级统一数据库和集团统一数据库组成的统一数据库集合。三个层次的数据库查询顺序为:单库数据库、厂级数据库、统一数据库。"全库–厂级–单库"逐级模式的含义如下:统一数据库通过船舶数据交换系统连接厂级数据库,厂级数据库通过船舶数据交换系统连接工艺数据库、生产数据库和基本信息库。上述连接模式是可逆的,即工艺数据库、生产数据库和基本信息库也可以通过船舶数据交换系统连接到厂级数据库,厂级数据库也可以通过船舶数据交换系统连接到统一数据库。虽然可以使用船舶数据交换系统对不同数据库进行船舶数据交换,但是在船舶数据交换过程中将面临一系列问题:①数据源的多样化,统一数据库、厂级数据库和单库数据库各自存放不同来源的数据文件(文本、Excel、二进制);②数据格式的差异;③交换策略的多样化(交换策略分三种:主动和被动、实时和分时、同步和异步);④保证数据交换的安全、可靠;⑤复杂的网络、系统环境;⑥复杂的配置、管理方式。

解决以上问题的最有效途径有两条:①采用中间件,不同的问题由不同的中间件解决;②实现平台化,为数据整合提供统一的支撑服务,统一的交换标准、接口和开发、运行、管理环境。

1.2.3.1 "全库–厂级"模式设计

"全库–厂级"模式为"全库–厂级–单库"逐级模式的第一阶段,即统一数据库通过船舶数据交换系统连接到厂级数据库,实现从统一数据库获取厂级数据库中的数据,从而提高系统执行效率;同样,厂级数据库也可以通过船舶数据交换系统连接到统一数据库,实现从厂级数据库获取统一数据库中的相关数据,从而加快数据流动速率。

1.2.3.2 "厂级–单库"模式设计

"厂级–单库"模式为"全库–厂级–单库"逐级模式的第二阶段,即厂级数据库通过船舶数据交换系统连接到工艺数据库、生产数据库和基本信息库;同样,工艺数据库、生产数据库和基本信息库也可以通过船舶数据交换系统连接到厂级数据库。上述工艺数据、生产数据和基本信息的数据交互可以提高实际生产效率,降低生产成本。

(1)"厂级–工艺数据库"模式设计

"厂级–工艺数据库"模式为"厂级–单库"模式的第一部分,即厂级数据库通过船舶数据交换系统连接到工艺数据库进行工艺数据的交换以获取工艺数据,进而将工艺数据传递给统一数据库统一存储,可实现数据的再利用;同样,工艺数据库也可以通过船舶数据交换系统连接到厂级数据库进行船舶数据的交换,即用户可以从厂级数据库获得需要的工艺数据,从而加快推进后续生产工作。

（2）"厂级–生产数据库"模式设计

"厂级–生产数据库"模式为"厂级–单库"模式的第二部分,即厂级数据库通过船舶数据交换系统连接到生产数据库进行生产数据的交换来获取生产数据,进而将生产数据传递给统一数据库统一存储,可实现数据的再利用;同样,生产数据库也可以通过船舶数据交换系统连接到厂级数据库进行船舶数据的交换,即用户可以从厂级数据库获得需要的生产数据,从而加快推进后续生产工作。

（3）"厂级–基本信息库"模式设计

"厂级–基本信息库"模式为"厂级–单库"模式的第三部分,即厂级数据库通过船舶数据交换系统连接到基本信息库进行基本信息数据的交换来获取基本信息数据,进而将基本信息数据传递给统一数据库统一存储,可实现数据的再利用;同样,基本信息库也可以通过船舶数据交换系统连接到厂级数据库进行船舶数据的交换,即用户可以从厂级数据库获得需要的基本信息数据以便于管理。

1.2.4　网状互联模式设计

网状互联模式定义为:统一数据库通过船舶数据交换系统连接到厂级数据库,厂级数据库通过船舶数据交换系统连接到工艺数据库、生产数据库和基本信息库,此外统一数据库可以通过船舶数据交换系统直接连接到工艺数据库、生产数据库和基本信息库。上述连接模式是可逆的,即工艺数据库、生产数据库和基本信息库也可以通过船舶数据交换系统连接到厂级数据库,并且工艺数据库、生产数据库和基本信息库也可以通过船舶数据交换系统直接连接到统一数据库,厂级数据库也可以通过船舶数据交换系统连接到统一数据库。与"全库–厂级–单库"逐级模式相比,网状互联模式可以实现统一数据库通过船舶数据交换系统直接连接到工艺数据库、生产数据库和基本信息库,这种模式可以加快船舶数据交换的速率,提高系统执行效率。

1.2.4.1　"全库–厂级"模式设计

"全库–厂级"模式是网状互联模式中的第一部分,设计方法与"全库–厂级–单库"逐级模式中的"全库–厂级"模式相同。

1.2.4.2　"厂级–单库"模式设计

"厂级–单库"模式是网状互联模式中的第二部分,设计方法与"全库–厂级–单库"逐级模式中的"厂级–单库"模式相同。

1.2.4.3　"全库–单库"模式设计

"全库–单库"模式是网状互联模式中的第三部分,定义为:统一数据库可以通过船舶数

据交换系统直接连接到工艺数据库、生产数据库和基本信息库;同样,工艺数据库、生产数据库和基本信息库也可以通过船舶数据交换系统直接连接到统一数据库。

(1)"全库-工艺数据库"模式设计

"全库-工艺数据库"模式为"全库-单库"模式的第一部分,即统一数据库通过船舶数据交换系统连接到工艺数据库进行工艺数据的交换来获取工艺数据,进而将工艺数据存储到统一数据库中实现数据的再利用;同样,工艺数据库也可以通过船舶数据交换系统连接到统一数据库进行船舶数据的交换,即用户可以从统一数据库获得需要的工艺数据,从而加快推进后续生产工作。

(2)"全库-生产数据库"模式设计

"全库-生产数据库"模式为"全库-单库"模式的第二部分,即统一数据库通过船舶数据交换系统连接到生产数据库进行生产数据的交换来获取生产数据,进而将生产数据存储到统一数据库中实现数据的再利用;同样,生产数据库也可以通过船舶数据交换系统连接到统一数据库进行船舶数据的交换,即用户可以从统一数据库获得需要的生产数据,从而加快推进后续生产工作。

(3)"全库-基本信息库"模式设计

"全库-基本信息库"模式为"全库-单库"模式的第三部分,即统一数据库通过船舶数据交换系统连接到基本信息库进行基本信息数据的交换来获取基本信息数据,进而将基本信息数据存储到统一数据库中实现数据的再利用;同样,基本信息库也可以通过船舶数据交换系统连接到统一数据库进行船舶数据的交换,即用户可以从统一数据库获得需要的基本信息数据以便于管理。

1.3　船舶智能制造数据库顶层架构设计

1.3.1　顶层设计原则、方法和内容

1.3.1.1　顶层设计原则

(1)立足当下,面向未来

顶层设计强调可实施性,同时应该具有前瞻性、可扩展性和开放性,立足当下的主流业务和服务需求,根据对象的发展规划以及未来的发展趋势,构造系统整体架构。船舶智能制造数据库顶层设计并非一蹴而就,船舶智能制造业务及服务需求是发展的,船舶智能制造的战略目标也会随之不断变化,因此船舶智能制造数据库顶层设计应该在保持一定稳定性和持续性的同时,不断丰富设计成果及设计方法,以适应建设需求的动态发展。

(2)全局规划,分步实施

顶层设计要求从全局角度和战略高度出发,对船舶智能制造业务建设进行整体布局,根据业务需求确定发展战略目标,运用由企业架构框架理论发展而来的总体架构的理论方法,设计一整套方案来综合解决各层次问题。但由于资金及对象发展等原因,顶层设计无

法一步到位,需要统筹规划、总体设计,然后根据实际情况进行分步建设。

(3)需求导向,以用促建

顶层设计要求转变过去以职能部门为中心的观念,应该更加具有可操作性,以业务需求、服务对象为导向,结合现有的机制体制,将主要资金用在主流业务上,以应用驱动信息化建设,积极寻求跨部门信息共享和业务协作。综合考虑顶层设计方法的先进性以及信息化技术的先进性,能够指导今后一段时期的船舶智能制造的信息化系统建设。

1.3.1.2　顶层设计方法

船舶智能制造相关部门已各自建设了很多大大小小的业务系统,如果顶层框架设计采用自下而上的原则,将导致顶层框架上端的最终目标多且分散,顶层框架整体性差。实施步骤如果采用自上而下的方式,将导致很多已有系统被废弃,还要建立新的系统,造成人力、物力成本的增加。因此,船舶智能制造数据库在整个顶层框架设计时应遵从自上而下的原则,在实现步骤设计时应采用自下而上的方式。自上而下的顶层设计原则需要一开始就从全局考虑。清晰的系统设计、系统结构和系统描述可以让开发者能够快速准确地了解整个系统的全局需求,还可以减少重复建设投资。该方法特别强调业务驱动的能力。自下而上的实现步骤设计方式优先考虑的是底层船舶数据交换能力和系统的互操作能力,增强资源共享和快速决策功能。

将顶层设计原则和实现步骤二者结合,充分利用已建系统积累的信息化资源,逐步对已建系统进行整合完善,同时对在建和新建系统加强规范和引导,最终实现船舶智能制造数据库的顶层设计。船舶智能制造数据库顶层设计采用图1-2所示的顶层设计方法。

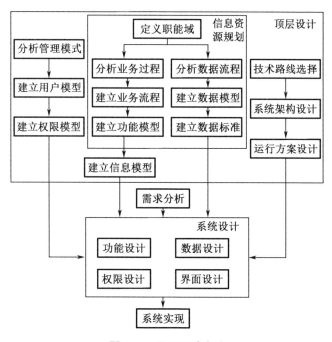

图1-2　顶层设计方法

（1）需求分析

依据对象的发展规划和信息化建设的目标,开展现状与需求分析,调研系统现状,汇总已有的问题,同时了解发展思路,预测技术发展趋势,特别是将采用的新一代信息技术的发展形势。

（2）系统设计

首先,根据对象主流业务与现有部门的职能,结合国内外发展现状,划分职能域。一方面分析业务过程,建立业务流程,从而建立功能模型;另一方面分析数据流程,建立数据模型,从而建立数据标准。二者实现系统中的功能设计和数据设计。然后,根据用户的不同角色,分析管理模式,建立用户模型,从而建立权限模型,实现权限设计。最后,选择合适的技术路线,进行系统架构设计,决定系统运行方案。

1.3.1.3 顶层设计内容

目前各船舶智能制造中心主要有五项船舶智能制造功能业务:查询检索、数值分析、联机分析、数据挖掘、生产决策。这五项功能业务在船舶智能制造数据集成系统中的逻辑关系如图 1-3 所示。

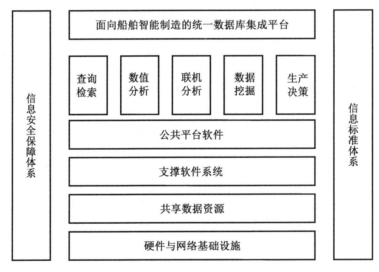

图 1-3 船舶智能制造数据集成系统的逻辑架构

（1）查询检索

用户可通过面向船舶智能制造的统一数据库集成平台查询和检索相关数据,进而打破数据壁垒,消除信息孤岛。

（2）数值分析

由于计算机计算能力的不断提高,数值分析逐渐代替线性方程组和非线性方程组的公式推导。专业人员通过面向船舶智能制造的统一数据库集成平台获取相关数据,从而研究船舶在生产建造过程中的实际数值分析问题。

（3）联机分析

联机分析处理（OLAP）是一项软件技术，利用这项技术分析人员能够迅速、一致、交互地从各个方面观察信息，以达到深入理解数据的目的。它具有共享多维信息的快速分析（FASMI）的特征。其中 F 代表快速性（fast），指系统能在数秒内对用户的多数分析要求做出反应；A 代表可分析性（analysis），指用户无须编程就可以定义新的专门计算，将其作为分析的一部分，并以用户所希望的方式给出报告；S 代表共享性（shared），指系统能够支持多个用户同时访问和共享数据及分析结果；M 代表多维性（multidimensional），指系统能够轻松地处理和分析包含大量数据的多维数据集；I 代表信息性（information），指用户能及时获得信息，并且管理大容量信息。

相关分析人员可以通过面向船舶智能制造的统一数据库集成平台进行联机分析操作，加快协同分析速度，提高合作效率。

（4）数据挖掘

数据挖掘是数据库知识发现中的一个步骤。数据挖掘一般是指通过算法从大量的数据中搜索隐藏于其中的信息的过程。数据挖掘通常与计算机科学有关，并通过统计、在线分析处理、情报检索、机器学习、专家系统（依靠过去的经验法则）和模式识别等诸多方法来实现上述目标。数据挖掘工程师可以通过面向船舶智能制造的统一数据库集成平台挖掘船舶设计数据、进度数据和物资数据等，从而预测船舶实际生产建造过程的一些不可预见事件。

（5）生产决策

生产决策是指在船舶分段以及其他零部件生产领域中，对生产什么、生产多少以及如何生产等几个方面的问题做出的决策，具体包括剩余生产能力如何运用、亏损产品如何处理、产品是否进一步加工和批量生产的确定等。生产决策管理人员可以通过面向船舶智能制造的统一数据库集成平台查看实际生产进度，从而对需要采购什么物资、哪些生产任务需要优先执行、哪些生产任务需要重新规划等做出决策。

为实现"统一技术架构、强化资源整合、促进信息共享、保障良性运行"的目标，从避免重复建设、促进资源共享和强化业务协同的角度，船舶智能制造中心信息化顶层设计分为信息资源规划、信息技术规划、环境保障规划三个部分，其框架结构如图 1-4 所示。

（1）信息资源规划

人们通过分析信息需求、梳理业务流程，可以得到船舶智能制造机构的职能域划分、全域功能模型和用户模型；用这些模型衡量现有的信息系统，并加以改造和整合。这一部分数据属于主数据，信息资源规划管理为主数据管理。主数据管理系统与数据仓库系统是相辅相成的两个系统，但二者绝不是重复的，也不是互斥的。它们有很多共同之处：

①二者对企业都具有相同的价值：可以减少数据冗余和不一致性、提升对数据的洞察力；二者都是跨部门的集中式系统。

②二者依赖很多相同的技术手段：都会涉及 ETL 技术，都需要元数据管理，都强调数据质量。

③二者建设手段类似：都需要以规范的数据治理作为指导，都需要不同系统、不同部门

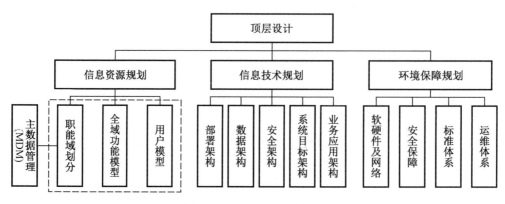

图1-4　顶层设计框架结构

的协作,都需要统一的安全策略。

但是,主数据管理系统和数据仓库系统也存在很多不同:

①处理类型不同:主数据管理系统是偏交易型的系统,它为各个业务系统提供联机交易服务,系统的服务对象是呼叫中心、B2C、客户关系管理(CRM)系统等业务系统;而数据仓库则属于分析型的系统,面向的是分析型的应用,在大量历史交易数据的基础上进行多维分析,系统的使用对象是各层领导和业务分析、市场销售预测人员等。

②实时性不同:与传统的数据仓库方案的批量ETL方式不同,主数据管理系统在数据初始加载阶段使用ETL技术,但在后续运行中要大量依赖实时整合的方式来进行主数据的集成和同步。

③数据量不同:数据仓库系统存储的是大量的甚至海量的历史数据和各个维度的汇总数据,而主数据管理系统存储的仅仅是客户和产品等信息。

虽然主数据管理系统和数据仓库系统异同共存,但是二者却有着紧密的联系,并且可以互相促进、互为补充。

(2)信息技术规划

信息技术规划需要在对面向船舶智能制造的统一数据库集成平台的信息化现状进行分析的基础上,制定系统目标架构方案、业务应用架构方案、部署架构方案、数据架构方案及安全架构方案。

①系统目标架构方案包括面向船舶智能制造的统一数据库集成平台信息化总体目标架构方案的制定、管理分类的建设内容。

②业务应用架构方案涵盖业务平台层与用户之间的接入关系、信息门户层等内容。

③部署架构方案设计中,大型服务器场部署引入了以下功能:可在多个服务器场中细分服务和解决方案,以及以单个服务器场为基础进一步向外扩展层;可在为来自多个正在使用的服务器场的请求提供服务的一个专用服务场中部署若干个Server服务。在这些大型体系结构中,通常存在Web服务器、多台应用程序服务器[具体取决于每个本地(非共享)服务的使用特征]以及多个基于Server的服务器或Server群集(取决于内容大小和在服务器场中启用的应用程序服务数据库)。

④数据架构方案中在各业务数据库建设现状的基础上,数据架构根据数据来源及数据用途分别对数据库进行分类。

⑤安全架构方案设计的方法主要有以下两点:

a.企业互联网模块安全。防火墙的安装一直是企业互联网模块设计工作中的核心程序,换句话说,这一装置的安设为企业内部用户在应用企业网络体系时提供了安全保障。这是因为当各个方向的信息资源想要流入企业网络结构中时,防火墙就像一道防护门,对信息资源进行检测,将那些非法的信息拒之门外。

b.VPN与远程接入模块安全。企业外部用户可以分为三种类型,但是一般情况下这三种外部用户是相对独立存在的,只有在企业网络VPN与远程接入模块得以设计并落实应用之时,它们的身份才会得到准确的验证,同时实现相互联接的目标。

(3)环境保障规划

基础环境保障规划是对网络、通信、服务器架构、机房设计以及信息安全保障进行规划和安排,以保障信息化建设的正常开展,以及系统的正常运转。

从纵向上看,以上三方面的规划需要面向以下五项船舶智能制造的主要业务和政务具体展开:

①船舶智能制造信息化保障环境。它由船舶智能制造信息化标准体系、建设和运行管理机制、政策等要素组成,是支撑船舶智能制造信息化不断发展的基本保障。

②船舶智能制造信息系统运行环境。它由船舶智能制造信息网络、服务器与存储、机房和基础支撑软件等组成。除硬件设施外,它还包括基本支撑软件环境和工具,集中了除数据资源、信息采集与工程监控资源以外的所有其他可共享资源,是船舶智能制造信息化建设中不应重复建设并实施资源共享的主要部分。

③船舶智能制造信息采集与工程监控。它分布面广,硬件与软件耦合度高,功能定位处于船舶智能制造信息平台的信息获取端和工程管理决策执行端,是船舶智能制造信息的主要来源之一,并形成不可代替和不应重复建设的共享资源。

④资源共享服务。它由船舶智能制造数据中心、门户和信息安全三部分组成;依托船舶智能制造信息化保障、船舶智能制造信息系统运行环境和信息采集与工程监控,实现信息资源的安全有效共享和信息的综合与主题化服务,实现基于统一门户的信息发布与用户访问控制,并预留与行业外部的互联互通接口,是船舶智能制造信息化建设与发展的核心。

⑤综合业务应用。它由各类内容组成,依托资源共享服务平台实现功能个性化、资源共享与业务协同。

1.3.2　顶层设计总体架构

船舶智能制造数据库基于数据库功能需求分析、数据库建库模式研究和统一数据库平台应用需求分析进行顶层设计,建立统一数据库集成平台顶层架构(图1-5),为数据库开发和相关技术研究提供体系框架的支撑。

1.3.2.1　集成层

集成层是信息系统的业务逻辑处理模块,包括业务模型组件服务、知识服务、流程服务、主题服务和数据集成服务,统一存储于数据中心。集成层负责企业数据中心数据采集、加工、汇总、分发的过程,完成企业级数据标准化、集中化,实现数据脉络化、关系化,实现统一的数据处理加工,包括非实时数据处理和实时数据处理,提供数据抽取、数据转换、数据加载、数据汇总、数据分发、数据挖掘等。数据集成层不只是管理数据信息,还提供一种对数据进行可靠的获取和更新的方式。创建逻辑数据模型以及管理相关的元数据和规则是最大的挑战。数据库元数据的传统定义是指关于数据库(特别是关系型数据库)模式的描述信息。在数据集成中,需要提取每个数据库的元数据信息,为建立全局视图提供依据。

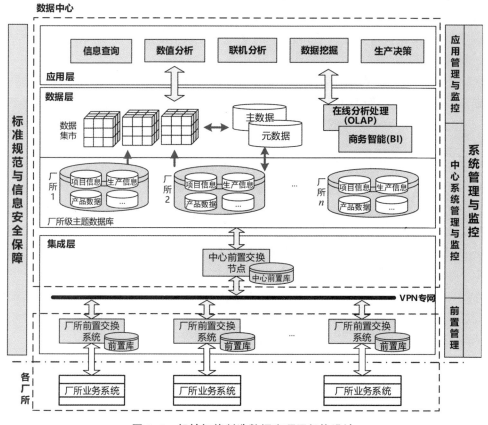

图 1-5 船舶智能制造数据库顶层架构设计

1.3.2.2 数据层

统一数据库包含厂级数据库,而厂级数据库又包含工艺数据库、生产数据库和基本信息库。因此,统一数据库包含所有数据,设计时应考虑到不同数据之间的格式不一致问题,可见亟须制定一套完善的数据标准体系。

数据标准的制定要适应业务和技术的发展要求,优先解决普遍的、亟待解决的问题。制定数据标准有以下几个原则:

(1)遵循"循序渐进、不断完善"的原则。

(2)数据标准的制定顺序以公共代码数据标准为起点,具体为公共代码数据标准、通用数据标准、共享数据标准、特定数据标准。

（3）在公共代码数据标准和通用数据标准的基础上，遵循数据标准管制和维护的相关规定予以维护管理，不断丰富完善。

（4）与系统建设密切配合，重点服务战略性的系统。

除了需要制定一套完善的数据标准体系之外，还需要进行数据管理、数据监控和数据整合。

数据管理包括库管理和表管理。库管理包括数据库管理和数据库用户管理。其中，数据库管理包括增加远程数据库映射关系，数据库的加载、卸载、变更、删除和库属性查看功能；数据库用户管理包括数据库用户的增加、变更、删除，以及用户的属性查看功能。表管理包括数据库对象管理和数据库对象字段管理。其中，数据库对象管理包括表的增加、修改、删除，表数据预览，表数据导出和表字段查看功能；数据库对象字段管理包括表字段的增加、修改、删除和字段属性查看功能。

数据监控包括交换元素配置、交换监控，以及整合元素配置和整合监控。其中，交换元素配置提供增加交换监控库、定义交换监控元素和配置监控库拓扑关系的功能；交换监控提供获取交换监控消息、监控消息解析、监控元素加载和交换监控展示的功能。类似地，整合元素配置提供增加整合监控库、定义整合监控元素和配置监控库拓扑关系功能；整合监控提供获取整合监控消息、监控消息解析、监控元素加载和整合监控展示的功能。

数据整合包括数据整合管理、数据整合授权、数据整合查看三个部分。数据整合管理包括数据源定义、关联条件定义、映射关系定义、过滤条件定义、统一视图创建和数据抽取创建等功能。数据整合授权包括数据整合查询、数据整合授权、授权信息维护和授权信息查看等功能。数据整合查看包括整合授权查询、统一视图数据预览、数据抽取、数据预览和授权信息验证等功能。

数据层主要包括主数据和元数据两类数据。

（1）主数据

顶层设计的实现需要对船舶智能制造主数据进行管理，而主数据可以通过主数据管理系统进行管理，因此需要深入研究主数据管理系统。主数据管理系统是一套可以快速实施，适用于企业需求的主数据管理平台。系统依据主数据管理理论及特点，涵盖主数据存储、整合、清洗、发布和管控功能。主数据管理系统可帮助企业建立起集中的主数据管理环境，消除信息孤岛，统一、规范数据编码，加强数据审计，使企业信息化建设基础更加稳固、可用，为开展各项业务系统联动和数据分析、数据挖掘等做好充分准备。

主数据管理系统包括元数据建模、展现建模、数据审批、数据分发、数据监控等内容，可实现主数据全生命周期管理。其从功能上可划分为五大核心功能模块和四大支撑功能模块，如图1-6所示，这里对五大核心功能模块进行介绍。

①数据模型管理

该功能模块可管理主数据层次、结构、元数据属性，维护数据关联关系，并具有强大的编码规则管理功能。

②数据展示管理

该功能模块包括查询方案展示管理和数据维护展示管理,可以自定义查询条件、查询结果显示内容,控制数据维护界面展示风格、展示内容,最大限度地满足客户差异化需求。

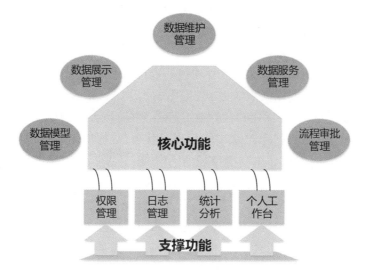

图1-6　主数据管理系统功能划分

③数据维护管理

该功能模块提供按主数据层次、多视图的数据维护功能,可对主数据内容、状态进行管理,并支持复制、粘贴和大批量导入、导出功能。

④数据服务管理

该功能模块可将主数据作为服务发布,提供系统注册、身份验证、订阅注册等功能,并具有严格的数据过滤机制。数据服务支持 HTTP、FTP、SOAP 等多种标准通信协议,并支持数据加密、数据压缩和数据分包等特殊要求。

⑤ 流程审批管理

该功能模块具备简单易用的流程定义功能,提供多层次的审批定义,并根据主数据管理特点,提供数据级批量审批功能,可大大提高审批效率。

(2)元数据

按照传统的定义,元数据(metadata)是关于数据的数据。在数据仓库系统中,元数据可以帮助数据仓库管理员和数据仓库的开发人员非常方便地找到他们所关心的数据;元数据是描述数据仓库内数据的结构和建立方法的数据,可将其按用途分为两类:技术元数据(technical metadata)和业务元数据(business metadata)。

①技术元数据是存储关于数据仓库系统技术细节的数据,也是用于开发和管理数据仓库使用的数据。它主要包括以下信息:

a. 数据仓库结构的描述,包括仓库模式、视图、维、层次结构和导出数据的定义,以及数据集市的位置和内容;

b. 业务系统、数据仓库和数据集市的体系结构和模式;

c.汇总用的算法,包括度量和维定义算法、数据粒度、主题领域、聚集、汇总、预定义的查询与报告;

d.由操作环境到数据仓库环境的映射,包括源数据和它们的内容、数据分割、数据提取、清理、转换规则和数据刷新规则、安全(用户授权和存取控制)。

②业务元数据从业务角度描述了数据仓库中的数据,它提供了介于使用者和实际系统之间的语义层,使得不懂计算机技术的业务人员也能够"读懂"数据仓库中的数据。业务元数据主要包括使用者的业务术语所表达的数据模型、对象名和属性名,访问数据的原则和数据的来源,系统所提供的分析方法,以及公式和报表的信息,具体包括以下信息:

a.企业概念模型,这是业务元数据所应提供的重要的信息,它表示企业数据模型的高层信息、整个企业的业务概念和相互关系。以这个企业模型为基础,不懂数据库技术和SQL语句的业务人员对数据仓库中的数据也能做到心中有数。

b.多维数据模型,这是企业概念模型的重要组成部分,它告诉业务分析人员在数据集市当中有哪些维、维的类别、数据立方体以及数据集市中的聚合规则。这里的数据立方体表示某主题领域业务事实表和维表的多维组织形式。

c.业务概念模型和物理数据之间的依赖:以上提到的业务元数据只表示出了数据的业务视图,这些业务视图与实际的数据仓库或数据库,多维数据库中的表、字段、维、层次等之间的对应关系也应该在元数据知识库中有所体现。

1.3.2.3　应用层

应用层从业务职责结构出发,分为事务应用和业务应用模块,为便于信息集成应用,在业务应用模块的基础上,增加一个业务集成模块。已建的业务信息系统按照面向服务架构进行资源整合。

应用层的所有业务应用具备与底层数据松耦合特性,通过接口层提供的各种数据接口,向业务人员或第三方厂商提供开放 API 服务。根据不同的应用场景,用户通过对相应的 API 进行选择和组合,从而快速生成所需的业务应用,以满足对应用的快速开发、部署、上线的能力要求。

对于应用的开发可通过两种方式实现:

(1)数据中心平台内应用开发

通过数据中心提供的应用开发平台直接进行应用开发,开发平台提供高效的可视化开发界面,包括对各类 API 可以追根溯源,展现详细 API 元数据信息等。同时对应用设计、应用开发、应用测试、应用上线、应用下线进行全流程、全生命周期的开发管控。此类开发场景主要适用于不具备硬件资源的用户(如业务部门开发人员)进行应用开发。

(2)数据中心平台外应用开发

通过 HTTP 协议数据服务接口,直接调用数据中心服务层中的各类 API 服务,开发编写相应的计算过程并形成对应的业务应用。此类开发场景主要适用于具备硬件资源的用户(如第三方厂商)进行应用开发。

1.4　本　章　小　结

　　建立统一数据库集成平台是推进船舶智能制造的重要措施。本章介绍了船舶智能制造数据库建库模式设计的难点——船舶数据交换系统，以及建库的两种模式——"全库–厂级–单库"逐级模式和网状互联模式，并给出了船舶智能制造数据库顶层架构设计原则、方法和内容。建立统一数据库集成平台顶层架构，可以为数据库开发和相关技术研究提供体系框架的支撑。

第 2 章　面向船舶行业应用的平台统一数据库设计规范

2.1　概　　述

数据库设计规范是平台规范化开发的基础。面向船舶智能制造的统一数据库设计规范涉及结构设计规范、数据库轻量化设计规范以及数据完整性设计规范等。本章主要阐述面向船舶行业应用的平台统一数据库设计规范。船舶设计、生产、管理等基础数据及分析数据的规范化存储,可提高船舶智能制造数据库的性能,并且有利于船厂信息化系统更加高效地实现数据集成与应用。

2.2　数据库结构设计规范

2.2.1　数据库设计需求分析

智能制造技术代表了自动化制造领域未来的主要发展趋势,是信息化与自动化制造水平的高度集成。船舶智能制造的稳步发展则是实现船舶制造工业各个环节最优化、自动化和智能化的重要途径。

要实现船舶智能制造,需要大量的、集成的数据作为智能化基础,为船舶智能制造提供决策规划的依据。目前,大部分船企已从单个信息系统建设发展为一体化信息建设,普遍存在的信息体系为 PDM、ERP、MES 系统。PDM 系统已经集成了 CAD、CAM、CAPP 等系统,能够集成并管理所有与产品有关的信息和过程;ERP 系统通过集成 OA、SCM、SRM 等系统对企业资源进行共享,使企业的资源在购、存、产、销、人、财、物等各个方面能够得到合理配置与利用;MES 系统是面向制造车间执行层的生产管理系统,可通过对生产信息、车间设备信息、工人信息的集成帮助企业实施整体的闭环生产管理。目前各系统在建设和使用过程中的常见问题主要有:

(1)船企建设 PDM、ERP、MES 系统时通常使用不同厂商的相对成熟的产品。系统之间的集成往往需要通过拷贝数据或者通过数据接口进行信息传输。因为数据模型不同,在信息传输过程中常会遇到信息不统一的问题。

(2)PDM 系统和 ERP 系统之间,同一产品的形成周期通常涉及 PDM 系统和 ERP 系统两个领域,两个系统在部分数据及功能上出现重叠,但通常利用两套数据模型进行存储。

(3)ERP 系统和 MES 系统之间,ERP 系统通常在 MES 系统层级之上,涉及的数据粒度

不同,ERP 系统通常只对宏观计划进行管理,但却无法根据实时生产数据动态改变生产计划,无法针对工厂生产的瓶颈进行分析,无法改进和控制产品的质量。而 MES 系统通常面向的是车间执行管理层,无法为企业在广度和深度上提供决策支持所需要的生产执行数据。

(4)PDM 系统和 MES 系统之间,PDM 系统的产品数据经过初步设计、详细设计、工艺设计、生产设计之后再传输给 MES 系统,而 MES 系统往往不对 PDM 系统进行数据的反馈,PDM 系统的产品数据无法灵活地根据车间物料状态、设备情况进行调整。

(5)随着科学技术的发展,基于虚拟现实、人工智能、大数据分析等新兴的船舶生产制造辅助软件层出不穷,而这类软件的部署上线通常与船企信息系统隔离,或者需要进行点对点的数据对接,无法在统一的数据库集成平台环境中进行开发部署。

根据以上分析,统一数据库的设计需要满足以下要求:

(1)能够针对船舶智能制造过程中的设计、生产、管理、运营等方面提供统一的数据模型;

(2)能够为船舶智能制造模式下的信息化系统提供分析与决策的数据信息;

(3)能够为不同的业务需求提供多样化的存储与读写性能。

基于以上分析,数据库主要按照数据仓库的架构设计了两类库:一类是基础支撑数据库,用于存储船舶设计、生产、管理等方面的规范化数据,采用联机事物处理(OLTP)模式,读写速率快,可为数据分析、数据共享等需求提供基础数据,船企通过现有业务系统经 ETL 处理后获取;另外一类是根据统计分析及生产决策等的需求按照数据仓库或数据集市的架构设计的主题数据库,采用 OLAP 模式,具有面向主题分析、查询效率高的特性。

根据调研分析,基础支撑数据库主要覆盖设计管理、生产管理、车间管理、企业资源管理等几个方面,具体包括船舶初步设计数据库、船舶详细设计数据库、船舶制造工艺数据库、船舶设计管理数据库、船舶制造车间设备数据库、船舶制造车间派工数据库、船舶制造质量追溯数据库、船舶制造场地信息数据库等。

主题数据库主要针对数据分析决策等需求,通过对基础支撑数据库进行数据挖掘分析,在设计管理、生产管理、车间管理、企业资源管理等方面形成各类主题数据库。

基础支撑数据库主要按照设计管理、生产管理、车间管理、企业资源管理等四个大类对数据进行存储。这里的基础支撑数据库主要起到以下三个作用:

一是作为源数据的备份,上层的数据处理可在集成平台系统内部直接针对系统做分析处理,而不需要持续与源数据系统交互,从而减小源系统数据库的压力,提升系统数据处理的效率;

二是作为数据库规范的模板,源数据系统的数据在这里按照一定的规则存储,数据更加规整;

三是作为业务系统数据同步与交换的媒介,同一个数据(例如同一个零件编号)在不同的系统中可能编号不同,在这里可以针对这类数据进行统一规范。

值得注意的是,这里的基础支撑数据库是可以根据业务需求以及信息系统的扩展而进行扩展设计的。

主题数据库按照数据仓库或数据集市的架构进行设计,主要将设计管理、生产管理、车间管理、企业资源管理等类别的数据按照不同的分析维度进行存储,形成面向分析的数据。主题数据库的数据可以从源数据和基础支撑数据库按照主题分析需求进行不断抽取。同时主题数据库的数据也可以根据数据分析及生产决策等需求进行不断扩展。该层的数据通过接口的方式供表现层或外部系统调用。

2.2.1.1　基础支撑数据库设计需求

(1)数据库命名规范

数据库命名要求使用与实际船舶制造业务意义相关联的大写英文字母,即<船舶制造具体业务数据名称>。

①数据库表命名规范

a. 表以名词或名词短语命名。面向船舶智能制造的统一数据库集成平台基础支撑数据库表命名规范为<数据库名_具体业务名称或短语>。

b. 关联表。对于基础支撑数据库中存在关联关系的数据表,其命名规范为<基础支撑数据库名_数据表1名_数据表2名>。

②数据库表字段命名规范

a. 字段名的命名采用船舶制造业务相关名词或名词短语,单词均采用大写形式,多个单词之间用"_"间隔;

b. 尽量避免使用关键字作为列名,以免产生一些错误;

c. 每张表必须至少有一个主键列。

③视图命名规范

视图是数据库从单个或多个表导出的虚拟的表,具有普通表的结构,但是不实现数据存储。单表视图一般用于查询和修改,会改变原表的数据;多表视图一般用于查询,不能修改基本表的数据。

面向船舶智能制造的统一数据库集成平台数据库视图以"<面向船舶智能制造的统一数据库集成平台数据库名_V_>"作为前缀,同时命名中尽量体现视图功能且命名均为大写英文字母,其命名规范为:<面向船舶智能制造的统一数据库集成平台数据库名_V_具体业务的名词或短语>。

④触发器命名规范

触发器以"<基础支撑数据库名_TRG_>"作为前缀,触发器名为相应的表名加上后缀,Insert触发器后缀加"_I",Delete触发器后缀加"_D",Update触发器后缀加"_U",则本平台基础支撑数据库触发器具体命名规范为:<基础支撑数据库名_TRG_数据表名_I/D/U>。

⑤存储结构命名规范

存储结构应以"<面向船舶智能制造的统一数据库集成平台数据库名_UP_>"作为前缀,命名均为大写英文字母,后边加上具体业务的名词或短语。本平台基础支撑数据库存储结构具体命名规范为:<基础支撑数据库名_UP_具体业务的名词或短语>。

⑥索引命名规范

索引以"<基础支撑数据库名_IDX_>"作为前缀,后面加上"表名_字段名称",索引命名均采用大写英文字母形式。索引具体命名规范为:<面向船舶智能制造的统一数据库集成平台基础支撑数据库名_IDX_表名_字段名>。

⑦序列命名规范

前缀为 SEQ_,其命名规范为:<SEQ_表达船舶制造业务的名词>,按船舶制造业务属性命名。

⑧约束条件命名规范

常见数据库的约束有以下几种:非空约束、唯一约束、主键约束、外键约束、条件约束和默认约束。其中,面向船舶智能制造的统一数据库集成平台基础支撑数据库的主要约束有:非空约束、主键约束、外键约束等。

非空约束表示该字段的数据不能设置为空,常用来约束面向船舶智能制造的统一数据库集成平台数据库中审核人、责任部门、资源编号等实际业务中不可缺少的信息。

主键约束表示该字段的数据必须非空且唯一,常用来约束船舶智能制造过程中的项目编号、图纸编号、报表编号、采购订单编号等关键标志性数据。

外键约束用来表示数据表与数据表之间关系的约束,主要用于将具有映射关系的两数据表联系起来。

面向船舶智能制造的统一数据库集成平台数据库约束条件命名规范:

主键约束:<数据库名>_PK_表名

外键约束:<数据库名>_FK_表名_列名

非空约束:<数据库名>_NN_表名_列名

唯一约束:<数据库名>_UK_表名_列名

条件约束:<数据库名>_CK_表名_列名

默认约束:<数据库名>_DF_表名_列名

如果约束名称长度超过 32 位,建议缩写表名。不过具体视情况而定,很多时候诸如<系统编号>_DF_表名_列名这样命名,长度往往超过了 32 位。所以有时需要缩写表名或字段。

⑨命名中其他注意事项

a. 数据对象、变量的命名都采用英文字符,禁止使用中文命名;禁止在对象名的字符之间留空格。

b. 小心保留词,要保证字段名没有和保留词、数据库系统或者常用访问方法冲突。

c. 保持字段名和类型的一致性,在命名字段并为其指定数据类型时一定要保证二者的一致性,如数据类型在一个表里是整型,则在另一个表里不能变成字符型。

d. 所有的表、字段、存储结构等必须有注释,注释的语言视系统而定。

(2)数据库表索引规范

创建索引时注意以下原则:

①表的主键、外键必须有索引;

②数据量超过 300 条的表应该有索引；

③经常与其他表进行连接的表，在连接字段上应该建立索引；

④经常出现在 where 子句中的字段，特别是大表的字段，应该建立索引；

⑤索引应该建在选择性高的字段上；

⑥索引应该建在小字段上，对于大的文本字段甚至超长字段，不要建立索引；

⑦创建符合要求的索引后需要进行仔细分析，尽量考虑用单字段索引；

⑧频繁进行数据增删改操作的表，不要建立太多索引；

⑨删除无用的索引，避免对执行计划造成负面影响。

（3）数据库字段类型规范

面向船舶智能制造的统一数据库集成平台基础支撑数据库中的常用数据类型主要包括：字符类型（Char、Varchar、Varchar2）、数值类型（Integer、Float、Number）、日期类型（Date）、大对象类型（Blob、Clob）。

在面向船舶智能制造的统一数据库集成平台基础支撑数据库中，字符类型一般用于实际业务中的项目名称、项目编号、备注、描述以及进度信息等需要文字或字符串描述的各类数据的存储；数值类型则用于物资数量、报表编号等纯数字数据的存储；日期类型一般用于计划管理数据库中计划开始时间、计划结束时间，以及进度管理数据库中反馈时间等数据的存储；大对象类型则用于船舶制造过程中所产生的设计图纸、各类文档等的存储。

字段类型尽量采用占用存储空间少的类型来存储数据，例如：在船舶制造结构信息数据表库的结构基本信息表中，字段类型设置为 Varchar(20)，而不设置为 Varchar(50)。

（4）数据库默认值规范

数据库在设计表时，很多字段都不允许为空，对于不允许为空的字段，使用默认值表示；对于允许为空的字段要标注出可为空。

例如，在船舶制造物资管理数据库中：

物资数量的默认值定义为 0，如果没有对物资数量进行赋值，则显示默认值为 0。

录入日期的默认值定义为当前日期，如果没有对录入日期进行赋值，则显示默认值为当前日期。

（5）数据库范式

为提高效率，应将具有某些关系的属性关联，设置合理的冗余数据，遵循第三范式规定：

①表内的每一个值都只被表达一次。

②表内的每一行都应该被唯一地标识（有唯一键）。

③表内不应该存储来自其他键的非键信息。

（6）数据库文档规范

数据库文档主要用于对数据库的各类操作进行记录。更改数据库中字段后，要更新数据库文档，方便以后管理、查询、维护，对数据库文档应分配合理的权限，保证文档的安全。

撰写数据库文档时要对文档中字段进行注释说明。

（7）数据字典规范

数据字典由一系列提供数据库信息的只读表组成，所有数据字典都被组织成表或视图，它们都存储在数据库的 SYSTEM 表空间中，被分为三类：

①User 视图：User_用户自己的信息；

②All 视图：ALL_用户可以访问的信息；

③DBA 视图：DBA_数据库中所有的信息。

其内容包括数据项、数据流、数据存储和数据处理。

①数据项

数据项＝｛数据项名，含义说明，别名，数据类型，长度，取值范围，取值含义，与其他数据项之间的关系｝

②数据流

数据流表示某一过程的输入或输出。

数据流＝｛数据流名，描述，流入过程，流出过程，定义，平均流量，高峰期流量｝

③数据存储

数据存储＝｛数据存储名，含义说明，输入数据流，输出数据流，组成＝｛数据项｝，数据量，存取频度，存取方式｝

④数据处理

数据处理＝｛数据处理名，描述，输入数据流，输出数据流｝

（8）数据库外部设计

①标识符和状态

设计时联系用途，详细说明用于唯一标识该数据库的代码、名称或标识符，附加的描述性信息亦要给出。如果该数据库属于尚在测试中或是暂时使用的，则要说明这一情况及其有效时间范围。

②使用它的程序

设计时列出将要使用或访问此数据库的所有应用程序，对于其中的每一个程序，都要给出它的名称和版本号。

③约定

约定的作用为阐述一个程序员或一个系统分析员为了能使用此数据库而需要了解的建立标号、标识的约定。面向船舶智能制造的统一数据库集成平台基础支撑数据库的主要约定如下：

数据库对象名称字母全部采用大写形式，多个单词之间用"_"间隔，名称长度不超过30字节，各对象名称结构如下。

数据表：<面向船舶智能制造的统一数据库集成平台基础支撑数据库名>_具体业务的名词或名词短语

字段名：表明字段含义的名词或名词短语

视图：<面向船舶智能制造的统一数据库集成平台基础支撑数据库名>_V_具体业务的名词或名词短语

触发器:<面向船舶智能制造的统一数据库集成平台基础支撑数据库名>_TRG_具体业务的名词或名词短语

存储结构:<面向船舶智能制造的统一数据库集成平台基础支撑数据库名>_UP_具体业务的名词或名词短语

索引:<面向船舶智能制造的统一数据库集成平台基础支撑数据库名>_IDX_具体业务的名词或名词短语

序列:<面向船舶智能制造的统一数据库集成平台基础支撑数据库名>_SEQ_具体业务的名词或名词短语

④专门指导

为准备从事此数据库的生成、测试、维护人员提供专门的指导,例如将被送入数据库的数据的格式和标准、送入数据库的操作规程和步骤,用于为产生、修改、更新或使用这些数据文卷的操作提供指导。

如果这些指导的内容篇幅很长,列出可参阅的文件资料的名称和章条。

⑤支持软件

简单介绍同此数据库直接有关的支持软件,如数据库管理系统、存储定位程序和用于装入、生成、修改、更新数据库的程序等;说明这些软件的名称、版本号和主要功能特性;以表格的形式列出这些支持软件的技术文件的标题、编号及来源。

(9)数据库结构设计

①概念结构设计

面向船舶智能制造的统一数据库集成平台基础支撑数据库概念结构设计的作用是,说明数据库反映的现实世界中的实体、属性、数据类型和它们之间的关系等的原始数据形式,采用E-R图形式进行设计。在对面向船舶智能制造的统一数据库集成平台数据库进行概念设计时,首先将船舶智能制造实际业务中所收集的信息按照其相应的业务和相关流程进行分类,进而确定数据库概念结构中的各个实体、实体属性以及实体之间的关系。

面向船舶智能制造的统一数据库集成平台数据库概念结构使用PowerDesigner软件进行E-R图设计,如图2-1所示。此软件还可以将本节中的概念数据模型直接生成物理数据模型,免去绘制物理数据模型的麻烦。图2-1中下划线标识的属性为主标识符,并在属性前方以"#"标识," ＊ "标识的属性不允许有空值,"。"标识的属性是日期属性。

②逻辑结构设计

面向船舶智能制造的统一数据库集成平台数据库逻辑结构设计的主要作用是,将概念结构所设计的E-R图转换为与所选用的数据库管理系统产品支持的数据模型相符合的逻辑结构。面向船舶智能制造的统一数据库集成平台数据库的逻辑结构设计是将数据库概念结构中的原始数据进行分解及合并,重新组织成数据库关系模型。概念设计的E-R图中的每一个实体都可转换为一个关系模式,将图2-1中的实体转化为逻辑结构,则其关系模式为:

关系模式1(属性1.1,属性1.2,属性1.3)

关系模式2(属性2.1,属性2.2)

关系模式3(属性3.1,属性3.2)

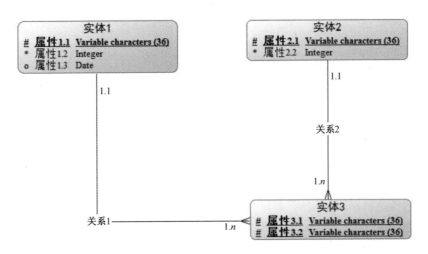

图 2-1　E-R 图设计例图

这里的关系模式 1,2,3 分别与图 2-1 中的实体 1,2,3 对应。

③物理结构设计

面向船舶智能制造的统一数据库集成平台数据库的物理结构使用物理数据模型说明数据库的物理结构,如图 2-2 所示,它描述了数据是如何在计算机中进行存储的,以及表达了船舶智能制造过程的数据在数据库中的记录结构、记录顺序等信息。

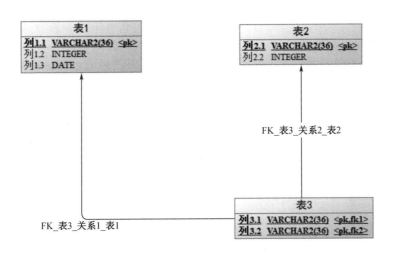

图 2-2　物理数据模型图例图

其设计方法如前所述,使用 PowerDesigner 软件对数据库物理结构进行设计,直接将概念结构模型转换为物理结构模型。

(10)非结构化数据存储设计

非结构化数据是指数据结构不规则或不完整,没有预定义的数据模型,不方便用数据库二维逻辑表来表现的数据。其包括所有格式的办公文档、文本、图片、XML、HTML、各类报表、图像和音频/视频信息等。

在基础支撑数据库中，非结构化数据尽量不存储在数据库中，而应以文件形式保存在服务器中，数据库中只存储非结构化数据相应的存储路径，这将极大提升检索效率。

如果需要非结构化数据，则提取非结构化数据的特征属性在数据库中进行存储，同样不将该数据存储进数据库。

2.2.1.2　主题数据库设计需求

（1）主题数据库表设计规范

与传统数据库中的二维表设计不同，船舶智能制造主题数据库表设计遵循维度模型，该模型理论由 Ralph Kimball 提出。根据维度模型理论，主题数据库中的表可以划分为事实表和维度表。事实表用来存储事实的度量（measure）及指向各个维的外键值。维度表用来保存该维的元数据，即维的描述信息，包括维的层次及成员类别等。

以船舶制造设备维护为例，其属性有工作时长、设备类型、设备功能等，则可以将工作时长设计为事实表，将设备类型、设备功能等其余可用来分析事实表的属性设计为维度表。

（2）主题数据库命名规范

船舶智能制造数据库命名规范主要原则为：

根据业务过程，抽象基本术语单元；

对相应的术语单元做语义翻译，可以采用英文、包含数字的英文，避免英文与拼音混用；

英文尽量在不失原意的情况下采用缩写形式；

避免以数字开头。

①主题数据库表命名规范

由于主题数据库存储的是船舶智能制造执行过程中某一阶段的历史数据，因此，在对表进行命名时，有必要体现数据周期，同时在命名时也需要体现相应的业务主题。主题数据库主题命名规范及部分数据周期如表 2-1 所示。

表 2-1　主题数据库主题命名规范及部分数据周期

主题名		数据周期	
船舶智能制造设计数据库	DESIGN	日	D
船舶智能制造车间管理数据库	WOSP_MAGT	周	W
船舶智能制造生产管理数据库	PROD_MAGT	月	M
船舶智能制造企业资源数据库	ENTPSE_RES	季度	Q

a. 事实表命名规范

面向船舶智能制造的统一数据库集成平台主题数据库事实表命名规范为：<DW_主题名（缩写）_功能描述_数据周期>。事实表名称必须由有特征含义的单词或其缩写组成，中间使用"_"进行分隔，英文均采用大写形式。

b. 维度表命名规范

面向船舶智能制造的统一数据库集成平台主题数据库维度表命名规范为:<DIM_维度名称_数据周期>。维度表名称必须由有特征含义的单词或其缩写组成,中间使用"_"进行分隔,英文均采用大写形式。

②主题数据库字段命名规范

面向船舶智能制造的统一数据库集成平台主题数据库中,字段名称必须以字母开头,采用有特征含义的单词或其缩写,不能用双引号包含,命名格式为:<主题数据库名_主题数据库字段名>。同时,对于业务和字段名类同的字段,在表中尽量放在一起。

③主题数据库约束命名规范

一般来说,在主题数据库中不需要额外设置约束条件,一是因为在基础支撑数据库设计过程中,已经设置好了约束条件,主题数据库在从基础支撑数据库中抽取数据时,基础支撑数据库的约束一并流入主题数据库中;二是在主题数据库中,过多地设置约束会导致表与表之间关联过多,进而影响主题数据库的性能。但以防万一,维度表中需要有一列主键约束,因此这里仍然对面向船舶智能制造的统一数据库集成平台主题数据库约束命名做出规范。

在面向船舶智能制造的统一数据库集成平台主题数据库中,主要有主键、外键、非空三种约束,其命名规范如下:

主键约束:<DW_PK_主题数据库表名>

外键约束:<DW_FK_主题数据库表名_字段名>

非空约束:<DW_NN_主题数据库表名_字段名>

④主题数据库索引命名规范

主题数据库中,索引的命名规范与传统数据库中索引的命名规范大体相同,其命名规范为:<IDX_约束类型_主题域_主题数据库表名_字段名>。

⑤主题数据库其他对象命名规范

除以上所提及的面向船舶智能制造的统一数据库集成平台主题数据库主要对象命名规范以外,其他主题数据库对象命名规范如下:

视图:前缀为 V_,其命名规范为<V_表达船舶制造业务的名词>,按船舶制造业务操作命名

物化视图:前缀为 MV_,其命名规范为<MV_表达船舶制造业务的名词>,按船舶制造业务操作命名

存储结构:前缀为 SP_,其命名规范为<SP_表达船舶制造业务的名词>,按船舶制造业务操作命名

触发器:前缀为 TRIG_,其命名规范为<TRIG_主题数据库表名_触发器名>

函数:前缀为 FUNC_,其命名规范为<FUNC_表达船舶制造业务的名词>,按船舶制造业务操作命名

数据包:前缀为 PKG_,其命名规范为<PKG_表达船舶制造业务的名词>,按船舶制造业务操作命名数据包

序列:前缀为 SEQ_,其命名规范为<SEQ_表达船舶制造业务

属性命名

普通变量:前缀为 VAR_,用于存放字符、数字、日期型变量

游标变量:前缀为 CUR_,用于存放游标记录集

记录型变量:前缀为 REC_,用于存放记录型数据

表类型变量:前缀为 TAB_,用于存放表类型数据

(3)主题数据库表索引设计规范

船舶智能制造集成平台主题数据库表索引命名规范如前所述,这里主要阐述如何对主题数据库事实表和维度表的索引进行设计。

①事实表索引设计

在船舶智能制造集成平台主题数据库事实表中,逻辑主键一般是维度表主键的外键联合。所以在每一个外键上,需要建立位图索引,这样可以在事实表数据量较大的情况下,将索引变得很小,可以大大节省磁盘空间。更重要的是,索引可以全部放入内存中,从而提高查询速度。

②维度表索引设计

在船舶智能制造集成平台主题数据库中,所有维度表应当拥有单独的一列作为主键,以便在主键上建立唯一索引。同时,Oracle 数据库管理系统支持位图索引,可以为常用作筛选条件的维度属性每列添加一个位图索引。

注意:关于维度表的联合索引,应考虑其维度表大小,在较小的维度表上不建议创建联合索引,否则会影响主题数据库性能;而在比较大的维度表上,则建议创建联合索引,有利于提升主题数据库的查询速度。

(4)主题数据库字段类型规范

由于面向船舶智能制造的统一数据库集成平台主题数据库中的全部数据是从数据层的各子船舶制造业务数据库中抽取的,因此主题数据库中的字段类型与基础支撑数据库字段类型保持一致。

(5)主题数据库范式

面向船舶智能制造的统一数据库集成平台主题数据库的设计遵循三范式:

第一范式(1NF):属性的原子性,要求属性具有原子性,即列不可再分解;

第二范式(2NF):记录的唯一性,要求记录有唯一标识,即实体具有唯一性,不存在部分依赖;

第三范式(3NF):字段的冗余性,要求任何字段不能由其他字段派生出来,它要求字段没有冗余,即不存在传递依赖。

(6)主题数据库模型设计

面向船舶智能制造的统一数据库集成平台主题数据库的结构设计与基础支撑数据库不同,基础支撑数据库的结构设计需要使用 E-R 图将实体映射到数据库中,而面向船舶智能制造的统一数据库集成平台主题数据库只需要通过模型设计来明确表与表之间的关系。

面向船舶智能制造的统一数据库集成平台主题数据库使用维度模型进行建模。主题数据库的维度模型主要有两类:星形模型和雪花模型。

①星形模型

星形模型是一种多维的数据关系,它由一个事实表和一组维度表组成,如图2-3所示。每个维度表都有一个维作为主键,所有这些维的主键组合成事实表的主键。该模型强调的是对维度进行预处理,将多个维度集合到一个事实表,形成一个宽表。

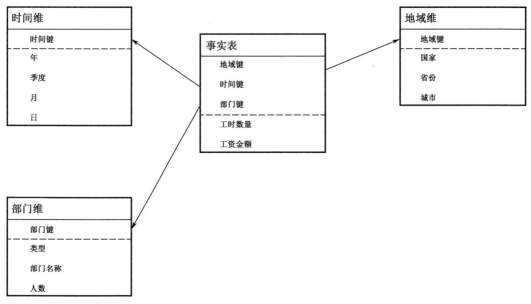

图2-3　星形模型例图

②雪花模型

当有一个或多个维度表没有直接连接到事实表上,而是通过其他维度表连接到事实表上时,其图解就像多个雪花连接在一起,故称雪花模型,如图2-4所示。

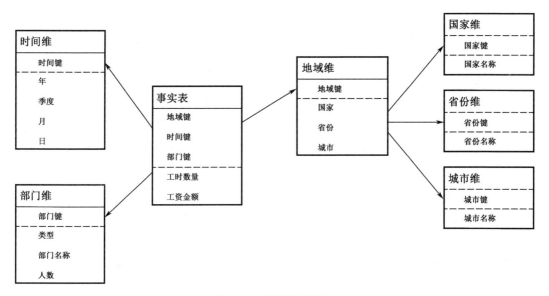

图2-4　雪花模型例图

雪花模型是对星形模型的扩展。它将星形模型的维度表进一步层次化,原有的各维度表可能被扩展为小的事实表,形成一些局部的"层次"区域,这些被分解的表都连接到主维度表而不是事实表。雪花模型更加符合数据库范式,减少数据冗余,但是在进行数据分析时,操作比较复杂。

(7)主题数据库运用设计

面向船舶智能制造的统一数据库集成平台主题数据库的数据字典与基础支撑数据库数据字典相比,字段名、字段类型、约束等字段的描述类似,但增加了对主题数据库中的表的描述,例如表类型、源数据库编码、数据周期等主题数据库中表的特有属性,如表2-2所示。

表 2-2　主题数据库数据字典样表

主题数据库表名			中文名		
主题数据库编号			主题数据库表类型		
源数据库名称			源数据库编码		
船舶制造业务主题			数据周期		
序号	字段名	中文名	字段类型(长度)	约束	备注
1					
2					
3					

面向船舶智能制造的统一数据库集成平台主题数据库的安全保密设计遵循船舶制造数据库集成平台基础支撑数据库安全保密设计原则,同时针对重要的船舶制造历史生产数据,在2.2.1.1节的基础上,进一步采用MD5、SHA512等不可逆的加密算法进行加密,保障主题数据库数据的安全性。

(8)主题数据库非结构化数据存储设计

基础支撑数据库中的非结构化数据均以文件形式保存。不同于基础支撑数据库,主题数据库具有一定的非结构化数据管理能力,所以需要对非结构化数据的存储进行一定设计,以提升主题数据库对非结构化数据的管理能力,具体设计如图2-5所示。

当非结构化数据由基础支撑数据库流入主题数据库时,经由文件存储接口,非结构化数据分为大文件(≥10 MB)和小文件(<10 MB)。对于大文件来说,存储方式与基础支撑数据库类似,仅在主题数据库中存储文件相应路径;对于小文件,存储接口会将其划分成若干数据块,进而形成二进制数据流,存储至小文件管理数据表中,如表2-3所示。

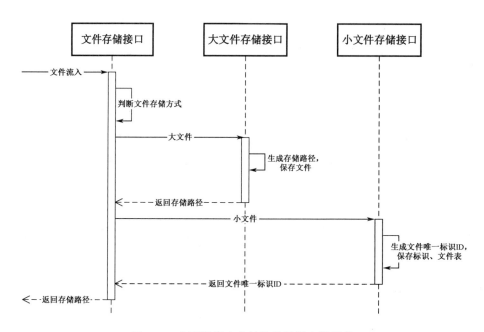

图 2-5　主题数据库非结构化数据存储设计

表 2-3　小文件管理数据表

序号	字段名	说明	字段类型
1	UUID	文件唯一标识 ID	Varchar（32）
2	NAME	文件名	Varchar（100）
3	SIZE	文件大小	Number
4	FLOW	文件二进制数据流	Binary

2.2.2　数据库详细设计规范

根据平台顶层架构设计,面向船舶智能制造的统一数据库集成平台的数据主要集中在两个部分,一个是基础支撑数据库,另一个是主题数据库。基础支撑数据库主要是按照业务分类规划的数据库,具体设计主要为关系型数据库设计,并按照数据库设计需求,将基础支撑数据库主要分为设计管理、车间管理、生产管理、企业资源管理等四类数据库,设计概要如表 2-4 所示。

表 2-4　基础支撑数据库设计概要

类别	基础支撑数据库	基础支撑数据库概述
船舶制造设计管理数据库	初步设计数据库	将船舶初步设计信息传递给集成平台的本地数据库,如船舶的主尺度、载重量、舱容量、分舱参数等
	详细设计数据库	将船舶详细设计信息传递给集成平台的本地数据库,如产品结构数据,包括典型结构图、机舱结构图、船体说明书、型线图、外板展开图、肋骨型线图、重量重心计算书、静水力曲线、干舷计算书、船体构件强度计算书等
	生产设计数据库	将船舶生产设计信息传递给集成平台的本地数据库,如船舶的三维建模输出施工图纸、图文档、三维模型、加工指令等
	制造工艺设计管理数据库	将船舶工艺设计信息传递给集成平台的本地数据库,如船舶的装配工艺、舾装生产工艺、轴系安装工艺等
	设计管理数据库	将船舶设计管理信息传递给集成平台的本地数据库,如船舶正式送审的设计图纸资料、建造计划书、生产设计策划书、目标船生产设计标准等相关设计规范文件,船舶生产设计图纸及设计变更管理等
船舶制造车间管理数据库	车间设备数据库	将船舶制造车间设备信息传递给集成平台的本地数据库,如切割设备、加工设备、起重设备、焊接设备等的编号、名称、型号及各类性能参数等
	车间派工数据库	将船舶制造车间派工信息传递给集成平台的本地数据库,如派工涉及的作业班组信息、作业人员信息、作业时间、待完工数等
	车间调度数据库	将船舶制造车间调度管理信息传递给集成平台的本地数据库,如工件集合、设备集合、工序集合、作业人员信息、调度完工时间、开始时间、准备时间等
船舶制造生产管理数据库	计划数据库	将船舶制造计划的管理信息传递给集成平台的本地数据库,如计划制订部门、计划实施部门、计划实施日期、计划实施人员、计划审核信息、计划优化信息、计划反馈信息、计划变更信息等
	进度数据库	将船舶制造及进度管理信息传递给集成平台的本地数据库,如项目的基本信息、作业进度信息、进度反馈数据、进度分析数据、进度调整数据、进度可视化数据、工期优化数据等

表 2-4（续）

类别	基础支撑数据库	基础支撑数据库概述
船舶制造生产管理数据库	人员数据库	将船舶制造人员管理信息传递给集成平台的本地数据库,如员工编码、姓名、性别、部门编号、岗位编号、岗位名称、职称、工龄、工种、技能、个人账号、联系电话、健康状态、出勤状况、工作状态、工时等
	质量数据库	将船舶制造质量管理信息传递给集成平台的本地数据库,如零件、舾装件、中间产品的质量状况,合格和不合格品的数量,检验部门,检验方式,检验流程,自检意见,检验部门意见,船东意见等
	场地管理数据库	将船舶制造场地管理信息传递给集成平台的本地数据库,如钢材预处理场地、仓库、切割场地、加工场地、分段制作场地、分段堆场、胎架、船坞等场地的大小、功能、位置、配套设施、使用情况等
船舶制造企业资源管理数据库	采购数据库	将船舶制造采购管理信息传递给集成平台的本地数据库,如采购产品信息、到货时间、采购部门、采购要求、供应商信息等
	仓储数据库	将船舶制造仓储管理信息传递给集成平台的本地数据库,如出入库时间、部门、使用人员、物量统计、资源占用统计、可用资源统计、资源类别维护、资源能力维护、资源数量维护等
	物流数据库	将船舶制造物流管理信息传递给集成平台的本地数据库,如部门信息、所需时间、交易记录、反馈信息、备注等,以及对所采购物料流转信息实时跟踪,反映物料当前状态,主要包括物料所在位置、物料流向、物料运输方式、物料运输时间、物料接收部门等

基础支撑数据库设计主要遵循存储结构紧致、少冗余数据等要求,面向 OLTP 进行设计,操作数据量较小,对读写性能要求较高。图 2-6 所示为基础支撑数据库设计管理图的设计示例——船舶制造设计管理数据库 E-R 图。

主题数据库的结构设计则主要遵循数据仓库的设计规范,其特点是面向主题及分析决策的需求而建,因为数据量大,为了优化搜索处理效率,所以在存储上冗余数据较多。主题数据库的主要类别分为设计数据库、生产管理数据库、车间管理数据库和企业资源数据库。

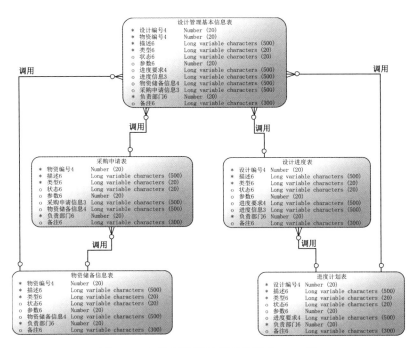

图2-6　船舶制造设计管理数据库 E-R 图

面向船舶智能制造的统一数据库集成平台主题数据库的结构设计与基础支撑数据库不同,基础支撑数据库的结构设计需要使用 E-R 图将实体映射到数据库中,而主题数据库中只需要通过模型设计来明确表与表之间的关系,基础支撑数据库与主题数据库的结构比较如表2-5所示。

表2-5　基础支撑数据库与主题数据库的结构比较

	基础支撑数据库	主题数据库
数据库类型	操作型处理(OLTP)	分析型处理(OLAP)
处理颗粒度	细节的	综合的或提炼的
数据模型	实体-关系模型(E-R)	星形模型或雪花模型
存储数据	存储瞬间数据	存储历史数据
是否可更新	可更新	只读、只追加
数据操作	一次操作一个单元	一次操作一个集合
性能要求	性能要求高,响应时间短	性能要求宽松
数据库特点	面向事务	面向分析
数据量	小	大

面向船舶智能制造的统一数据库集成平台主题数据库使用维度模型进行建模。四类主题数据库模型规范样例如图2-7~图2-10所示。

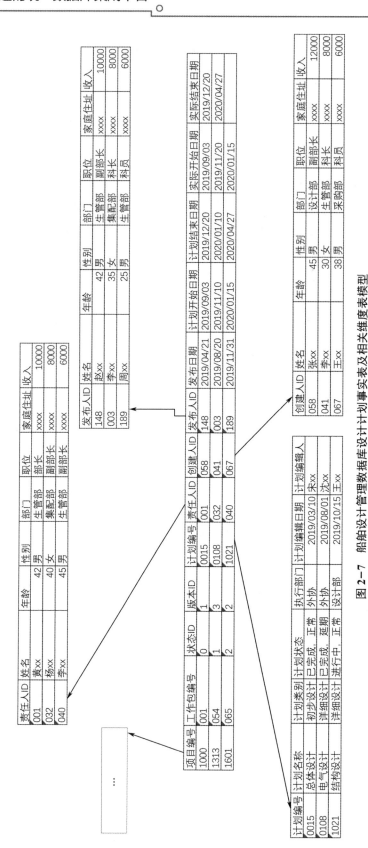

图 2-7 船舶设计计划管理数据库设计计划实事表及相关维度表模型

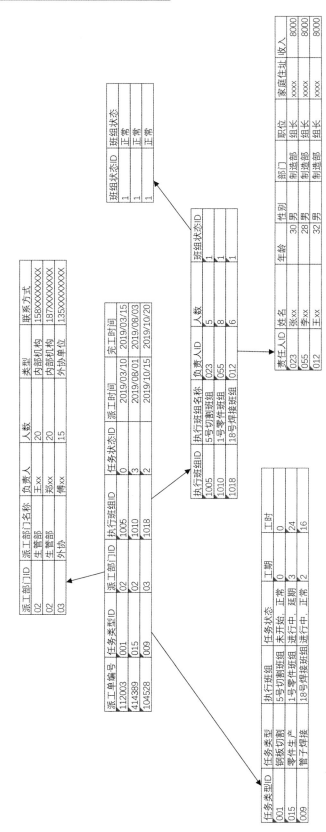

图2-8 船舶制造车间管理数据库车间派工信息事实表及相关维度表模型

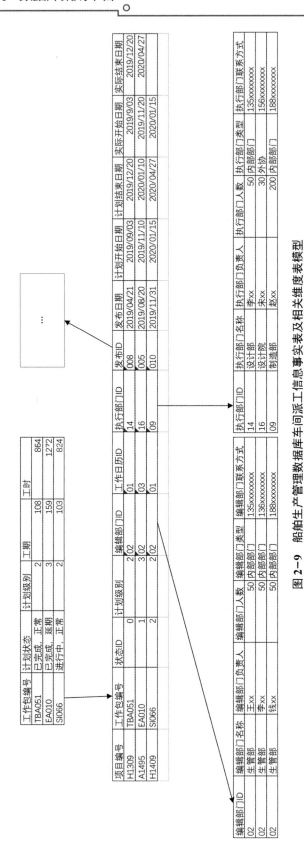

图 2-9 船舶生产管理数据库车间派工信息事实表及相关维度表模型

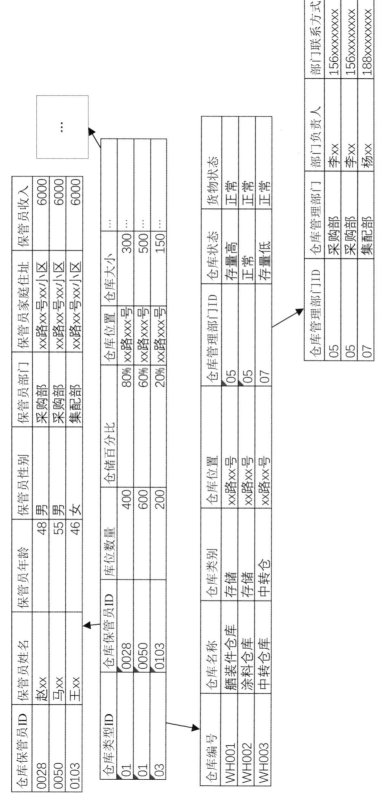

图2-10　船舶企业资源管理数据库事实表及相关维度表模型

2.2.2.1　设计管理数据库设计规范

（1）初步设计数据库设计规范

①数据库命名规范

面向船舶智能制造的统一数据库集成平台数据层子初步设计数据库命名规范为<CBSJ>。

②数据库表命名规范

a. 数据表

面向船舶智能制造的统一数据库集成平台数据层子初步设计数据库表命名规范为<CBSJ_具体业务名称>。

例如：初步设计数据库中船舶总体设计信息表命名为<CBSJ_GEN_DES>、船舶基本结构信息表命名为<CBSJ_BASIC_CONS>、船舶机舱布置信息表命名为<CBSJ_ENG_ARGT>。

b. 关联表

对于基础支撑数据库中存在关联关系的数据表,其命名规范为<CBSJ_数据表1名_数据表2名>。

例如：初步设计数据库中船舶总体设计信息表与船舶机舱布置信息表存在关联关系,则关联表命名为<CBSJ_ENG_ARGT_GEN_DES>。

③数据库表字段命名规范

列名的命名规范同表名的命名规范,采用名词或名词短语,单词均采用大写形式,多个单词之间用"_"间隔。

例如：初步设计数据库中船舶总体设计信息表部分字段名如表2-6所示。

表2-6　船舶总体设计信息表部分字段名

序号	字段名	说明
1	PROJECT_ID	项目编号
2	VERSION	版本号
3	LOA	总长
4	LPP	垂线间长
5	BREADTH	型宽
6	DEPTH	型深
7	DRAUGHT	吃水
8	TRIM	纵倾
9	DISPLACEMENT	排水量
10	GEN_DES_DOC_ID	总体设计文档编号
…	…	…

④视图命名规范

面向船舶智能制造的统一数据库集成平台数据层子初步设计数据库的视图命名规范为<CBSJ_V_具体业务的名词>。

例如:初步设计数据库中的主要技术性能视图命名为<CBSJ_V_MAIN_PERFORMANCE>、设备布置视图命名为<CBSJ_V_EQ_LAYOUT>。

⑤触发器命名规范

面向船舶智能制造的统一数据库集成平台数据层子初步设计数据库的触发器命名规范为<CBSJ_TRG_数据表名_I/D/U>。

例如:初步设计数据库中船舶总体设计信息表触发器命名为<CBSJ_TRG_GEN_DES_I/D/U>、总布置信息表触发器命名为<CBSJ_TRG_GEN_ARGT_I/D/U>。

⑥存储结构命名规范

面向船舶智能制造的统一数据库集成平台数据层子初步设计数据库的存储结构命名规范为<CBSJ_UP_具体业务的名词>。

⑦索引命名规范

面向船舶智能制造的统一数据库集成平台数据层子初步设计数据库的索引命名规范为<CBSJ_IDX_数据表名_字段名>。

例如:初步设计数据库船舶总体设计信息表的项目编号索引命名为<CBSJ_IDX_GEN_DES_PROJECT_ID>。

⑧约束命名规范

面向船舶智能制造的统一数据库集成平台数据层子初步设计数据库的约束命名规范如下:

主键约束:<CBSJ_PK_表名>

外键约束:<CBSJ_FK_表名_列名>

非空约束:<CBSJ_NN_表名_列名>

唯一约束:<CBSJ_UK_表名_列名>

条件约束:<CBSJ_CK_表名_列名>

默认约束:<CBSJ_DF_表名_列名>

例如:初步设计数据库中,船舶总体设计信息表的主键约束为项目编号(PROJECT_ID),则其命名为<CBSJ_PK_GEN_DES>;该表的外键约束为机舱布置方案(ENG_ARGT_PLAN),则其命名为<CBSJ_FK_GEN_DES_ENG_ARGT_PLAN>;同时,该表版本号(VERSION)应设置为非空约束,则其命名为<CBSJ_NN_GEN_DES_VERSION>。

⑨数据库字段类型规范

面向船舶智能制造的统一数据库集成平台数据层子初步设计数据库的字段类型主要有:字符类型(Char、Varchar、Varchar2)、数值类型(Integer、Float、Number)、日期类型(Date)、大对象类型(Blob、Clob)。

船舶总体设计信息表部分字段数据类型如表2-7所示。

表 2-7　船舶总体设计信息表部分字段数据类型

序号	字段名	说明	数据类型
1	PROJECT_ID	项目编号	Varchar(15)
2	VERSION	版本号	Number
3	LOA	总长	Number
4	LPP	垂线间长	Number
5	BREADTH	型宽	Number
6	DEPTH	型深	Number
7	DRAUGHT	吃水	Number
8	TRIM	纵倾	Number
9	DISPLACEMENT	排水量	Number
10	GEN_DES_DOC_ID	总体设计文档编号	Number
11	DES_DATE	设计日期	Date
12	APPROVAL_DATE	审核日期	Date
13	APPROVER	审核人	Varchar(10)
14	REMARKS	备注	Varchar(200)
…	…	…	…

⑩数据库默认值规范

面向船舶智能制造的统一数据库集成平台数据层子初步设计数据库在设计时,多个字段不允许设置为空,需要按照数据类型为其设置相对应的默认值:数值类型默认值设置为0,日期类型默认值设置为当前日期,字符类型默认值设置为"无"。

以初步设计数据库中船舶总体设计信息表中的字段为例:版本号默认值设置为0,即在未输入版本号时,版本号默认为0;设计日期和审核日期默认值设置为当前日期,即在未输入设计日期和审核日期时,日期设置为当前日期。

⑪其他规范

面向船舶智能制造的统一数据库集成平台数据层子初步设计数据库的其他规范,参照2.2.2 节中基础支撑数据库设计规范进行设计。

(2)详细设计数据库设计规范

①数据库命名规范

面向船舶智能制造的统一数据库集成平台数据层子详细设计数据库命名规范为<XXSJ>。

②数据库表命名规范

a.数据表

面向船舶智能制造的统一数据库集成平台数据层子详细设计数据库表命名规范为<XXSJ_具体业务名称>。

例如:详细设计数据库中的设计送审信息表命名为<XXSJ_DES_APPRO>、船舶结构强度信息表命名为<XXSJ_CONS_STRENGTH>、图纸基本信息表命名为<XXSJ_DRAWING_

INFO>。

b. 关联表

对于基础支撑数据库中存在关联关系的数据表,其命名规范为<XXSJ_数据表1名_数据表2名>。

例如:详细设计数据库中图纸基本信息表与图纸标注信息表存在关联关系,则关联表命名为<XXSJ_DRAWING_LABEL_DRAWING_INFO>。

③数据库表字段命名规范

列名的命名规范同表名的命名规范,采用名词或名词短语,单词均采用大写形式,多个单词之间用"_"间隔。

例如:详细设计数据库中设计送审信息表部分字段名如表2-8所示。

表2-8　详细设计数据库中设计送审信息表部分字段名

序号	字段名	说明
1	PROJECT_ID	项目编号
2	VERSION	版本号
3	SHIPOWNER	船东
4	DESIGN_PACKAGE_ID	设计工作包编号
5	DESIGN_ORGANIZATION	设计单位
6	OVERVIEW	工作包概述
7	SPECIALITY	专业
8	DRAWING_ID	送审图纸编号
9	DOC_ID	送审文档编号
10	INTRODUCTION	送审资料说明
11	PROPOSER_ID	申请人工号
12	PROPOSER	送审申请人
13	PROPOSER_DEPT	申请人所在部门
14	APPLICATION_DATE	送审申请日期
15	APPRO_RESULT	审批结果
16	APPROVER	审批人
17	APPROVER_POSITION	审批人职位
18	APPRO_ORGANIZATION	审批单位
19	APPRO_DATE	审批日期
…	…	…

④视图命名规范

面向船舶智能制造的统一数据库集成平台数据层子详细设计数据库的视图命名规范

为<XXSJ_V_具体业务的名词>。

例如：详细设计数据库中的结构强度视图命名为<XXSJ_V_CONS_STRENGTH>、设备性能要求视图命名为<XXSJ_V_EQ_PERFORMANCE>。

⑤触发器命名规范

面向船舶智能制造的统一数据库集成平台数据层子详细设计数据库的触发器命名规范为<XXSJ_TRG_数据表名_I/D/U>。

例如：详细设计数据库中设计送审信息表触发器命名为<XXSJ_TRG_DES_APPRO_I/D/U>、结构强度信息表触发器命名为<XXSJ_TRG_CONS_STRENGTH_I/D/U>。

⑥存储结构命名规范

面向船舶智能制造的统一数据库集成平台数据层子详细设计数据库的存储结构命名规范为<XXSJ_UP_具体业务的名词>。

⑦索引命名规范

面向船舶智能制造的统一数据库集成平台数据层子详细设计数据库的索引命名规范为<XXSJ_IDX_数据表名_字段名>。

例如：详细设计数据库设计送审信息表的项目编号索引命名为<XXSJ_IDX_DES_APPRO_PROJECT_ID>。

⑧约束命名规范

面向船舶智能制造的统一数据库集成平台数据层子详细设计数据库的约束命名规范如下：

主键约束：<XXSJ_PK_表名>

外键约束：<XXSJ_FK_表名_列名>

非空约束：<XXSJ_NN_表名_列名>

唯一约束：<XXSJ_UK_表名_列名>

条件约束：<XXSJ_CK_表名_列名>

默认约束：<XXSJ_DF_表名_列名>

例如：详细设计数据库中，设计送审信息表的主键约束为项目编号（PROJECT_ID），则其命名为<XXSJ_PK_DES_APPRO>；该表的外键约束为设计工作包编号（DESIGN_PACKAGE_ID），则其命名为<XXSJ_FK_DES_APPRO_DESIGN_PACKAGE_ID>；同时，该表版本号（VERSION）应设置为非空约束，则其命名为<XXSJ_NN_DES_APPRO_VERSION>。

⑨数据库字段类型规范

面向船舶智能制造的统一数据库集成平台数据层子详细设计数据库的字段类型主要有：字符类型（Char、Varchar、Varchar2）、数值类型（Integer、Float、Number）、日期类型（Date）、大对象类型（Blob、Clob）。

设计送审信息表部分字段类型如表2-9所示。

表2-9　设计送审信息表部分字段类型

序号	字段名	说明	数据类型
1	PROJECT_ID	项目编号	Varchar(15)
2	VERSION	版本号	Number
3	SHIPOWNER	船东	Varchar(10)
4	DESIGN_PACKAGE_ID	设计工作包编号	Number
5	DESIGN_ORGANIZATION	设计单位	Varchar(10)
6	OVERVIEW	工作包概述	Varchar(50)
7	SPECIALITY	专业	Varchar(10)
8	DRAWING_ID	送审图纸编号	Varchar(10)
9	DOC_ID	送审文档编号	Varchar(10)
10	INTRODUCTION	送审资料说明	Varchar(200)
11	PROPOSER_ID	申请人工号	Number
12	PROPOSER	送审申请人	Varchar(10)
13	PROPOSER_DEPT	申请人所在部门	Varchar(10)
14	APPLICATION_DATE	送审申请日期	Date
15	APPRO_RESULT	审批结果	Number
16	APPROVER	审批人	Varchar(10)
17	APPROVER_POSITION	审批人职位	Char(10)
18	APPRO_ORGANIZATION	审批单位	Varchar(10)
19	APPRO_DATE	审批日期	Date
20	REMARKS	备注	Varchar(500)
…	…	…	…

⑩数据库默认值规范

面向船舶智能制造的统一数据库集成平台数据层子详细设计数据库在设计时,多个字段不允许设置为空,需要按照数据类型为其设置相对应的默认值:数值类型默认值设置为0,日期类型默认值设置为当前日期,字符类型默认值设置为"无"。

以详细设计数据库中设计送审信息表中的字段为例:版本号、送审图纸编号、送审文档编号默认值设置为0,即在未输入版本号、送审图纸编号、送审文档编号时,版本号、送审图纸、文档编号的默认值设置为0;送审申请日期和审批日期默认值设置为当前日期,即在未输入送审申请日期和审批日期时,日期设置为当前日期;设计单位的默认值设置为"无",即在未输入设计单位时,设计单位默认值设置为"无"。

⑪其他规范

面向船舶智能制造的统一数据库集成平台数据层子详细设计数据库的其他规范,参照2.2.2节中基础支撑数据库设计规范进行设计。

（3）生产设计数据库设计规范

①数据库命名规范

面向船舶智能制造的统一数据库集成平台数据层子生产设计数据库命名规范为<SCSJ>。

②数据库表命名规范

a. 数据表

面向船舶智能制造的统一数据库集成平台数据层子生产设计数据库表命名规范为<SCSJ_具体业务名称>。

例如：生产设计数据库中的施工图纸信息表命名为<SCSJ_PROD_DRA>、零部件信息表命名为<SCSJ_COMPONENT_INFO>、型材信息表命名为<SCSJ_PROFILE_INFO>、施工报表信息表命名为<SCSJ_REPORT_INFO>。

b. 关联表

对于基础支撑数据库中存在关联关系的数据表，其命名规范为<SCSJ_数据表1名_数据表2名>。

例如：生产设计数据库中施工图纸信息表与零部件信息表存在关联关系，则关联表命名为<SCSJ_PROD_DRA_COMPONENT_INFO>。

③数据库表字段命名规范

列名的命名规则同表名的命名规则，采用名词或名词短语，单词均采用大写形式，多个单词之间用"_"间隔。

例如：生产设计数据库中零部件信息表部分字段名如表2-10所示。

表 2-10　零部件信息表部分字段名

序号	字段名	说明
1	COMPONENT_ID	零件编号
2	COMPONENT_NAME	零件名称
3	PROD_DRA_ID	零件图纸编号
4	DESCRIPTION	描述
5	COMPONENT_PARAMETER	零件参数文档
6	COMPONENT_NUMBER	零件数量
7	COMPONENT_PRICE	零件单价
8	PROCESS_INFO	加工信息
9	START_DATE	加工日期
10	FINISH_DATE	完工日期
11	PROCESS_DEPT	加工部门
12	RESPONSIBILITY	责任人
13	WORKPACKAGE_ID	工作包编号
14	STATE	当前状态
15	REMARKS	备注
…	…	…

④视图命名规范

面向船舶智能制造的统一数据库集成平台数据层子生产设计数据库的视图命名规范为<SCSJ_V_具体业务的名词>。

例如：生产设计数据库中的型材信息视图命名为<SCSJ_V_PROFILE>、开口信息视图命名为<SCSJ_V_HOLE>。

⑤触发器命名规范

面向船舶智能制造的统一数据库集成平台数据层子生产设计数据库的触发器命名规范为<SCSJ_TRG_数据表名_I/D/U>。

例如：生产设计数据库中零部件信息表触发器命名为<SCSJ_TRG_COMPONENT_INFO_I/D/U>、总布置信息表触发器命名为<SCSJ_TRG_PROD_DRA_I/D/U>。

⑥存储结构命名规范

面向船舶智能制造的统一数据库集成平台数据层子生产设计数据库的存储结构命名规范为<SCSJ_UP_具体业务的名词>。

⑦索引命名规范

面向船舶智能制造的统一数据库集成平台数据层子生产设计数据库的索引命名规范为<SCSJ_IDX_数据表名_字段名>。

例如：生产设计数据库零部件信息表的零件编号索引命名为<SCSJ_IDX_COMPONENT_INFO_COMPONENT_ID>。

⑧约束命名规范

面向船舶智能制造的统一数据库集成平台数据层子生产设计数据库的约束命名规范如下：

主键约束：<SCSJ_PK_表名>

外键约束：<SCSJ_FK_表名_列名>

非空约束：<SCSJ_NN_表名_列名>

唯一约束：<SCSJ_UK_表名_列名>

条件约束：<SCSJ_CK_表名_列名>

默认约束：<SCSJ_DF_表名_列名>

例如：生产设计数据库中，零部件信息表的主键约束为零件编号（COMPONENT_ID），则其命名为<SCSJ_PK_COMPONENT_INFO>；该表的外键约束为工作包编号（WORKPACKAGE_ID），则其命名为<SCSJ_FK_COMPONENT_INFO_WORKPACKAGE_ID>；同时，该表当前状态（STATE）应设置为非空约束，则其命名为<SCSJ_NN_COMPONENT_INFO_STATE>。

⑨数据库字段类型规范

面向船舶智能制造的统一数据库集成平台数据层子生产设计数据库的字段类型主要有：字符类型（Char、Varchar、Varchar2）、数值类型（Integer、Float、Number）、日期类型（Date）、大对象类型（Blob、Clob）。

零部件信息表的部分字段类型如表2-11所示。

表 2-11 零部件信息表的部分字段数据类型

序号	字段名	说明	数据类型
1	COMPONENT_ID	零件编号	Number
2	COMPONENT_NAME	零件名称	Varchar(10)
3	PROD_DRA_ID	零件图纸编号	Number
4	DESCRIPTION	描述	Varchar(200)
5	COMPONENT_PARAMETER_ID	零件参数文档编号	Varchar(10)
6	COMPONENT_NUMBER	零件数量	Number
7	COMPONENT_PRICE	零件单价	Number(12,2)
8	PROCESS_INFO	加工信息	Varchar(200)
9	START_DATE	加工日期	Date
10	FINISH_DATE	完工日期	Date
11	PROCESS_DEPT	加工部门	Varchar(20)
12	RESPONSIBILITY	责任人	Varchar(10)
13	WORKPACKAGE_ID	工作包编号	Varchar(20)
14	STATE	当前状态	Number
15	REMARKS	备注	Varchar(500)
…	…	…	…

⑩数据库默认值规范

面向船舶智能制造的统一数据库集成平台数据层子生产设计数据库在设计时,多个字段不允许设置为空,需要按照数据类型为其设置相对应的默认值:数值类型默认值设置为0,日期类型默认值设置为当前日期,字符类型默认值设置为"无"。

以生产设计数据库中零部件信息表中的字段为例:零件数量默认值设置为0,即在未输入零件数量时,零件数量默认为0;加工日期和完工日期默认值设置为当前日期,即在未输入加工日期和完工日期时,日期设置为当前日期;当前状态为数字类型,设置为0,1,2,3,分别代表未开始、未完成、已完成、超期;其默认值设置为0,即未输入当前状态时,当前状态默认为未开始。

⑪其他规范

面向船舶智能制造的统一数据库集成平台数据层子生产设计数据库的其他规范,参照2.2.2节中基础支撑数据库设计规范进行设计。

(4)制造工艺数据库设计规范

①数据库命名规范

面向船舶智能制造的统一数据库集成平台数据层子制造工艺数据库命名规范为<ZZGY>。

②数据库表命名规范

a. 数据表

面向船舶智能制造的统一数据库集成平台数据层子制造工艺数据库表命名规范

为<ZZGY_具体业务名称>。

例如：制造工艺数据库中的制造工艺信息表命名为<ZZGY_TECH_INFO>、工种信息表命名为<ZZGY_WORK_TYPE>、工艺设备信息表命名为<ZZGY_TECH_EQ>。

b. 关联表

对于基础支撑数据库中存在关联关系的数据表，其命名规范为<ZZGY_数据表1名_数据表2名>。

例如：制造工艺数据库中制造工艺信息表与工种信息表存在关联关系，则关联表命名为<ZZGY_WORK_TYPE_TECH_INFO>。

③数据库表字段命名规范

列名的命名规范同表名的命名规范，采用名词或名词短语，单词均采用大写形式，多个单词之间用"_"间隔。

例如：制造工艺数据库中制造工艺信息表部分字段名如表2-12所示。

表2-12 制造工艺信息表部分字段名

序号	字段名	说明
1	TECHNOLOGY_ID	工艺编号
2	TECHNOLOGY_NAME	工艺名称
3	PROJECT_ID	项目编号
4	TYPE	类型
5	PLMSTATUS	发放阶段
6	CREATOR	创建人
7	CREAT_DATE	创建日期
8	PUBLISHER	发布人
9	PUBLISH_DATE	发布日期
10	MODIFY_LOG	变更记录
11	PROCESS_FLOW	工艺顺序
12	WORKSHOP	车间
13	WORKTYPE	工种
14	WORKSTATION	工位
15	EQUIPMENT	设备
16	MATERIAL	材料
17	WORK_HOURS	工时定额
18	MATERIAL_QUOTA	材料定额
19	REMARKS	备注
…	…	…

④视图命名规范

面向船舶智能制造的统一数据库集成平台数据层子制造工艺数据库的视图命名规范为<ZZGY_V_具体业务的名词>。

例如:制造工艺数据库中的设备信息视图命名为<ZZGY_V_EQUIPMENT_INFO>。

⑤触发器命名规范

面向船舶智能制造的统一数据库集成平台数据层子制造工艺数据库的触发器命名规范为<ZZGY_TRG_数据表名_I/D/U>。

例如:制造工艺数据库中制造工艺信息表触发器命名为<ZZGY_TRG_TECH_INFO_I/D/U>、工艺设备信息表触发器命名为<ZZGY_TRG_TECH_EQ_I/D/U>。

⑥存储结构命名规范

面向船舶智能制造的统一数据库集成平台数据层子制造工艺数据库的存储结构命名规范为<ZZGY_UP_具体业务的名词>。

⑦索引命名规范

面向船舶智能制造的统一数据库集成平台数据层子制造工艺数据库的索引命名规范为<ZZGY_IDX_数据表名_字段名>。

例如:制造工艺数据库制造工艺信息表的工艺编号索引命名为<ZZGY_IDX_TECH_INFO_TECHNOLOGY_ID>。

⑧约束命名规范

面向船舶智能制造的统一数据库集成平台数据层子制造工艺数据库的约束命名规范如下:

主键约束:<ZZGY_PK_表名>

外键约束:<ZZGY_FK_表名_列名>

非空约束:<ZZGY_NN_表名_列名>

唯一约束:<ZZGY_UK_表名_列名>

条件约束:<ZZGY_CK_表名_列名>

默认约束:<ZZGY_DF_表名_列名>

例如:制造工艺数据库中,制造工艺信息表的主键约束为工艺编号(TECHNOLOGY_ID),则其命名为<ZZGY_PK_TECH_INFO>;该表的外键约束为工种(WORKTYPE),则其命名为<ZZGY_FK_TECH_INFO_WORKTYPE>。

⑨数据库字段类型规范

面向船舶智能制造的统一数据库集成平台数据层子制造工艺数据库的字段类型主要有:字符类型(Char、Varchar、Varchar2)、数值类型(Integer、Float、Number)、日期类型(Date)、大对象类型(Blob、Clob)。

制造工艺信息表部分字段数据类型如表2-13所示。

表2-13 制造工艺信息表部分字段数据类型

序号	字段名	说明	数据类型
1	TECHNOLOGY_ID	工艺编号	Number
2	TECHNOLOGY_NAME	工艺名称	Varchar(10)
3	PROJECT_ID	项目编号	Varchar(15)
4	TYPE	类型	Varchar(10)
5	PLMSTATUS	发放阶段	Varchar(10)
6	CREATOR	创建人	Varchar(10)
7	CREAT_DATE	创建日期	Date
8	PUBLISHER	发布人	Varchar(10)
9	PUBLISH_DATE	发布日期	Date
10	MODIFY_LOG	变更记录	Varchar(100)
11	PROCESS_FLOW	工艺顺序	Number
12	WORKSHOP	车间	Varchar(20)
13	WORKTYPE	工种	Varchar(10)
14	WORKSTATION	工位	Varchar(10)
15	EQUIPMENT	设备	Varchar(10)
16	MATERIAL	材料	Varchar(10)
17	WORK_HOURS	工时定额	Number
18	MATERIAL_QUOTA	材料定额	Number
19	REMARKS	备注	Varchar(200)
…	…	…	…

⑩数据库默认值规范

面向船舶智能制造的统一数据库集成平台数据层子制造工艺数据库在设计时,多个字段不允许设置为空,需要按照数据类型为其设置相对应的默认值:数值类型默认值设置为无,日期类型默认值设置为当前日期,字符类型默认值设置为"无"。

以制造工艺数据库中制造工艺信息表中的字段为例:类型默认值设置为"无",即在未输入类型时,类型默认设置为"无";创建日期和发布日期默认值设置为当前日期,即在未输入创建日期和发布日期时,日期设置为当前日期。

⑪其他规范

面向船舶智能制造的统一数据库集成平台数据层子制造工艺数据库的其他规范,参照2.2.2节中基础支撑数据库设计规范进行设计。

(5)设计管理数据库设计规范

①数据库命名规范

面向船舶智能制造的统一数据库集成平台数据层子设计管理数据库命名规范为<SJGL>。

②数据库表命名规范

a. 数据表

面向船舶智能制造的统一数据库集成平台数据层子设计管理数据库表命名规范为<SJGL_具体业务名称>。

例如:设计管理数据库中的设计管理基本信息表命名为<SJGL_BASIC_INFO>、设计计划详细信息表命名为<SJGL_DES_PLAN>、设计进度详细信息表命名为<SJGL_DES_PROGESS>。

b. 关联表

对于基础支撑数据库中存在关联关系的数据表,其命名规范为<SJGL_数据表1名_数据表2名>。

例如:设计管理数据库中设计管理基本信息表与设计计划详细信息表存在关联关系,则关联表命名为<SJGL_DES_PLAN_BASIC_INFO>。

③数据库表字段命名规范

列名的命名规范同表名的命名规范,采用名词或名词短语,单词均采用大写形式,多个单词之间用"_"间隔。

例如:设计管理数据库中设计管理基本信息表部分字段名如表2-14所示。

表 2-14　设计管理基本信息表部分字段名

序号	字段名	说明
1	PROJECT_ID	项目编号
2	PROJECT_NAME	项目名称
3	WORKPACKAGE_ID	工作包编号
4	WORKPACKAGE_NAME	工作包名称
5	DESCRIPTION	描述
6	STATE	状态
7	VERSION	版本号
8	DEPARTMENT	设计部门
9	RESPONSIBILITY	责任人
10	CREATOR	创建人
11	CREAT_DATE	创建日期
12	PUBLISHER	发布人
13	PUBLISH_DATE	发布日期
14	PLAN_START_DATE	计划开始日期
15	PLAN_END_DATE	计划结束日期
16	START_DATE	实际开始日期
17	END_DATE	实际结束日期

表 2-14(续)

序号	字段名	说明
18	PLAN_ID	计划编号
19	PROGESS_ID	进度编号
20	REMARKS	备注
…	…	…

④视图命名规范

面向船舶智能制造的统一数据库集成平台数据层子设计管理数据库的视图命名规范为<SJGL_V_具体业务的名词>。

例如:设计管理数据库中的计划信息视图命名为<SJGL_V_PLAN_INFO>、设计进度详细信息视图命名为<SJGL_V_PROGESS_INFO>。

⑤触发器命名规范

面向船舶智能制造的统一数据库集成平台数据层子设计管理数据库的触发器命名规范为<SJGL_TRG_数据表名_I/D/U>。

例如:设计管理数据库中设计管理基本信息表触发器命名为<SJGL_TRG_BASIC_INFO_I/D/U>、设计计划详细信息表触发器命名为<SJGL_TRG_DES_PLAN_I/D/U>。

⑥存储结构命名规范

面向船舶智能制造的统一数据库集成平台数据层子设计管理数据库的存储结构命名规范为<SJGL_UP_具体业务的名词>。

⑦索引命名规范

面向船舶智能制造的统一数据库集成平台数据层子设计管理数据库的索引命名规范为<SJGL_IDX_数据表名_字段名>。

例如:设计管理数据库设计计划详细信息表的项目编号索引命名为<SJGL_IDX_DES_PLAN_PROJECT_ID>。

⑧约束命名规范

面向船舶智能制造的统一数据库集成平台数据层子设计管理数据库的约束命名规范如下:

主键约束:<SJGL_PK_表名>

外键约束:<SJGL_FK_表名_列名>

非空约束:<SJGL_NN_表名_列名>

唯一约束:<SJGL_UK_表名_列名>

条件约束:<SJGL_CK_表名_列名>

默认约束:<SJGL_DF_表名_列名>

例如:设计管理数据库中,设计管理基本信息表的主键约束为项目编号(PROJECT_ID),则其命名为<SJGL_PK_BASIC_INFO>;该表的外键约束为计划编号(PLAN_ID)和进度编号(PROGESS_ID),则其命名为<SJGL_FK_BASIC_INFO_PLAN_ID>和<SJGL_FK_BASIC_

INFO_PROGESS_ID>;同时,该表版本号(VERSION)应设置为非空约束,则其命名为<SJGL_
NN_BASIC_INFO_VERSION>。

⑨数据库字段类型规范

面向船舶智能制造的统一数据库集成平台数据层子设计管理数据库的字段类型主要
有:字符类型(Char、Varchar、Varchar2)、数值类型(Integer、Float、Number)、日期类型(Date)、
大对象类型(Blob、Clob)。

设计管理基本信息表部分字段数据类型如表2-15所示。

表2-15 设计管理基本信息表部分字段数据类型

序号	字段名	说明	数据类型
1	PROJECT_ID	项目编号	Varchar(15)
2	PROJECT_NAME	项目名称	Varchar(20)
3	WORKPACKAGE_ID	工作包编号	Number
4	WORKPACKAGE_NAME	工作包名称	Varchar(20)
5	DESCRIPTION	描述	Varchar(100)
6	STATE	状态	Number
7	VERSION	版本号	Number
8	DEPARTMENT	设计部门	Varchar(10)
9	RESPONSIBILITY	责任人	Varchar(10)
10	CREATOR	创建人	Varchar(10)
11	CREAT_DATE	创建日期	Date
12	PUBLISHER	发布人	Varchar(10)
13	PUBLISH_DATE	发布日期	Date
14	PLAN_START_DATE	计划开始日期	Date
15	PLAN_END_DATE	计划结束日期	Date
16	START_DATE	实际开始日期	Date
17	END_DATE	实际结束日期	Date
18	PLAN_ID	计划编号	Number
19	PROGESS_ID	进度编号	Number
20	REMARKS	备注	Varchar(200)
…	…	…	…

⑩数据库默认值规范

面向船舶智能制造的统一数据库集成平台数据层子设计管理数据库在设计时,多个字
段不允许设置为空,需要按照数据类型为其设置相对应的默认值:数值类型默认值设置为
0,日期类型默认值设置为当前日期,字符类型默认值设置为“无”。

以设计管理数据库中设计管理基本信息表中的字段为例:版本号默认值设置为0,即在未输入版本号时,版本号默认为0;计划开始、计划结束日期和实际开始、实际结束日期默认值设置为当前日期,即在未输入计划开始、计划结束日期和实际开始、实际结束日期时,日期设置为当前日期。

⑪其他规范

面向船舶智能制造的统一数据库集成平台数据层子设计管理数据库的其他规范,参照2.2.2节中基础支撑数据库设计规范进行设计。

2.2.2.2 车间管理数据库设计规范

(1)车间设备数据库设计规范

①数据库命名规范

面向船舶智能制造的统一数据库集成平台数据层子车间设备数据库命名规范为<CJSB>。

②数据库表命名规范

a. 数据表

面向船舶智能制造的统一数据库集成平台数据层子车间设备数据库表命名规范为<CJSB_具体业务名称>。

例如:车间设备数据库中的车间设备基本信息表命名为<CJSB_WORKSHOP_EQ_INFO>、车间设备维护信息表命名为<CJSB_WORKSHOP_EQ_PRESERVE>。

b. 关联表

对于基础支撑数据库中存在关联关系的数据表,其命名规范为<CJSB_数据表1名_数据表2名>。

例如:车间设备数据库中车间设备基本信息表与车间设备维护信息表存在关联关系,则关联表命名为<CJSB_WORKSHOP_EQ_INFO_WORKSHOP_EQ_PRESERVE>。

③数据库表字段命名规范

列名的命名规范同表名的命名规范,采用名词或名词短语,单词均采用大写形式,多个单词之间用"_"间隔。

例如:车间设备数据库中车间设备基本信息表部分字段名如表2-16所示。

表2-16 车间设备基本信息表部分字段名

序号	字段名	说明
1	EQ_ID	设备编号
2	EQ_NAME	设备名称
3	EQ_TYPE	设备类型
4	NUMBER	设备数量
5	PRICE	设备单价
6	POWER	功率
7	SERVICE_TIME	使用时间

表 2-16(续)

序号	字段名	说明
8	STATE	设备状态
9	REPAIR_ID	维修编号
10	RESPONSIBILITY	责任人
11	WORKSHOP_ID	车间编号
12	WORKPACKAGE_ID	工作包编号
13	WORKPACKAGE_NAME	工作包名称
14	EQ_USER	设备操作人
15	LAST_USETIME	上次操作时间
16	REMARKS	备注
…	…	…

④视图命名规范

面向船舶智能制造的统一数据库集成平台数据层子车间设备数据库的视图命名规范为<CJSB_V_具体业务的名词>。

例如:车间设备数据库中的车间设备维护信息视图命名为<CJSB_V_EQ_PRESERVE>、车间设备操作记录视图命名为<CJSB_V_EQ_OPERATION_LOG>。

⑤触发器命名规范

面向船舶智能制造的统一数据库集成平台数据层子车间设备数据库的触发器命名规范为<CJSB_TRG_数据表名_I/D/U>。

例如:车间设备数据库中车间设备基本信息表触发器命名为<CJSB_TRG_WORKSHOP_EQ_INFO_I/D/U>、车间设备维护信息表触发器命名为<CJSB_TRG_WORKSHOP_EQ_PRESERVE_I/D/U>。

⑥存储结构命名规范

面向船舶智能制造的统一数据库集成平台数据层子车间设备数据库的存储结构命名规范为<CJSB_UP_具体业务的名词>。

⑦索引命名规范

面向船舶智能制造的统一数据库集成平台数据层子车间设备数据库的索引命名规范为<CJSB_IDX_数据表名_字段名>。

例如:车间设备数据库车间设备基本信息表的设备编号索引命名为<CJSB_IDX_WORKSHOP_EQ_INFO_EQ_ID>。

⑧约束命名规范

面向船舶智能制造的统一数据库集成平台数据层子车间设备数据库的约束命名规范如下:

主键约束:<CJSB_PK_表名>

外键约束:<CJSB_FK_表名_列名>

非空约束:<CJSB_NN_表名_列名>

唯一约束:<CJSB_UK_表名_列名>

条件约束:<CJSB_CK_表名_列名>

默认约束:<CJSB_DF_表名_列名>

例如:车间设备数据库中,车间设备基本信息表的主键约束为设备编号(EQ_ID),则其命名为<CJSB_PK_WORKSHOP_EQ_INFO>;该表的外键约束为维修编号(REPAIR_ID),则其命名为<CJSB_FK_WORKSHOP_EQ_INFO_REPAIR_ID>。

⑨数据库字段类型规范

面向船舶智能制造的统一数据库集成平台数据层子车间设备数据库的字段类型主要有:字符类型(Char、Varchar、Varchar2)、数值类型(Integer、Float、Number)、日期类型(Date)、大对象类型(Blob、Clob)。

车间设备基本信息表部分字段数据类型如表2-17所示。

表2-17 车间设备基本信息表部分字段数据类型

序号	字段名	说明	数据类型
1	EQ_ID	设备编号	Number
2	EQ_NAME	设备名称	Varchar(10)
3	EQ_TYPE	设备类型	Varchar(10)
4	NUMBER	设备数量	Number
5	PRICE	设备单价	Number(12,2)
6	POWER	功率	Number
7	START_DATE	投入使用日期	Date
8	SERVICE_TIME	使用时间	Date
9	STATE	设备状态	Varchar(10)
10	REPAIR_ID	维修编号	Number
11	RESPONSIBILITY	责任人	Varchar(10)
12	WORKSHOP_ID	车间编号	Number
13	WORKSHOP_NAME	车间名称	Varchar(10)
14	WORKPACKAGE_ID	工作包编号	Varchar(15)
15	WORKPACKAGE_NAME	工作包名称	Varchar(20)
16	EQ_USER	设备操作人	Varchar(10)
17	LAST_USETIME	上次操作时间	Date
18	REMARKS	备注	Varchar(200)
…	…	…	…

⑩数据库默认值规范

面向船舶智能制造的统一数据库集成平台数据层子车间设备数据库在设计时,多个字段不允许设置为空,需要按照数据类型为其设置相对应的默认值:数值类型默认值设置为0,日期类型默认值设置为当前日期,字符类型默认值设置为"无"。

以车间设备数据库中车间设备基本信息表中的字段为例:车间编号默认值设置为0,即在未输入车间编号时,车间编号默认为0;投入使用日期默认值设置为当前日期,即在未输入投入使用日期时,日期设置为当前日期;责任人默认值为"无",即在未输入责任人时,责任人默认设置为"无"。

⑪其他规范

面向船舶智能制造的统一数据库集成平台数据层子车间设备数据库的其他规范,参照2.2.2节中基础支撑数据库设计规范进行设计。

(2)车间派工数据库设计规范

①数据库命名规范

面向船舶智能制造的统一数据库集成平台数据层子车间派工数据库命名规范为<CJPG>。

②数据库表命名规范

a.数据表

面向船舶智能制造的统一数据库集成平台数据层子车间派工数据库表命名规范为<CJPG_具体业务名称>。

例如:车间派工数据库中的车间派工信息表命名为<CJPG_DISPATCH_INFO>、车间派工记录表命名为<CJPG_DISPATCH_LOG>、车间班组信息表命名为<CJPG_WORKTEAM_INFO>。

b.关联表

对于基础支撑数据库中存在关联关系的数据表,其命名规范为<CJPG_数据表1名_数据表2名>。

例如:车间派工数据库中车间派工信息表与车间班组信息表存在关联关系,则关联表命名为<CJPG_WORKTEAM_INFO_DISPATCH_INFO>。

③数据库表字段命名规范

列名的命名规范同表名的命名规范,采用名词或名词短语,单词均采用大写形式,多个单词之间用"_"间隔。

例如:车间派工数据库中车间派工信息表部分字段名如表2-18所示。

表2-18 车间派工信息表部分字段名

序号	字段名	说明
1	DISPATCH_LIST_ID	派工单编号
2	TASK_NAME	任务名称
3	TAKS_TYPE	任务类型
4	DISPATCH_TIME	派工时间

表 2-18(续)

序号	字段名	说明
5	DISPATCH_DEPT	派工部门
6	TEAM_ID	班组编号
7	TASK_DESCRIPTION	任务描述
8	TASK_STATE	任务状态
9	FINISH_TIME	完成时间
10	EQ_ID	使用设备编号
11	EQ_NAME	使用设备名称
12	EQ_TYPE	使用设备类型
13	DISPATCH_TYPE	派工性质
14	NUMBER_OF_PEOPLE	操作人数
15	BASIS	生产依据(图纸或文档)路径
16	ACCEPTOR	验收人
17	COMMENT	验收意见
18	REMARKS	备注
…	…	…

④视图命名规范

面向船舶智能制造的统一数据库集成平台数据层子车间派工数据库的视图命名规范为<CJPG_V_具体业务的名词>。

例如:车间派工数据库中的班组成员视图命名为<CJPG_V_MEMBER>、派工记录视图命名为<CJPG_V_DISPATCH_LOG>。

⑤触发器命名规范

面向船舶智能制造的统一数据库集成平台数据层子车间派工数据库的触发器命名规范为<CJPG_TRG_数据表名_I/D/U>。

例如:车间派工数据库中车间派工信息表触发器命名为<CJPG_TRG_DISPATCH_INFO_I/D/U>、车间班组信息表触发器命名为<CJPG_TRG_WORKTEAM_INFO_I/D/U>。

⑥存储结构命名规范

面向船舶智能制造的统一数据库集成平台数据层子车间派工数据库的存储结构命名规范为<CJPG_UP_具体业务的名词>。

⑦索引命名规范

面向船舶智能制造的统一数据库集成平台数据层子车间派工数据库的索引命名规范为<CJPG_IDX_数据表名_字段名>。

例如:车间派工数据库车间派工信息表的派工单编号索引命名为<CJPG_IDX_DISPATCH_INFO_DISPATCH_LIST_ID>。

⑧约束命名规范

面向船舶智能制造的统一数据库集成平台数据层子车间派工数据库的约束命名规范如下：

主键约束：<CJPG_PK_表名>

外键约束：<CJPG_FK_表名_列名>

非空约束：<CJPG_NN_表名_列名>

唯一约束：<CJPG_UK_表名_列名>

条件约束：<CJPG_CK_表名_列名>

默认约束：<CJPG_DF_表名_列名>

例如：车间派工数据库中，车间派工信息表的主键约束为派工单编号（DISPATCH_LIST_ID），则其命名为<CJPG_PK_DISPATCH_INFO>；该表的外键约束为班组编号（TEAM_ID），则其命名为<CJPG_FK_DISPATCH_INFO_TEAM_ID>；同时，该表验收人（ACCEPTOR）应设置为非空约束，则其命名为<CJPG_NN_DISPATCH_INFO_ACCEPTOR>。

⑨数据库字段类型规范

面向船舶智能制造的统一数据库集成平台数据层子车间派工数据库的字段类型主要有：字符类型（Char、Varchar、Varchar2）、数值类型（Integer、Float、Number）、日期类型（Date）、大对象类型（Blob、Clob）。

车间派工信息表部分字段数据类型如表 2-19 所示。

表 2-19 车间派工信息表部分字段数据类型

序号	字段名	说明	数据类型
1	DISPATCH_LIST_ID	派工单编号	Number
2	TASK_NAME	任务名称	Varchar(10)
3	TAKS_TYPE	任务类型	Varchar(10)
4	DISPATCH_TIME	派工时间	Date
5	DISPATCH_DEPT	派工部门	Varchar(20)
6	TEAM_ID	班组编号	Number
7	TASK_DESCRIPTION	任务描述	Varchar(100)
8	TASK_STATE	任务状态	Varchar(10)
9	FINISH_TIME	完成时间	Date
10	EQ_ID	使用设备编号	Number
11	EQ_NAME	使用设备名称	Varchar(10)
12	EQ_TYPE	使用设备类型	Varchar(10)
13	DISPATCH_TYPE	派工性质	Varchar(10)
14	NUMBER_OF_PEOPLE	操作人数	Number
15	BASIS	生产依据(图纸或文档)路径	Varchar(100)

表 2-19（续）

序号	字段名	说明	数据类型
16	ACCEPTOR	验收人	Varchar(10)
17	COMMENT	验收意见	Varchar(100)
18	REMARKS	备注	Varchar(200)
…	…	…	…

⑩数据库默认值规范

面向船舶智能制造的统一数据库集成平台数据层子车间派工数据库在设计时，多个字段不允许设置为空，需要按照数据类型为其设置相对应的默认值：数值类型默认值设置为0，日期类型默认值设置为当前日期，字符类型默认值设置为"无"。

以车间派工数据库中车间派工信息表中的字段为例：班组编号默认值设置为0，即在未输入班组编号时，班组编号默认为0；派工时间和完成时间默认值设置为当前日期，即在未输入派工时间和完成时间时，日期设置为当前日期。

⑪其他规范

面向船舶智能制造的统一数据库集成平台数据层子车间派工数据库的其他规范，参照2.2.2节中基础支撑数据库设计规范进行设计。

（3）车间调度数据库设计规范

①数据库命名规范

面向船舶智能制造的统一数据库集成平台数据层子车间调度数据库命名规范为<CJDD>。

②数据库表命名规范

a. 数据表

面向船舶智能制造的统一数据库集成平台数据层子车间调度数据库表命名规范为<CJDD_具体业务名称>。

例如：车间调度数据库中车间调度基本信息表命名为<CJDD_SCHEDULING_INFO>、调度优化算法表命名为<CJDD_OPT_ALGORITHM>。

b. 关联表

对于基础支撑数据库中存在关联关系的数据表，其命名规范为<CJDD_数据表1名_数据表2名>。

例如：车间调度数据库中车间调度基本信息表与调度优化算法表存在关联关系，则关联表命名为<CJDD_OPT_ALGORITHM_SCHEDULING_INFO>。

③数据库表字段命名规范

列名的命名规范同表名的命名规范，采用名词或名词短语，单词均采用大写形式，多个单词之间用"_"间隔。

例如：车间调度数据库中调度基本信息表部分字段名如表2-20所示。

表 2-20　调度基本信息表部分字段名

序号	字段名	说明
1	SCHEDULING_ID	调度编号
2	SCHEDULING_TYPE	调度类型
3	DISPATCH_LIST_ID	派工单编号
4	TECHNOLOGY_ID	工艺编号
5	EQ_ID	设备编号
6	PLAN_ID	计划编号
7	START_TIME	调度时间
8	END_TIME	结束时间
9	CREATOR	发起人
10	WORKSHOP_ID	车间编号
11	ALGORITHM_ID	优化算法编号
12	STATE	状态
13	MATERIAL_ID	材料编号
14	REMARKS	备注
…	…	…

④视图命名规范

面向船舶智能制造的统一数据库集成平台数据层子车间调度数据库的视图命名规范为<CJDD_V_具体业务的名词>。

⑤触发器命名规范

面向船舶智能制造的统一数据库集成平台数据层子车间调度数据库的触发器命名规范为<CJDD_TRG_数据表名_I/D/U>。

例如：车间调度数据库中调度基本信息表触发器命名为<CJDD_TRG_SCHEDULING_INFO_I/D/U>。

⑥存储结构命名规范

面向船舶智能制造的统一数据库集成平台数据层子车间调度数据库的存储结构命名规范为<CJDD_UP_具体业务的名词>。

⑦索引命名规范

面向船舶智能制造的统一数据库集成平台数据层子车间调度数据库的索引命名规范为<CJDD_IDX_数据表名_字段>。

例如：车间调度数据库调度基本信息表的调度编号索引命名为＜CJDD_IDX_SCHEDULING_INFO_SCHEDULING_ID＞。

⑧约束命名规范

面向船舶智能制造的统一数据库集成平台数据层子车间调度数据库的约束命名规范如下：

主键约束:<CJDD_PK_表名>

外键约束:<CJDD_FK_表名_列名>

非空约束:<CJDD_NN_表名_列名>

唯一约束:<CJDD_UK_表名_列名>

条件约束:<CJDD_CK_表名_列名>

默认约束:<CJDD_DF_表名_列名>

例如:车间调度数据库中,调度基本信息表的主键约束为调度编号(SCHEDULING_ID),则其命名为<CJDD_PK_SCHEDULING_INFO>,该表具有多个外键约束,其中派工单编号(DISPATCH_LIST_ID)、工艺编号(TECHNOLOGY_ID)、设备编号(EQ_ID)、优化算法编号(ALGORITHM_ID)均为外键,则其约束命名分别为<CJDD_FK_SCHEDULING_INFO_DISPATCH_LIST_ID>、<CJDD_FK_SCHEDULING_INFO_TECHNOLOGY_ID>、<CJDD_FK_SCHEDULING_INFO_EQ_ID>、<CJDD_FK_SCHEDULING_INFO_ALGORITHM_ID>。

⑨数据库字段类型规范

面向船舶智能制造的统一数据库集成平台数据层子车间调度数据库的字段类型主要有:字符类型(Char、Varchar、Varchar2)、数值类型(Integer、Float、Number)、日期类型(Date)、大对象类型(Blob、Clob)。

调度基本信息表部分字段数据类型如表2-21所示。

表2-21 调度基本信息表部分字段数据类型

序号	字段名	说明	数据类型
1	SCHEDULING_ID	调度编号	Number
2	SCHEDULING_TYPE	调度类型	Varchar(10)
3	DISPATCH_LIST_ID	派工单编号	Number
4	TECHNOLOGY_ID	工艺编号	Number
5	EQ_ID	设备编号	Number
6	PLAN_ID	计划编号	Number
7	START_TIME	调度时间	Date
8	END_TIME	结束时间	Date
9	CREATOR	发起人	Varchar(10)
10	WORKSHOP_ID	车间编号	Number
11	ALGORITHM_ID	优化算法编号	Number
12	STATE	状态	Number
13	MATERIAL_ID	材料编号	Number
14	REMARKS	备注	Varchar(200)
…	…	…	…

⑩数据库默认值规范

面向船舶智能制造的统一数据库集成平台数据层子车间调度数据库在设计时,多个字段不允许设置为空,需要按照数据类型为其设置相对应的默认值:数值类型默认值设置为0,日期类型默认值设置为当前日期,字符类型默认值设置为"无"。

⑪其他规范

面向船舶智能制造的统一数据库集成平台数据层子车间调度数据库的其他规范,参照2.2.2节中基础支撑数据库设计规范进行设计。

2.2.2.3　生产管理数据库设计规范

(1)计划数据库设计规范

①数据库命名规范

面向船舶智能制造的统一数据库集成平台数据层子计划数据库命名规范为<JH>。

②数据库表命名规范

a. 数据表

面向船舶智能制造的统一数据库集成平台数据层子计划数据库表命名规范为<JH_具体业务名称>。

例如:计划数据库中的施工计划信息表命名为<JH_OPERATION_PLAN>、计划审核表命名为<JH_PLAN_APPROVAL>、计划发布表命名为<JH_PLAN_PUBLISH>。

b. 关联表

对于基础支撑数据库中存在关联关系的数据表,其命名规范为<JH_数据表1名_数据表2名>。

例如:计划数据库中施工计划信息表与计划审核表存在关联关系,则关联表命名为<JH_OPERATION_PLAN_PLAN_APPROVAL>。

③数据库表字段命名规范

列名的命名规范同表名的命名规范,采用名词或名词短语,单词均采用大写形式,多个单词之间用"_"间隔。

例如:计划数据库中施工计划信息表部分字段名如表2-22所示。

表 2-22　施工计划信息表部分字段名

序号	字段名	说明
1	PROJECT_ID	项目编号
2	DESCRIPTION	描述
3	WORKPACKAGE_ID	工作包编号
4	PLAN_START_TIME	计划开始时间
5	PLAN_END_TIME	计划结束时间
6	PLAN_STATE	计划状态
7	PLAN_LEVEL	计划级别
8	WBS	是否 WBS

表 2-22(续)

序号	字段名	说明
9	PLAN_DURATION	计划工期
10	PLAN_HOURS	计划工时
11	PLAN_EDIT_DEPT	计划编制部门
12	WORK_CALENDER	工作日历
13	EDITOR	计划编辑人
14	CHANGE_DATE	计划修改日期
15	APPRO_COMMENT	审批意见
16	APPROVER	审批人
17	EXECUTE_DEPT	计划执行部门
18	EXECUTE_STATE	计划执行状态
19	MILESTONE	是否里程碑
20	AUTHORITY_NEXT_LEVEL	下级计划编辑权限
21	PUBLISH	是否发布
22	PUBLISH_ID	发布编号
23	PLAN_FILE	计划文件
24	REMARKS	备注
…	…	…

④视图命名规范

面向船舶智能制造的统一数据库集成平台数据层子计划数据库的视图命名规范为<JH_V_具体业务的名词>。

例如:计划数据库中的计划信息视图命名为<JH_V_PLAN_INFO>、计划审核视图命名为<JH_V_PLAN_APPRO>。

⑤触发器命名规范

面向船舶智能制造的统一数据库集成平台数据层子计划数据库的触发器命名规范为<JH_TRG_数据表名_I/D/U>。

例如:计划数据库中施工计划信息表触发器命名为<JH_TRG_OPERATION_PLAN_I/D/U>、计划审核表触发器命名为<JH_TRG_PLAN_APPROVAL_I/D/U>。

⑥存储结构命名规范

面向船舶智能制造的统一数据库集成平台数据层子计划数据库的存储结构命名规范为<JH_UP_具体业务的名词>。

⑦索引命名规范

面向船舶智能制造的统一数据库集成平台数据层子计划数据库的索引命名规范为<JH_IDX_数据表名_字段名>。

⑧约束命名规范

面向船舶智能制造的统一数据库集成平台数据层子计划数据库的约束命名规范如下：

主键约束：<JH_PK_表名>

外键约束：<JH_FK_表名_列名>

非空约束：<JH_NN_表名_列名>

唯一约束：<JH_UK_表名_列名>

条件约束：<JH_CK_表名_列名>

默认约束：<JH_DF_表名_列名>

例如：计划数据库中，施工计划信息表的主键约束为项目编号（PROJECT_ID），则其命名为<JH_PK_OPERATION_PLAN>；该表的外键约束为发布编号（PUBLISH_ID），则其命名为<JH_FK_OPERATION_PLAN_PUBLISH_ID>。

⑨数据库字段类型规范

面向船舶智能制造的统一数据库集成平台数据层子计划数据库的字段类型主要有：字符类型（Char、Varchar、Varchar2）、数值类型（Integer、Float、Number）、日期类型（Date）、大对象类型（Blob、Clob）。

施工计划信息表部分字段数据类型如表2-23所示。

表2-23　施工计划信息表部分字段数据类型

序号	字段名	说明	数据类型
1	PROJECT_ID	项目编号	Varchar(15)
2	DESCRIPTION	描述	Varchar(100)
3	WORKPACKAGE_ID	工作包编号	Number
4	PLAN_START_TIME	计划开始时间	Date
5	PLAN_END_TIME	计划结束时间	Date
6	PLAN_STATE	计划状态	Number
7	PLAN_LEVEL	计划级别	Number
8	WBS	是否WBS	Number
9	PLAN_DURATION	计划工期	Date
10	PLAN_HOURS	计划工时	Number
11	PLAN_EDIT_DEPT	计划编制部门	Varchar(10)
12	WORK_CALENDER	工作日历	Varchar(20)
13	EDITOR	计划编辑人	Varchar(10)
14	CHANGE_DATE	计划修改日期	Date
15	APPRO_COMMENT	审批意见	Varchar(100)
16	APPROVER	审批人	Varchar(10)
17	EXECUTE_DEPT	计划执行部门	Varchar(10)

表 2-23(续)

序号	字段名	说明	数据类型
18	EXECUTE_STATE	计划执行状态	Number
19	MILESTONE	是否里程碑	Number
20	AUTHORITY_NEXT_LEVEL	下级计划编辑权限	Number
21	PUBLISH	是否发布	Number
22	PUBLISH_ID	发布编号	Number
23	PLAN_FILE	计划文件路径	Varchar(100)
24	REMARKS	备注	Varchar(200)
…	…	…	…

⑩数据库默认值规范

面向船舶智能制造的统一数据库集成平台数据层子计划数据库在设计时,多个字段不允许设置为空,需要为其设置相对应的默认值:数值类型默认值设置为 0,日期类型默认值设置为当前日期,字符类型默认值设置为当前用户所使用的用户名或"无"(根据不同字段进行区分)。

以计划数据库中施工计划信息表中的字段为例:计划状态默认值设置为 0,即在计划开始时间在当前日期之后时,计划状态默认为 0(即未开始);计划开始时间和计划结束时间默认值设置为当前日期,即在未输入计划开始时间和计划结束时间时,其设置为当前日期;审批人和计划编辑人默认值设置为当前用户名;审批意见默认值设置为"无"。

⑪其他规范

面向船舶智能制造的统一数据库集成平台数据层子计划数据库的其他规范,参照2.2.2 节中基础支撑数据库设计规范进行设计。

(2)进度数据库设计规范

①数据库命名规范

面向船舶智能制造的统一数据库集成平台数据层子进度数据库命名规范为<JD>。

②数据库表命名规范

a. 数据表

面向船舶智能制造的统一数据库集成平台数据层子进度数据库表命名规范为<JD_具体业务名称>。

例如:进度数据库中的进度基本信息表命名为<JD_PROGESS_INFO>、建造进度表命名为<JD_CONSTRUT>、计划变更信息表命名为<JD_PLAN_CHANGE >。

b. 关联表

对于基础支撑数据库中存在关联关系的数据表,其命名规范为<JD_数据表 1 名_数据表 2 名>。

例如:进度数据库中进度基本信息表与计划变更信息表存在关联关系,则关联表命名为<JD_PLAN_CHANGE_PROGESS_INFO>。

③数据库表字段命名规范

列名的命名规范同表名的命名规范,采用名词或名词短语,单词均采用大写形式,多个单词之间用"_"间隔。

例如:进度数据库中进度基本信息表部分字段名如表2-24所示。

表2-24 进度基本信息表部分字段名

序号	字段名	说明
1	PROJECT_ID	项目编号
2	WORKPACKAGE_ID	工作包编号
3	PROGESS_ID	进度编号
4	PLAN_ID	计划编号
5	STATE	当前状态
6	CONTRACT_INFO	合同信息
7	FEEDBACK_TIME	反馈时间
8	RESPONSIBILITY	负责人
9	START_TIME	实际开始时间
10	END_TIME	实际结束时间
11	CHANGE_ID	变更编号
12	REMARKS	备注
...	...	...

④视图命名规范

面向船舶智能制造的统一数据库集成平台数据层子进度数据库的视图命名规范为<JD_V_具体业务的名词>。

⑤触发器命名规范

面向船舶智能制造的统一数据库集成平台数据层子进度数据库的触发器命名规范为<JD_TRG_数据表名_I/D/U>。

例如:进度数据库中进度基本信息表触发器命名为<JD_TRG_PROGESS_INFO_I/D/U>、计划变更信息表触发器命名为<JD_TRG_PLAN_CHANGE_I/D/U>。

⑥存储结构命名规范

面向船舶智能制造的统一数据库集成平台数据层子进度数据库的存储结构命名规范为<JD_UP_具体业务的名词>。

⑦索引命名规范

面向船舶智能制造的统一数据库集成平台数据层子进度数据库的索引命名规范为<JD_IDX_数据表名_字段名>。

例如:进度数据库进度基本信息表的项目编号索引为<JD_IDX_PROGESS_INFO_PROJECT_ID>。

⑧约束命名规范

面向船舶智能制造的统一数据库集成平台数据层子进度数据库的约束命名规范如下：

主键约束：<JD_PK_表名>

外键约束：<JD_FK_表名_列名>

非空约束：<JD_NN_表名_列名>

唯一约束：<JD_UK_表名_列名>

条件约束：<JD_CK_表名_列名>

默认约束：<JD_DF_表名_列名>

例如：进度数据库中，进度基本信息表的主键约束为项目编号（PROJECT_ID），则其命名为<JD_PK_PROGESS_INFO>；该表的外键约束为变更编号（CHANGE_ID），则其命名为<JD_FK_PROGESS_INFO_CHANGE_ID>。

⑨数据库字段类型规范

面向船舶智能制造的统一数据库集成平台数据层子进度数据库的字段类型主要有：字符类型（Char、Varchar、Varchar2）、数值类型（Integer、Float、Number）、日期类型（Date）、大对象类型（Blob、Clob）。

进度基本信息表部分字段数据类型如表2-25所示。

表2-25 进度基本信息表部分字段数据类型

序号	字段名	说明	数据类型
1	PROJECT_ID	项目编号	Varchar(15)
2	WORKPACKAGE_ID	工作包编号	Number
3	PROGESS_ID	进度编号	Number
4	PLAN_ID	计划编号	Number
5	STATE	当前状态	Varchar(5)
6	CONTRACT_INFO	合同信息	Varchar(20)
7	FEEDBACK_TIME	反馈时间	Date
8	RESPONSIBILITY	负责人	Varchar(10)
9	START_TIME	实际开始时间	Date
10	END_TIME	实际结束时间	Date
11	CHANGE_ID	变更编号	Number
12	REMARKS	备注	Varchar(200)
…	…	…	…

⑩数据库默认值规范

面向船舶智能制造的统一数据库集成平台数据层子进度数据库在设计时，多个字段不允许设置为空，需要按照数据类型为其设置相对应的默认值：数值类型默认值设置为0，日期类型默认值设置为当前日期，字符类型默认值设置为"无"。

⑪其他规范

面向船舶智能制造的统一数据库集成平台数据层子进度数据库的其他规范,参照2.2.2节中基础支撑数据库设计规范进行设计。

（3）人员数据库设计规范

①数据库命名规范

面向船舶智能制造的统一数据库集成平台数据层子人员数据库命名规范为<RY>。

②数据库表命名规范

a. 数据表

面向船舶智能制造的统一数据库集成平台数据层子人员数据库表命名规范为<RY_具体业务名称>。

例如:人员数据库中的人员基本信息表命名为<RY_PERSON_INFO>、人员出勤信息表命名为<RY_ATTENDANCE>、人员薪资信息表命名为<RY_ SALARY>等。

b. 关联表

对于基础支撑数据库中存在关联关系的数据表,其命名规范为<RY_数据表1名_数据表2名>。

例如:人员数据库中人员基本信息表与人员出勤信息表存在关联关系,则关联表命名为<RY_ATTENDANCE_PERSON_INFO>。

③数据库表字段命名规范

列名的命名规范同表名的命名规范,采用名词或名词短语,单词均采用大写形式,多个单词之间用"_"间隔。

例如:人员数据库中人员基本信息表部分字段名如表2-26所示。

表2-26 人员基本信息表部分字段名

序号	字段名	说明
1	JOB_NUMBER	工号
2	NAME	人员姓名
3	GENDER	性别
4	POSITION	职位
5	TITLE	职称
6	DEPT	所属部门
7	REGISTER	户籍
8	AGE	年龄
9	ADDRESS	住址
10	EDUCATION	学历
11	POLITICS	政治面貌
12	CONTACT	联系方式

表 2-26(续)

序号	字段名	说明
13	HIREDATE	入职时间
14	ATTENDANCE_ID	出勤编号
15	SALARY_ID	薪资编号
16	REMARKS	备注
…	…	…

④视图命名规范

面向船舶智能制造的统一数据库集成平台数据层子人员数据库的视图命名规范为<RY_V_具体业务的名词>。

例如:人员数据库中的人员身份信息视图命名为<RY_V_IDENTITY>。

⑤触发器命名规范

面向船舶智能制造的统一数据库集成平台数据层子人员数据库的触发器命名规范为<RY_TRG_数据表名_I/D/U>。

例如:人员数据库中人员基本信息表触发器命名为<RY_TRG_PERSON_INFO_I/D/U>、人员薪资信息表触发器命名为<RY_TRG_SALARY_I/D/U>。

⑥存储结构命名规范

面向船舶智能制造的统一数据库集成平台数据层子人员数据库的存储结构命名规范为<RY_UP_具体业务名词>。

⑦索引命名规范

面向船舶智能制造的统一数据库集成平台数据层子人员数据库的索引命名规范为<RY_IDX_数据表名_字段名>。

例如:人员数据库人员基本信息表的工号索引为<RY_IDX_PERSON_INFO_JOB_NUMBER>。

⑧约束命名规范

面向船舶智能制造的统一数据库集成平台数据层子人员数据库的约束命名规范如下:

主键约束:<RY_PK_表名>

外键约束:<RY_FK_表名_列名>

非空约束:<RY_NN_表名_列名>

唯一约束:<RY_UK_表名_列名>

条件约束:<RY_CK_表名_列名>

默认约束:<RY_DF_表名_列名>

例如:人员数据库中,人员基本信息表的主键约束为工号(JOB_NUMBER),则其命名为<RY_PK_PERSON_INFO>;该表的外键约束为出勤编号(ATTENDANCE_ID)及薪资编号(SALARY_ID),则其命名为<RY_FK_PERSON_INFO_ATTENDANCE_ID>及<RY_FK_PERSON_INFO_SALARY_ID>。同时,该表人员姓名(NAME)应设置为非空约束,则该约束

命名为<RY_NN_PERSON_INFO_NAME>。

⑨数据库字段类型规范

面向船舶智能制造的统一数据库集成平台数据层子人员数据库的字段类型主要有:字符类型(Char、Varchar、Varchar2)、数值类型(Integer、Float、Number)、日期类型(Date)、大对象类型(Blob、Clob)。

人员基本信息表部分字段数据类型如表2-27所示。

表2-27　人员基本信息表部分字段数据类型

序号	字段名	说明	数据类型
1	JOB_NUMBER	工号	Number
2	NAME	人员姓名	Varchar(10)
3	GENDER	性别	Number
4	POSITION	职位	Varchar(10)
5	TITLE	职称	Varchar(10)
6	DEPT	所属部门	Varchar(10)
7	REGISTER	户籍	Varchar(10)
8	AGE	年龄	Number
9	ADDRESS	住址	Varchar(50)
10	EDUCATION	学历	Varchar(10)
11	POLITICS	政治面貌	Varchar(10)
12	CONTACT	联系方式	Number
13	HIREDATE	入职时间	Date
14	ATTENDANCE_ID	出勤编号	Number
15	SALARY_ID	薪资编号	Number
16	REMARKS	备注	Varchar2
…	…	…	…

⑩数据库默认值规范

面向船舶智能制造的统一数据库集成平台数据层子人员数据库在设计时,多个字段不允许设置为空,需要按照数据类型为其设置相对应的默认值:数值类型默认值设置为0,日期类型默认值设置为当前日期,字符类型默认值设置为"无"。

以人员数据库中人员基本信息表中的字段为例:工号默认值设置为0,即在未输入工号时,工号默认为零;入职时间默认值设置为当前日期,即在未输入入职时间时,其设置为当前日期。

⑪其他规范

面向船舶智能制造的统一数据库集成平台数据层子人员数据库的其他规范,参照

2.2.2节中基础支撑数据库设计规范进行设计。

（4）质量数据库设计规范

①数据库命名规范

面向船舶智能制造的统一数据库集成平台数据层子质量数据库命名规范为<ZL>。

②数据库表命名规范

a. 数据表

面向船舶智能制造的统一数据库集成平台数据层子质量数据库表命名规范为<ZL_具体业务名称>。

例如：质量数据库中的质量管理信息表命名为<ZL_QC >、制造质量追溯信息表命名为<ZL_MANUFAC_QT>、物资质量追溯信息表命名为<ZL_MATERIAL_QT>。

b. 关联表

对于基础支撑数据库中存在关联关系的数据表，其命名规范为<ZL_数据表1名_数据表2名>。

例如：质量数据库中质量管理信息表与制造质量追溯信息表存在关联关系，则关联表命名为<ZL_MANUFAC_QT_QC>。

③数据库表字段命名规范

列名的命名规范同表名的命名规范，采用名词或名词短语，单词均采用大写形式，多个单词之间用"_"间隔。

例如：质量数据库中质量管理信息表部分字段名如表2-28所示。

表2-28　质量管理信息表部分字段名

序号	字段名	说明
1	PROJECT_ID	项目编号
2	WORKPACKAGE_ID	工作包编号
3	DESCRIPTION	描述
4	TYPE	类型
5	APPLICATION_TIME	申请时间
6	APPLICAT	申请人
7	TEST_ID	检验编号
8	TEST_TYPE	检验类别
9	TEST_DEPT	检验单位
10	SPECIALITY	专业
11	TEST_OBJ	检验对象
12	TEST_RESPONSIBILITY	检验负责人
13	COMMENT	检验意见
14	TEST_DOC	详细文档

表 2-28（续）

序号	字段名	说明
15	TEST_DATE	检验日期
16	APPRO_RESULT	审批结果
17	APPROVER	审批人
18	QT_TYPE	质量追溯类别
19	MANUFAC_QT_ID	制造质量追溯编号
20	MATERIAL_QT_ID	物资质量追溯编号
…	…	…

④视图命名规范

面向船舶智能制造的统一数据库集成平台数据层子质量数据库的视图命名规范为<ZL_V_具体业务的名词>。

例如：质量数据库中的检验结果视图命名为<ZL_V_TEST_RESULT>、物资质量追溯信息视图命名为<ZL_V_MATERIAL_QT>。

⑤触发器命名规范

面向船舶智能制造的统一数据库集成平台数据层子质量数据库的触发器命名规范为<ZL_TRG_数据表名_I/D/U>。

例如：质量数据库中质量管理信息表触发器命名为<ZL_TRG_QC_I/D/U>、制造质量追溯信息表触发器命名为<ZL_TRG_MANUFAC_QT _I/D/U>。

⑥存储结构命名规范

面向船舶智能制造的统一数据库集成平台数据层子质量数据库的存储结构命名规范为<ZL_UP_具体业务的名词>。

⑦索引命名规范

面向船舶智能制造的统一数据库集成平台数据层子质量数据库的索引命名规范为<ZL_IDX_数据表名_字段名>。

⑧约束命名规范

面向船舶智能制造的统一数据库集成平台数据层子质量数据库的约束命名规范如下：

主键约束：<ZL_PK_表名>

外键约束：<ZL_FK_表名_列名>

非空约束：<ZL_NN_表名_列名>

唯一约束：<ZL_UK_表名_列名>

条件约束：<ZL_CK_表名_列名>

默认约束：<ZL_DF_表名_列名>

例如：质量数据库中，质量管理信息表的主键约束为项目编号（PROJECT_ID），则其命名为<ZL_PK_QC>；该表的外键约束为制造质量追溯编号（MANUFAC_QT_ID）和物资质量追溯编号（MATERIAL_QT_ID），则其命名为<ZL_FK_QC_MANUFAC_QT_ID >和<ZL_FK_

QC_MATERIAL_QT_ID>。

⑨数据库字段类型规范

面向船舶智能制造的统一数据库集成平台数据层子质量数据库的字段类型主要有:字符类型(Char、Varchar、Varchar2)、数值类型(Integer、Float、Number)、日期类型(Date)、大对象类型(Blob、Clob)。

质量管理信息表部分字段数据类型如表2-29所示。

表2-29　质量管理信息表部分字段数据类型

序号	字段名	说明	数据类型
1	PROJECT_ID	项目编号	Varchar(15)
2	WORKPACKAGE_ID	工作包编号	Number
3	DESCRIPTION	描述	Varchar(100)
4	TYPE	类型	Varchar(10)
5	APPLICATION_TIME	申请时间	Date
6	APPLICAT	申请人	Varchar(10)
7	TEST_ID	检验编号	Number
8	TEST_TYPE	检验类别	Varchar(10)
9	TEST_DEPT	检验单位	Varchar(20)
10	SPECIALITY	专业	Varchar(10)
11	TEST_OBJ	检验对象	Varchar(10)
12	TEST_RESPONSIBILITY	检验负责人	Varchar(10)
13	COMMENT	检验意见	Varchar2
14	TEST_DOC	详细文档	Varchar2
15	TEST_DATE	检验日期	Date
16	APPRO_RESULT	审批结果	Varchar(10)
17	APPROVER	审批人	Varchar(10)
18	QT_TYPE	质量追溯类别	Number
19	MANUFAC_QT_ID	制造质量追溯编号	Number
20	MATERIAL_QT_ID	物资质量追溯编号	Number
…	…	…	…

⑩数据库默认值规范

面向船舶智能制造的统一数据库集成平台数据层子质量数据库在设计时,多个字段不允许设置为空,需要按照数据类型为其设置相对应的默认值:数值类型默认值设置为0,日期类型默认值设置为当前日期,字符类型默认值设置为"无"。

⑪其他规范

面向船舶智能制造的统一数据库集成平台数据层子质量数据库的其他规范,参照2.2.2节中基础支撑数据库设计规范进行设计。

（5）场地管理数据库设计规范

①数据库命名规范

面向船舶智能制造的统一数据库集成平台数据层子场地信息数据库命名规范为<CDXX>。

②数据库表命名规范

面向船舶智能制造的统一数据库集成平台数据层子场地信息数据库表命名规范为<CDXX_具体业务名称>。

例如:场地信息数据库中的场地信息表命名为<CDXX_PLACE_INFO>。

③数据库表字段命名规范

列名的命名规范同表名的命名规范,采用名词或名词短语,单词均采用大写形式,多个单词之间用"_"间隔。

例如:场地信息数据库中场地信息表部分字段名如表2-30所示。

表2-30　场地信息表部分字段名

序号	字段名	说明
1	PLACE_ID	场地编号
2	TYPE	场地类别
3	NAME	场地名称
4	AREA	场地大小
5	STATE	场地状态
6	DEPT	责任部门
7	RULE	划分规则
8	RES_SITE	现场负责人
9	TEAM_ID	施工班组编号
10	PERCENT	场地使用百分比
…	…	…

④视图命名规范

面向船舶智能制造的统一数据库集成平台数据层子场地信息数据库的视图命名规范为<CDXX_V_具体业务的名词>。

⑤触发器命名规范

面向船舶智能制造的统一数据库集成平台数据层子场地信息数据库的触发器命名规范为<CDXX_TRG_数据表名_I/D/U>。

例如:场地信息数据库中场地信息表触发器命名为<CDXX_TRG_PLACE_INFO_I/D/U>。

⑥存储结构命名规范

面向船舶智能制造的统一数据库集成平台数据层子场地信息数据库的存储结构命名

规范为<CDXX_UP_具体业务的名词>。

⑦索引命名规范

面向船舶智能制造的统一数据库集成平台数据层子场地信息数据库的索引命名规范为<CDXX_IDX_数据表名_字段名>。

例如:场地信息数据库场地信息表的项目编号索引为<CDXX_IDX_PLACE_INFO_PROJECT_ID>。

⑧约束命名规范

面向船舶智能制造的统一数据库集成平台数据层子场地信息数据库的约束命名规范如下:

　　主键约束:<CDXX_PK_表名>

　　外键约束:<CDXX_FK_表名_列名>

　　非空约束:<CDXX_NN_表名_列名>

　　唯一约束:<CDXX_UK_表名_列名>

　　条件约束:<CDXX_CK_表名_列名>

　　默认约束:<CDXX_DF_表名_列名>

例如:场地信息数据库中,场地信息表的主键约束为场地编号(PLACE_ID),则其命名为<CDXX_PK_PLACE_INFO>。

⑨数据库字段类型规范

面向船舶智能制造的统一数据库集成平台数据层子场地信息数据库的字段类型主要有:字符类型(Char、Varchar、Varchar2)、数值类型(Integer、Float、Number)、日期类型(Date)、大对象类型(Blob、Clob)。

场地信息表部分字段数据类型如表2-31所示。

表 2-31　场地信息表部分字段数据类型

序号	字段名	说明	数据类型
1	PLACE_ID	场地编号	Varchar(15)
2	TYPE	场地类别	Varchar2
3	NAME	场地名称	Varchar2
4	AREA	场地大小	Varchar2
5	STATE	场地状态	Number
6	DEPT	责任部门	Varchar(10)
7	RULE	划分规则	Varchar(10)
8	RES_SITE	现场负责人	Varchar(10)
9	TEAM_ID	施工班组编号	Number
10	PERCENT	场地使用百分比	Number
…	…	…	…

⑩数据库默认值规范

面向船舶智能制造的统一数据库集成平台数据层子场地信息数据库在设计时,多个字段不允许设置为空,需要按照数据类型为其设置相对应的默认值:数值类型默认值设置为0,日期类型默认值设置为当前日期,字符类型默认值设置为"无"。

以场地信息数据库中场地信息表中的字段为例:场地使用百分比默认值设置为0,即在未输入场地使用百分比时,场地使用百分比默认为0。

⑪其他规范

面向船舶智能制造的统一数据库集成平台数据层子场地信息数据库的其他规范,参照2.2.2节中基础支撑数据库设计规范进行设计。

2.2.2.4 企业资源管理数据库设计规范

(1)采购数据库设计规范

①数据库命名规范

面向船舶智能制造的统一数据库集成平台数据层子采购数据库命名规范为<CG>。

②数据库表命名规范

a. 数据表

面向船舶智能制造的统一数据库集成平台数据层子采购数据库表命名规范为<CG_具体业务名称>。

例如:采购数据库中的采购基本信息表命名为<CG_PURCHASE_INFO>、物资采购信息表命名为<CG_MAT_PUR>、设备采购信息表命名为<CG_EQ_PUR>、供应商信息表命名为<CG_SUPPLIER>。

b. 关联表

对于基础支撑数据库中存在关联关系的数据表,其命名规范为<CG_数据表1名_数据表2名>。

例如:采购数据库中设备采购信息表与供应商信息表存在关联关系,则关联表命名为<CG_EQ_PUR_SUPPLIER>。

③数据库表字段命名规范

列名的命名规范同表名的命名规范,采用名词或名词短语,单词均采用大写形式,多个单词之间用"_"间隔。

例如:采购数据库中设备采购信息表部分字段名如表2-32所示。

表2-32 设备采购信息表部分字段名

序号	字段名	说明
1	PO_ID	采购订单编号
2	DESCRIPTION	描述
3	EQ_ID	设备编号
4	EQ_NAME	设备名称

表 2-32（续）

序号	字段名	说明
5	EQ_TYPE	设备类别
6	SUPPLIER	供应商
7	PRICE	单价
8	NUMBER	数量
9	UNIT	单位
10	PURCHASER	采购人
11	PURPOSE	用途
12	PARAMETERS	设备参数
13	PURCHASE_TIME	购买时间
14	ARRIVAL_TIME	到货时间
15	VOUCHER	采购凭证
16	DEPT	使用部门
17	RESPONSIBILITY	设备负责人
…	…	…

④视图命名规范

面向船舶智能制造的统一数据库集成平台数据层子采购数据库的视图命名规范为<CG_V_具体业务的名词>。

例如：采购数据库中的采购设备视图命名为<CG_V_EQ_PUR>、物资采购视图命名为<CG_V_MAT_PUR>。

⑤触发器命名规范

面向船舶智能制造的统一数据库集成平台数据层子采购数据库的触发器命名规范为<CG_TRG_数据表名_I/D/U>。

例如：采购数据库中设备采购信息表触发器命名为<CG_TRG_EQ_PUR_I/D/U>、供应商信息表触发器命名为<CG_TRG_SUPPLIER_I/D/U>。

⑥存储结构命名规范

面向船舶智能制造的统一数据库集成平台数据层子采购数据库的存储结构命名规范为<CG_UP_具体业务的名词>。

⑦索引命名规范

面向船舶智能制造的统一数据库集成平台数据层子采购数据库的索引命名规范为<CG_IDX_数据表名_字段名>。

例如：采购数据库采购基本信息表的采购编号索引命名为<CG_IDX_PURCHASE_INFO_PURCHASE_ID>。

⑧约束命名规范

面向船舶智能制造的统一数据库集成平台数据层子采购数据库的约束命名规范如下：

主键约束:<CG_PK_表名>

外键约束:<CG_FK_表名_列名>

非空约束:<CG_NN_表名_列名>

唯一约束:<CG_UK_表名_列名>

条件约束:<CG_CK_表名_列名>

默认约束:<CG_DF_表名_列名>

例如:采购数据库中,设备采购信息表的主键约束为设备编号(EQ_ID),则其命名为<CG_PK_EQ_PUR>;该表的外键约束为采购编号(PURCHASE_ID),则其命名为<CG_FK_EQ_PUR_PURCHASE_ID>。

⑨数据库字段类型规范

面向船舶智能制造的统一数据库集成平台数据层子采购数据库的字段类型主要有:字符类型(Char、Varchar、Varchar2)、数值类型(Integer、Float、Number)、日期类型(Date)、大对象类型(Blob、Clob)。

设备采购信息表部分字段数据类型为表2-33所示。

表2-33 设备采购信息表部分字段数据类型

序号	字段名	说明	数据类型
1	PO_ID	采购订单编号	Number
2	DESCRIPTION	描述	Varchar2
3	EQ_ID	设备编号	Number
4	EQ_NAME	设备名称	Varchar(20)
5	EQ_TYPE	设备类别	Varchar(10)
6	SUPPLIER	供应商	Varchar(20)
7	PRICE	单价	Number(12,2)
8	QUANTITY	数量	Number
9	UNIT	单位	Char(5)
10	PURCHASER	采购人	Varchar(10)
11	PURPOSE	用途	Varchar(20)
12	PARAMETERS	设备参数	Varchar2
13	PURCHASE_TIME	购买时间	Date
14	ARRIVAL_TIME	到货时间	Date
15	VOUCHER	采购凭证	Varchar2
16	DEPT	使用部门	Varchar(20)
17	RESPONSIBILITY	设备负责人	Varchar(10)
…	…	…	…

⑩数据库默认值规范

面向船舶智能制造的统一数据库集成平台数据层子采购数据库在设计时,多个字段不允许设置为空,需要按照数据类型为其设置相对应的默认值:数值类型默认值设置为0,日期类型默认值设置为当前日期,字符类型默认值设置为"无"。

⑪其他规范

面向船舶智能制造的统一数据库集成平台数据层子采购数据库的其他规范,参照2.2.2节中基础支撑数据库设计规范进行设计。

（2）仓储数据库设计规范

①数据库命名规范

面向船舶智能制造的统一数据库集成平台数据层子仓储数据库命名规范为<CC>。

②数据库表命名规范

a. 数据表

面向船舶智能制造的统一数据库集成平台数据层子仓储数据库表命名规范为<CC_具体业务名称>。

例如:仓储数据库中的仓库基本信息表命名为<CC_WAREHOUSE>、库位信息表命名为<CC_STORAGE_LOC >、物资存量表命名为<CC_STOCK>。

b. 关联表

对于基础支撑数据库中存在关联关系的数据表,其命名规范为<CC_数据表1名_数据表2名>。

例如:仓储数据库中库位信息表与物资存量表存在关联关系,则关联表命名为<CC_STORAGE_LOC_STOCK >。

③数据库表字段命名规范

列名的命名规范同表名的命名规范,采用名词或名词短语,单词均采用大写形式,多个单词之间用"_"间隔。

例如:仓储数据库中仓库基本信息表部分字段名如表2-34所示。

表2-34　仓库基本信息表部分字段名

序号	字段名	说明
1	WAREHOUSE_ID	仓库编号
2	WAREHOUSE_NAME	仓库名称
3	WAREHOUSE_SIZE	仓库大小
4	WAREHOUSE_TYPE	仓库类别
5	WAREHOUSE_LOCATION	仓库位置
6	STORAGE_LOC_NUMBER	库位数量
7	STORAGE_PERCENT	存储量
8	STORAGE_LOC_ID	库位编号

表 2-34（续）

序号	字段名	说明
9	CARGO_ID	货物编号
10	CARGO_NAME	货物名称
11	CATEGORY	所属大类
12	CARGO_TYPE	货物类别
13	CARGO_STATE	货物状态
14	CARGO_STOCK	货物存量
15	ENTRY_TIME	入库时间
16	DELIVERY_TIME	出库时间
17	KEEPER	仓库保管员
18	REMARKS	备注
...	...	...

④视图命名规范

面向船舶智能制造的统一数据库集成平台数据层子仓储数据库的视图命名规范为<CC_V_具体业务的名词>。

例如：仓储数据库中的物资存量视图命名为<CC_V_STOCK>、货物信息视图命名为<CC_V_CARGO_INFO>。

⑤触发器命名规范

面向船舶智能制造的统一数据库集成平台数据层子仓储数据库的触发器命名规范为<CC_TRG_数据表名_I/D/U>。

例如：仓储数据库中仓库基本信息表触发器命名为<CC_TRG_WAREHOUSE_I/D/U>、库位信息表触发器命名为<CC_TRG_STORAGE_LOC_I/D/U>。

⑥存储结构命名规范

面向船舶智能制造的统一数据库集成平台数据层子仓储数据库的存储结构命名规范为<CC_UP_具体业务的名词>。

⑦索引命名规范

面向船舶智能制造的统一数据库集成平台数据层子仓储数据库的索引命名规范为<CC_IDX_数据表名_字段名>。

例如：仓储数据库库位信息表的库位编号索引命名为<CC_IDX_STORAGE_LOC_LOC_ID>。

⑧约束命名规范

面向船舶智能制造的统一数据库集成平台数据层子仓储数据库的约束命名规范如下：

主键约束：<CC_PK_表名>

外键约束：<CC_FK_表名_列名>

非空约束：<CC_NN_表名_列名>

唯一约束：<CC_UK_表名_列名>

条件约束:<CC_CK_表名_列名>

默认约束:<CC_DF_表名_列名>

例如:仓储数据库中,仓库基本信息表的主键约束为仓库编号(WAREHOUSE_ID),则其命名为<CC_PK_WAREHOUSE>,该表的外键约束为库位编号(STORAGE_LOC_ID),则其命名为<CC_FK_WAREHOUSE_STORAGE_LOC_ID>。

⑨数据库字段类型规范

面向船舶智能制造的统一数据库集成平台数据层子仓储数据库的字段类型主要有:字符类型(Char、Varchar、Varchar2)、数值类型(Integer、Float、Number)、日期类型(Date)、大对象类型(Blob、Clob)。

仓库基本信息表部分字段数据类型如表2-35所示。

表2-35　仓库基本信息表部分字段数据类型

序号	字段名	说明	数据类型
1	WAREHOUSE_ID	仓库编号	Number
2	WAREHOUSE_NAME	仓库名称	Varchar(20)
3	WAREHOUSE_SIZE	仓库大小	Number
4	WAREHOUSE_TYPE	仓库类别	Varchar(10)
5	WAREHOUSE_LOCATION	仓库位置	Varchar(20)
6	STORAGE_LOC_NUMBER	库位数量	Number
7	STORAGE_PERCENT	存储量	Number
8	STORAGE_LOC_ID	库位编号	Number
9	CARGO_ID	货物编号	Number
10	CARGO_NAME	货物名称	Varchar2
11	CATEGORY	所属大类	Varchar2
12	CARGO_TYPE	货物类别	Varchar(10)
13	CARGO_STATE	货物状态	Varchar(10)
14	CARGO_STOCK	货物存量	Number
15	ENTRY_TIME	入库时间	Date
16	DELIVERY_TIME	出库时间	Date
17	KEEPER	仓库保管员	Varchar(10)
18	REMARKS	备注	Varchar(200)
…	…	…	…

⑩数据库默认值规范

面向船舶智能制造的统一数据库集成平台数据层子仓储数据库在设计时,多个字段不允许设置为空,需要按照数据类型为其设置相对应的默认值:数值类型默认值设置为0,日期类型默认值设置为当前日期,字符类型默认值设置为"无"。

以仓储数据库中仓储基本信息表中的字段为例:存储量默认值设置为 0,即在未输入存储量时,存储量默认为 0;入库时间和出库时间默认值设置为当前日期,即在未输入入库时间和出库时间时,其设置为当前日期。

⑪其他规范

面向船舶智能制造的统一数据库集成平台数据层子仓储数据库的其他规范,参照 2.2.2 节中基础支撑数据库设计规范进行设计。

(3)物流数据库设计规范

①数据库命名规范

面向船舶智能制造的统一数据库集成平台数据层子物流数据库命名规范为<WL>。

②数据库表命名规范

a. 数据表

面向船舶智能制造的统一数据库集成平台数据层子物流数据库表命名规范为<WL_具体业务名称>。

例如:物流数据库中的物流基本信息表命名为<WL_LOGISTICS>、集配信息表命名为<WL_DISTRIBUTION>、配送车辆信息表命名为<WL_DELIVERY_VEHICLE>。

b. 关联表

对于基础支撑数据库中存在关联关系的数据表,其命名规范为<WL_数据表1名_数据表2名>。

例如:物流数据库中集配信息表与配送车辆信息表存在关联关系,则关联表命名为<WL_DELIVERY_VEHICLE_DISTRIBUTION>。

③数据库表字段命名规范

列名的命名规范同表名的命名规范,采用名词或名词短语,单词均采用大写形式,多个单词之间用"_"间隔。

例如:物流数据库中集配信息表部分字段名如表 2-36 所示。

表 2-36　集配信息表部分字段名

序号	字段名	说明
1	DISTRIBUTION_ID	配送编号
2	VEHICLE_ID	配送车辆编号
3	DRIVER	车辆驾驶员
4	WAREHOUSE_ID	仓库编号
5	CARGO_ID	配送物资编号
6	CARGO_NAME	物资名称
7	CARGO_TYPE	物资类别
8	CARGO_NUMBER	物资数量
9	CARGO_STATE	物资状态

表 2-36(续)

序号	字段名	说明
10	DELIVERY_TIME	出库时间
11	KEEPER	仓库保管员
12	ARRIVAL_TIME	到达时间
13	ARRIVAL_LOC	到达地点
14	ARRIVAL_DEPT	接收部门
15	RECIPIENT	接收人
…	…	…

④视图命名规范

面向船舶智能制造的统一数据库集成平台数据层子物流数据库的视图命名规范为<WL_V_具体业务的名词>。

例如:物流数据库中的车辆信息视图命名为<WL_V_VEHICLE>、配送信息视图命名为<WL_V_DISTRIBUTION>。

⑤触发器命名规范

面向船舶智能制造的统一数据库集成平台数据层子物流数据库的触发器命名规范为<WL_TRG_数据表名_I/D/U>。

例如:物流数据库中物流基本信息表触发器命名为<WL_TRG_LOGISTICS_I/D/U>、集配信息表触发器命名为<WL_TRG_DISTRIBUTION_I/D/U>。

⑥存储结构命名规范

面向船舶智能制造的统一数据库集成平台数据层子物流数据库的存储结构命名规范为<WL_UP_具体业务的名词>。

⑦索引命名规范

面向船舶智能制造的统一数据库集成平台数据层子物流数据库的索引命名规范为<WL_IDX_数据表名_字段名>。

例如:物流数据库集配信息表的配送编号索引命名为<WL_IDX_DISTRIBUTION_DISTRIBUTION_ID>。

⑧约束命名规范

面向船舶智能制造的统一数据库集成平台数据层子物流数据库的约束命名规范如下:

主键约束:<WL_PK_表名>

外键约束:<WL_FK_表名_列名>

非空约束:<WL_NN_表名_列名>

唯一约束:<WL_UK_表名_列名>

条件约束:<WL_CK_表名_列名>

默认约束:<WL_DF_表名_列名>

例如:物流数据库中,集配信息表的主键约束为配送编号(DISTRIBUTION_ID),则其命

名为\<WL_PK_DISTRIBUTION\>;该表的外键约束为配送车辆编号(VEHICLE_ID),则其命名为\<WL_FK_DISTRIBUTION_VEHICLE_ID\>;同时,该表仓库保管员(KEEPER)应设置为非空约束,则其命名为\<WL_NN_DISTRIBUTION_KEEPER\>。

⑨数据库字段类型规范

面向船舶智能制造的统一数据库集成平台数据层子物流数据库的字段类型主要有:字符类型(Char、Varchar、Varchar2)、数值类型(Integer、Float、Number)、日期类型(Date)、大对象类型(Blob、Clob)。

集配信息表部分字段数据类型如表2-37所示。

表2-37 集配信息表部分字段数据类型

序号	字段名	说明	数据类型
1	DISTRIBUTION_ID	配送编号	Number
2	VEHICLE_ID	配送车辆编号	Number
3	DRIVER	车辆驾驶员	Varchar(10)
4	WAREHOUSE_ID	仓库编号	Number
5	CARGO_ID	配送物资编号	Number
6	CARGO_NAME	物资名称	Varchar(10)
7	CARGO_TYPE	物资类别	Varchar(10)
8	CARGO_NUMBER	物资数量	Number
9	CARGO_STATE	物资状态	Varchar(20)
10	DELIVERY_TIME	出库时间	Date
11	KEEPER	仓库保管员	Varchar(10)
12	ARRIVAL_TIME	到达时间	Date
13	ARRIVAL_LOC	到达地点	Varchar(10)
14	ARRIVAL_DEPT	接收部门	Varchar(10)
15	RECIPIENT	接收人	Varchar(10)
...	...	...	...

⑩数据库默认值规范

面向船舶智能制造的统一数据库集成平台数据层子物流数据库在设计时,多个字段不允许设置为空,需要按照数据类型为其设置相对应的默认值:数值类型默认值设置为0,日期类型默认值设置为当前日期,字符类型默认值设置为"无"。

⑪其他规范

面向船舶智能制造的统一数据库集成平台数据层子物流数据库的其他规范,参照2.2.2节中基础支撑数据库设计规范进行设计。

2.3　数据库轻量化设计规范

2.3.1　三维模型数据轻量化设计规范

目前,三维模型的表示方法有栅格和矢量两种类型。栅格类型基于体元,结构简单,空间叠加操作方便,但占用存储空间大、数据精度低、缺乏空间拓扑关系,不利于空间分析等功能的实现。矢量类型利用坐标来表达空间对象,在一定程度上克服了栅格数据冗余严重、精度低的缺点,同时又可以采用数据库技术对模型实体之间的拓扑关系进行管理,因此宜用于空间分析操作的有效实现。但由于船舶智能制造对模型精细度要求高,同时在施工管理过程又对模型的精细度要求极高,导致模型数据量极大,可能一个模型就存在几十万甚至百万个多边形,不利于对各类船舶三维模型的组织和管理。因此,面向船舶智能制造的统一数据库集成平台中,用于存储三维模型的数据库将采用 SLMATV[①] 数据组织和管理方案。采用此模式极大程度地降低了三维模型的数据冗余,进而降低了船舶三维模型的数据大小,实现了模型的轻量化存储。

顶点实体数据主要包括几何坐标、法向量及贴图坐标等属性信息,其传统存储方法多以模型顶点为存储的基本单元逐三角形存储。这里以图 2-11 所示简单立方体为例,传统的存储方式如表 2-38 所示,从中可见,顶点 1 为 6 个三角形所共有,它的几何坐标、法向量和贴图坐标最多可能被存储 6 次,这种存储方法导致数据冗余现象较为严重,直接影响了数据的读取及模型的渲染效率。从降低数据冗余的角度,按照"顶点-属性-索引列表"的思想对顶点的数据重新进行组织,组织方式为将顶点的几何坐标、法向量和纹理等作为属性信息分别以列表方式存储(表 2-39、表 2-40 和表 2-41)。这种存储方式顶点的几何信息、纹理坐标和法向量信息分别列表进行存储,没有重复存储的节点信息,因此尽管三维模型顶点数据众多,但是这样组织顶点数据可以大幅度减少存储的空间占用。

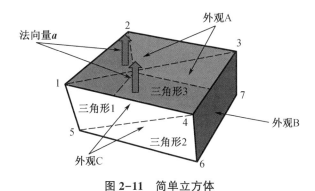

图 2-11　简单立方体

---

① SLMATV 指场景-模型层-模型-外观-三角形-顶点(scene-layer-mode-appearance-triangle-vertex)。

表 2-38　逐三角形逐顶点信息存储方式

三角形 ID	点几何坐标		法向量		贴图坐标	
	点 ID	点坐标	法向 ID	法向向量	ID	坐标
三角形 1	Point1	x1,y1,z1	Normal1	nx1,ny1,nz1	Texture1	tx1,ty1
	Point4	x4,y4,z4	Normal4	nx4,ny4,nz4	Texture4	tx4,ty4
	Point5	x5,y5,z5	Normal5	nx5,ny5,nz5	Texture5	tx5,ty5
三角形 2	Point6	x6,y6,z6	Normal6	nx6,ny6,nz6	Texture6	tx6,ty6
	Point5	x5,y5,z5	Normal5	nx5,ny5,nz5	Texture5	tx5,ty5
	Point4	x4,y4,z4	Normal4	nx4,ny4,nz4	Texture4	tx4,ty4
三角形 3	Point4	x4,y4,z4	Normal4	nx4,ny4,nz4	Texture4	tx4,ty4
	Point1	x1,y1,z1	Normal1	nx1,ny1,nz1	Texture1	tx1,ty1
	Point3	x3,y3,z3	Normal3	nx3,ny3,nz3	Texture3	tx3,ty3
…	…	…	…	…	…	…

表 2-39　顶点几何坐标表

ID	x	y	z
1	x1	y1	z1
2	x2	y2	z2
3	x3	y3	z3
4	x4	y4	z4
5	x5	y5	z5
6	x6	y6	z6

表 2-40　顶点法向量

ID	Nx	Ny	Nz
1	Nx1	Ny1	Nz1
2	Nx2	Ny2	Nz2
3	Nx3	Ny3	Nz3
4	Nx4	Ny4	Nz4
5	Nx5	Ny5	Nz5
6	Nx6	Ny6	Nz6

表 2-41 纹理坐标

ID	s	t	w[①]
1	s1	t1	w1
2	s2	t2	w2
3	s3	t3	w3
4	s4	t4	w4
5	s5	t5	w5
6	s6	t6	w6

注:①w 指深度纹理坐标。

　　三维实体建模多以单个平面作为基本组织和绘制单元。一般来说,单个三维模型包含很多平面,很多情况下,这些平面具有相同的材质。绘制的时候渲染引擎(如 OpenGL 等)多会逐个平面进行绘制,这就不可避免地造成多个材质的频繁切换,从而影响到三维模型的渲染效率。因此,为了提高绘制效率和渲染速度,SLMATV 方案采用以材质和纹理状态为单位的数据存储方式,并集中存储具有相同纹理和材质属性的模型数据,一个 appearance 可能具有多个平面,但这些平面具有完全相同的材质,从而避免材质的频繁切换或者着色器的传送次数。SLMATV 方案采用数据库存储技术存储的外观-材质表和外观-纹理表见表 2-42 和表 2-43。

表 2-42 外观-材质表

ID	材质名	材质成分									
		NS	NI	D	TR	TF	ILLU	KA	KD	KS	KE
0	材质 A										
1	材质 B										
2	材质 C										
...	...	...	...	...	...	...	...	...	...	...	...

表 2-43 外观-纹理表

ID	纹理名	二进制纹理数据
0	Brick	
1	Tree	
2	Texture1	
...	...	...

　　构建索引表的目的是通过提供索引信息来消除相邻模型边界、公用顶点之间的数据冗余和不一致的问题。索引表的建立虽是添加了额外的数据,但相比之下,整型数据的索引

信息数据存储开销要比存储大量重复的浮点型顶点属性信息数据小得多。这是实现模型轻量化的关键环节。具体方法是在对三维顶点属性、外观对象数据存储的基础上,构建模型-外观、外观-三角形、三角形-顶点、三角形-三角形关系等索引表,如表 2-44 ~ 表 2-47和图 2-12 所示。

表 2-44　模型-外观索引表

模型 ID	外观数据项
立方体	外观 A,外观 B,外观 C,…
…	…

表 2-45　外观-三角形索引表

ID	三角形(数量)	三角形序列
外观 A	2	△123,△134
外观 B	2	△437,△647
外观 C	2	△514,△546
…	…	…

表 2-46　三角形-顶点索引表

ID	Vex1	Vex2	Vex3	Tex/Nor1	Tex/Nor3	Tex/Nor3
三角形 1	1	4	5	1	4	5
…	…	…	…	…	…	…

表 2-47　三角形-三角形关系索引表

ID	邻接关系
A	B,E
B	A,C
C	B,D
D	C,E
E	A,D

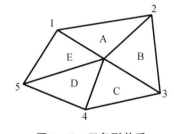

图 2-12　三角形关系

2.3.2　其他数据库轻量化设计规范

2.3.2.1　数据库结构设计优化规范

在设计数据库时,为了保证数据库的一致性和完整性,往往会设计很多的表间关联,尽可能地降低数据的冗余。而对于多表之间的关联查询,尤其是数据量庞大时,其性能也会降低,同时也提高了程序的编程难度。因此,数据库设计应根据业务规则、表的数据量大小、数据的访问频率加以均衡考虑,可存在合理的数据冗余。

2.3.2.2　数据表设计优化规范

在表的设计上应尽量减少资源消耗,当一个列可以选择多种数据类型时,优先考虑数值类型,其次是日期类型和二进制类型,最后是字符类型。Char 用于数据长度基本一致的,在一个小区间内波动或者列中最大数据长度小于 50 字节的数据;Varchar 用于数据长度变化较大,不能预知其具体长度的数据,在设计时应根据业务进行选择。

可对表进行水平划分,把一张表的数据分摊到多张表上以提高检索更新时的速度,例如在一些数据量比较庞大的表上,如每年都会有大量数据产生,则可以按照年份建立多张表,检索时按照所选年份从相应表中查询数据。

2.3.2.3　其他设计优化规范

在数据库中建立索引也可提高执行效率,索引应当建立在不会频繁更新的字段和经常作为连接条件、筛选条件、聚合查询、排序的字段上。建立数据库索引,可加快对数据表中记录的查找或者排序。但会占用较多的数据库存储空间,同时在插入和修改数据时需要花费较多时间。

对于数据量庞大并且查询频率高的数据,可使用缓存来加快检索速度和减少服务器负担。将使用频率高的数据存放在缓存中,用户查询时直接从缓存读取可大幅提高效率。在更新数据时,可利用缓存进行延迟修改,将更新的数据存放在缓存中,然后定时将缓存中的数据存入数据库。

2.4　数据库数据完整性设计规范

数据库数据完整性设计主要包括概念结构设计、完整性约束设计及完整性规则设计。

概念结构设计阶段是将依据需求分析的结果转换成一个独立于具体的概念模型,即实体关系图(ERD)。在概念结构设计阶段就要开始数据库完整性设计的实质阶段,因为此阶段的实体关系将在逻辑结构设计阶段转化为实体完整性约束和参照完整性约束,到逻辑结构设计阶段将完成设计的主要工作。

面向船舶智能制造的统一数据库集成平台将船厂的业务划分为四大类数据库,分别是设计数据库、车间管理数据库、生产管理数据库和企业资源管理数据库,结合需求分析结论与实际业务调研,得出如图 2-13 所示的面向船舶智能制造的统一数据库集成平台实体关系图。

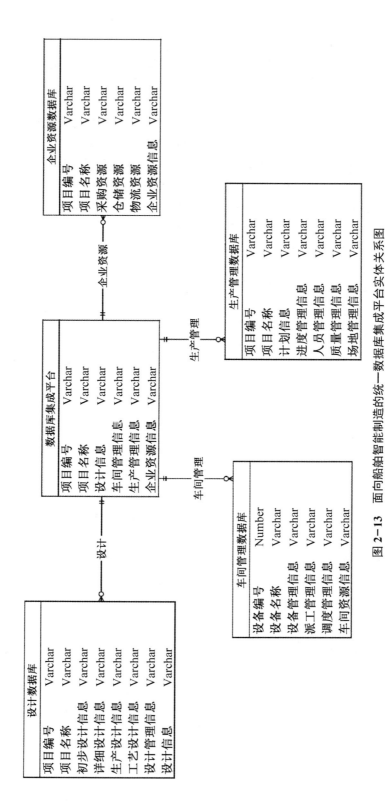

图 2–13　面向船舶智能制造的统一数据库集成平台实体关系图

船舶智能制造设计数据库主要包含五种子数据库,分别是初步设计数据库、详细设计数据库、生产设计数据库、工艺设计数据库和设计管理数据库。其实体关系图如图 2-14 所示。

　　船舶智能制造车间管理数据库主要包含三种子数据库,分别是设备管理数据库、派工管理数据库和调度管理数据库。其实体关系图如图 2-15 所示。

　　船舶智能制造生产管理数据库主要包含五种子数据库,分别是计划管理数据库、进度管理数据库、人员管理数据库、质量管理数据库和场地管理数据库。其实体关系图如图 2-16 所示。

　　船舶智能制造企业资源管理数据库主要包含三种子数据库,分别是采购资源数据库、仓储资源数据库和物流资源数据库。其实体关系图如图 2-17 所示。

　　在创建数据库表的命令语句中,通过加入表级约束或列级约束来实现数据完整性。如在建表语句中可加入非空(notnull)约束、缺省(default)约束、唯一(unique)约束、主键(primarykey)约束、外键(foreignkey)约束、校验(check)约束等。它的主要特点是定义简单、安全可靠、维护方便。例如,在车间设备数据库中,车间设备基本信息表的主键约束为设备编号(EQ_ID),则其命名为<CJSB_PK_WORKSHOP_EQ_INFO>;该表的外键约束为维护编号(REPAIR_ID),则其命名为<CJSB_FK_WORKSHOP_EQ_INFO_REPAIR_ID>。考虑到焊接设备资源固定,需要设置触发器来维持相关表数据的一致性。

　　示意代码如下:

```
Createtable T_xt_WORKSHOP
( EQ_IDchar( 15)notnull,
REPAIR_IDchar( 15)notnull,
VERSION numbernotnull
constraint Pk-EQ_IDprimarykey( EQ_ID),
constraint Fk-REPAIR_IDforeignkey( REPAIR_ID) referencesWORKSHOP( REPAIR_ID))
--设置触发器维持焊接设备资源在相关表数据的一致性
FORUPDATE
AS
declare@ weldingequipment_oldchar( 5),
@ weldingequipment_newchar( 5)
IF( COLUMNS_UPDATED( )&2)>0
begin
select@ weldingequipment_old =deleted. weldingequipmentfromdeleted
select@ weldingequipment_new =inserted. weldingequipmentfrominserted
updatet _ xt _ ysbmsetweldingequipment = @ weldingequipmen _ newwhereweldingequipment = @ weldingequipment_old
updatet _ sf _ mxzsetweldingequipment = @ weldingequipment _ newwhereweldingequipment = @ weldingequipment_old
…
END
…
```

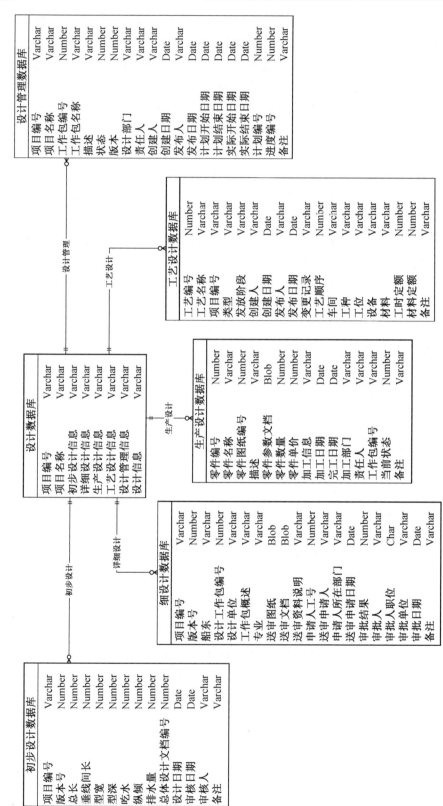

图2-14 船舶智能制造设计数据库实体关系图

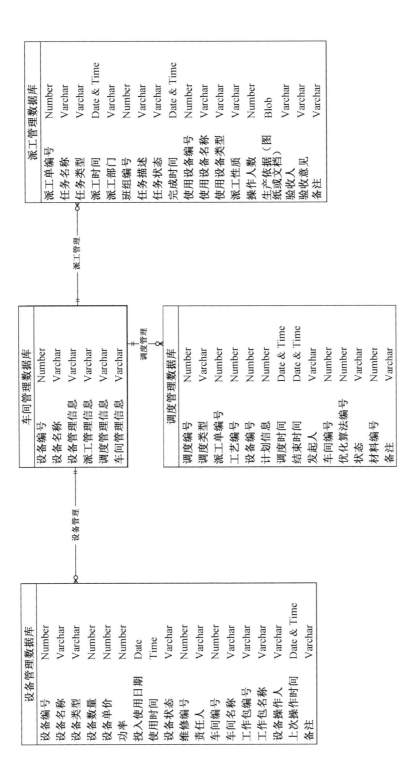

图2-15　船舶智能制造车间管理数据库实体关系图

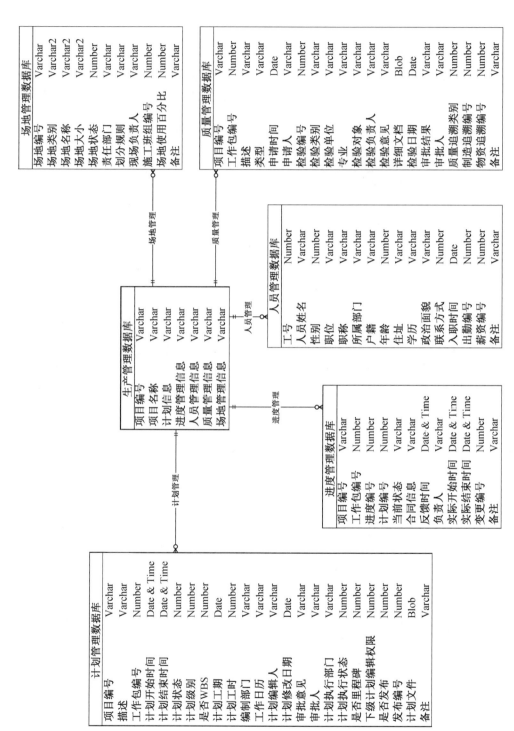

图 2—16　船舶智能制造生产管理数据库实体关系图

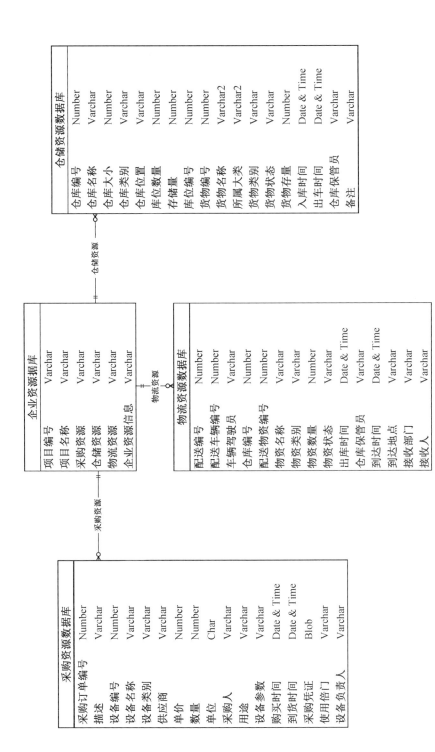

图2-17　船舶智能制造企业资源管理数据库实体关系图

在数据库中创建与表相对独立的规则、索引和触发器对象,也能实现数据完整性,而且能实施更复杂、更完善的数据完整性约束。它的主要特点是功能强、效率高、维护方便。规则类似于表定义中的校验约束,用来限定列的值域范围。但它不限定于特定表,可以绑定到其他表的列或用户自定义的数据类型中使用。例如,设备管理数据库的完整性规则主要进行字段类型、字段长度等设置,具体如表 2-48 所示。

表 2-48 设备管理数据库完整性规则表

序号	字段名	说明	字段类型	字段长度	取值范围
1	EQ_ID	设备编号	Number		$0 \sim 10^5$
2	EQ_NAME	设备名称	Varchar	10	
3	EQ_TYPE	设备类型	Varchar	10	
4	NUMBER	设备数量	Number		$0 \sim 10^5$
5	PRICE	设备单价	Number	12	$0 \sim 10^7$
6	POWER	功率	Number		
7	START_DATE	投入使用日期	Date		
8	SERVICE_TIME	使用时间	Time		
9	STATE	设备状态	Varchar	10	
10	REPAIR_ID	维修编号	Number		
11	RESPONSIBILITY	责任人	Varchar	10	
12	WORKSHOP_ID	车间编号	Number		
13	WORKSHOP_NAME	车间名称	Varchar	10	
14	WORKPACKAGE_ID	工作包编号	Varchar	15	
15	WORKPACKAGE_NAME	工作包名称	Varchar	20	
16	EQ_USER	设备操作人	Varchar	10	
17	LAST_USETIME	上次操作时间	Date & Time		

2.4.1 船舶智能制造设计数据库完整性设计

2.4.1.1 数据的完整性

数据的完整性设计主要围绕各数据库的字段设计展开,通过设置覆盖全业务的字段名称实现完整性。

(1)初步设计数据库

初步设计数据库主要存储船舶主尺度数据、初步设计图文档数据及审核流信息,具体字段如表 2-49 所示。

表 2-49 初步设计数据库完整性设计字段

序号	字段名	说明
1	PROJECT_ID	项目编号
2	VERSION	版本号
3	LOA	总长
4	LPP	垂线间长
5	BREADTH	型宽
6	DEPTH	型深
7	DRAUGHT	吃水
8	TRIM	纵倾
9	DISPLACEMENT	排水量
10	GEN_DES_DOCID	总体设计文档编号
…	…	…

（2）详细设计数据库

详细设计数据库主要存储船舶详细设计阶段的图文档数据和审批流信息，具体字段如表 2-50 所示。

表 2-50 详细设计数据库完整性设计字段

序号	字段名	说明
1	PROJECT_ID	项目编号
2	VERSION	版本号
3	SHIPOWNER	船东
4	DESIGN_PACKAGE_ID	设计工作包编号
5	DESIGN_ORGANIZATION	设计单位
6	OVERVIEW	工作包概述
7	SPECIALITY	专业
8	DRAWING_ID	送审图纸编号
9	DOC_ID	送审文档编号
10	INTRODUCTION	送审资料说明
11	PROPOSER_ID	申请人工号
12	PROPOSER	送审申请人
13	PROPOSER_DEPT	申请人所在部门
14	APPLICATION_DATE	送审申请日期
15	APPRO_RESULT	审批结果

表 2-50(续)

序号	字段名	说明
16	APPROVER	审批人
17	APPROVER_POSITION	审批人职位
18	APPRO_ORGANIZATION	审批单位
19	APPRO_DATE	审批日期
…	…	…

（3）生产设计数据库

生产设计数据库主要存储生产设计阶段的二维图纸、作业指导文件以及加工部门信息等数据，具体字段如表 2-51 所示。

表 2-51　生产设计数据库完整性设计字段

序号	字段名	说明
1	COMPONENT_ID	零件编号
2	COMPONENT_NAME	零件名称
3	PROD_DRA_ID	零件图纸编号
4	DESCRIPTION	描述
5	COMPONENT_PARAMETER	零件参数文档
6	COMPONENT_NUMBER	零件数量
7	COMPONENT_PRICE	零件单价
8	PROCESS_INFO	加工信息
9	START_DATE	加工日期
10	FINISH_DATE	完工日期
11	PROCESS_DEPT	加工部门
12	RESPONSIBILITY	责任人
13	WORKPACKAGE_ID	工作包编号
14	STATE	当前状态
15	REMARKS	备注
…	…	…

（4）工艺设计数据库

工艺设计数据库主要存储船舶建造过程工艺数据，用于指导从业人员如何开展生产作业，具体字段如表 2-52 所示。

表2-52　工艺设计数据库完整性设计字段

序号	字段名	说明
1	TECHNOLOGY_ID	工艺编号
2	TECHNOLOGY_NAME	工艺名称
3	PROJECT_ID	项目编号
4	TYPE	类型
5	PLMSTATUS	发放阶段
6	CREATOR	创建人
7	CREAT_DATE	创建日期
8	PUBLISHER	发布人
9	PUBLISH_DATE	发布日期
10	MODIFY_LOG	变更记录
11	PROCESS_FLOW	工艺顺序
12	WORKSHOP	车间
13	WORKTYPE	工种
14	WORKSTATION	工位
15	EQUIPMENT	设备
16	MATERIAL	材料
17	WORK_HOURS	工时定额
18	MATERIAL_QUOTA	材料定额
19	REMARKS	备注
…	…	…

（5）设计管理数据库

设计管理数据库主要存储设计图纸档案管理数据以及各项目审批流记录等,具体字段如表2-53所示。

表2-53　设计管理数据库完整性设计字段

序号	字段名	说明
1	PROJECT_ID	项目编号
2	PROJECT_NAME	项目名称
3	WORKPACKAGE_ID	工作包编号
4	WORKPACKAGE_NAME	工作包名称

表 2-53(续)

序号	字段名	说明
5	DESCRIPTION	描述
6	STATE	状态
7	VERSION	版本号
8	DEPARTMENT	设计部门
9	RESPONSIBILITY	责任人
10	CREATOR	创建人
11	CREAT_DATE	创建日期
12	PUBLISHER	发布人
13	PUBLISH_DATE	发布日期
14	PLAN_START_DATE	计划开始日期
15	PLAN_END_DATE	计划结束日期
16	START_DATE	实际开始日期
17	END_DATE	实际结束日期
18	PLAN_ID	计划编号
19	PROGESS_ID	进度编号
20	REMARKS	备注
…	…	…

2.4.1.2 完整性约束设计

（1）初步设计数据库

初步设计数据库需要设置项目编号与名称的外键约束、船舶主尺度的唯一约束以及初步设计信息的主键约束。

初步设计数据库中，船舶总体设计信息表的主键约束为项目编号（PROJECT_ID），则其命名为<CBSJ_PK_GEN_DES>，该表的外键约束为机舱布置方案（ENG_ARGT_PLAN），则其命名为<CBSJ_FK_GEN_DES_ENG_ARGT_PLAN>；同时，该表版本号（VERSION）应设置为非空约束，则其命名为<CBSJ_NN_GEN_DES_VERSION>。

示意代码如下：

```
Createtable T_xt_CBSJ
( PROJECT_ID char( 15) not null,
VERSION number not null
constraint Pk-PROJECT_ID primary key （PROJECT_ID），
constraint Fk-ENG_ARGT_PLAN foreign key （ENG_ARGT_PLAN） references CBSJ （ENG_
```

ARGT_PLAN))

  constraint Uni-VERSION unique（VERSION））

  --设置检验约束,确保数据完整

alter tabletable T _ xt _ CBSJ add constraint VERSION check（Uni）,constraint PROJECT _ ID check（NOT NULL）;

  go

  ...

  （2）详细设计数据库

  详细设计数据库中,设计送审信息表的主键约束为项目编号(PROJECT_ID),则其命名为<XXSJ_PK_DES_APPRO>,该表的外键约束为设计工作包编号(DESIGN_PACKAGE_ID),则其命名为<XXSJ_FK_DES_APPRO_DESIGN_PACKAGE _ID >;同时,该表版本号(VERSION)应设置为非空约束,则其命名为<XXSJ_NN_DES_APPRO_VERSION>。

  示意代码如下：

Create table T_xt_XXSJ

（PROJECT_ID char（15）not null,

VERSION Number not null

constraint Pk-PROJECT_ID primary key（PROJECT_ID）,

constraint Fk-DESIGN _ PACKAGE _ ID foreign key（DESIGN _ PACKAGE_ID）references XXSJ（DESIGN_PACKAGE_ID）），

constraint Uni-VERSION unique（VERSION））

  ...

  （3）生产设计数据库

  生产设计数据库中,零部件信息表的主键约束为零件编号(COMPONENT_ID),则其命名为<SCSJ_PK_COMPONENT_INFO>,该表的外键约束为工作包编号(WORKPACKAGE_ID),则其命名为<SCSJ_FK_COMPONENT_INFO_WORKPACKAGE _ID >;同时,该表当前状态(STATE)应设置为非空约束,则其命名为<SCSJ_NN_COMPONENT_INFO_STATE>。

  示意代码如下：

Create table T_xt_SCSJ

（PROJECT_ID char（15）not null,

VERSION Number not null

STATE Number not null

constraint Pk-PROJECT_ID primary key（PROJECT_ID）,

constraint Fk - WORKPACKAGE _ ID foreign key（WORKPACKAGE _ ID）references SCSJ（WORKPACKAGE _ID）），

  ...

  （4）工艺设计数据库

  工艺设计数据库中,制造工艺信息表的主键约束为工艺编号(TECHNOLOGY_ID),则其命名为<ZZGY_PK_TECH_INFO>,该表的外键约束为工种(WORKTYPE),则其命名为<ZZGY_FK_TECH_INFO_WORKTYPE>。考虑到工艺数据指导车间实际生产,对已输入数据需要进行检验约束的加持。

示意代码如下：

Create table T_xt_ZZGY

(TECHNOLOGY_ID char(15) not null,

VERSION Number not null

STATE Number not null

constraint Pk-TECHNOLOGY_ID primary key (TECHNOLOGY_ID),

constraint Fk-WORKTYPE foreign key (WORKTYPE) references ZZGY (WORKTYPE)),

--设置检验约束,确保数据完整

alter table T_xt_ZZGY add constraint TECHNOLOGY_ID check(NOT NULL), constraint WORKTYPE check(NOT NULL);

go

…

（5）设计管理数据库

设计管理数据库中,设计管理基本信息表的主键约束为项目编号（PROJECT_ID）,则其命名为<SJGL_PK_BASIC_INFO>,该表的外键约束为计划编号（PLAN_ID）和进度编号（PROGESS_ID）,则其命名为<SJGL_FK_BASIC_INFO_PLAN_ID>和<SJGL_FK_BASIC_INFO_PROGESS_ID>;同时,该表版本号（VERSION）应设置为非空约束,则其命名为<SJGL_NN_BASIC_INFO_VERSION>。

示意代码如下：

Create table T_xt_ SJGL

(PROJECT_ID char(15) not null,

VERSION Number not null

PLAN_ID Date not null

PROGESS_ID Date not null

constraint Pk-PROJECT_ID primary key (PROJECT_ID),

constraint Fk-PLAN_ID foreign key (PLAN_ID) references SJGL (PLAN_ID)),

constraint Fk-PROGESS_ID foreign key (PROGESS_ID) references SJGL (PROGESS_ID)),

constraint Uni-VERSION unique (VERSION))

…

2.4.1.3 完整性规则设计

（1）初步设计数据库

初步设计数据库的完整性规则主要是对字段类型、字段长度等进行设置,具体如表2-54所示。

表 2-54　初步设计数据库完整性规则表

序号	字段名	说明	字段类型	字段长度	取值范围
1	PROJECT_ID	项目编号	Varchar	15	
2	VERSION	版本号	Number		
3	LOA	总长	Number		$0\sim500$
4	LPP	垂线间长	Number		$0\sim500$
5	BREADTH	型宽	Number		$0\sim500$
6	DEPTH	型深	Number		$0\sim50$
7	DRAUGHT	吃水	Number		$0\sim50$
8	TRIM	纵倾	Number		$0\sim50$
9	DISPLACEMENT	排水量	Number		$0\sim10^{6}$
10	GEN_DES_DOCID	总体设计文档编号	Number		
11	DES_DATE	设计日期	Date		
12	APPROVAL_DATE	审核日期	Date		
13	APPROVER	审核人	Varchar	10	
14	REMARKS	备注	Varchar	200	

（2）详细设计数据库

详细设计数据库的完整性规则主要是对字段类型、字段长度等进行设置，具体如表 2-55 所示。

表 2-55　详细设计数据库完整性规则表

序号	字段名	说明	字段类型	字段长度	取值范围
1	PROJECT_ID	项目编号	Varchar	15	
2	VERSION	版本号	Number		
3	SHIPOWNER	船东	Varchar	20	
4	DESIGN_PACKAGE_ID	设计工作包编号	Number		
5	DESIGN_ORGANIZATION	设计单位	Varchar	10	
6	OVERVIEW	工作包概述	Varchar	50	
7	SPECIALITY	专业	Varchar	10	
8	DRAWING_ID	送审图纸编号	Blob		
9	DOC_ID	送审文档编号	Blob		
10	INTRODUCTION	送审资料说明	Varchar	200	
11	PROPOSER_ID	申请人工号	Number		
12	PROPOSER	送审申请人	Varchar	10	

表 2-55（续）

序号	字段名	说明	字段类型	字段长度	取值范围
13	PROPOSER_DEPT	申请人所在部门	Varchar	10	
14	APPLICATION_DATE	送审申请日期	Date		
15	APPRO_RESULT	审批结果	Number		
16	APPROVER	审批人	Varchar	10	
17	APPROVER_POSITION	审批人职位	Char	10	
18	APPRO_ORGANIZATION	审批单位	Varchar	10	
19	APPRO_DATE	审批日期	Date		
20	REMARKS	备注	Varchar	500	

（3）生产设计数据库

生产设计数据库的完整性规则主要是对字段类型、字段长度等进行设置，具体如表2-56 所示。

表 2-56　生产设计数据库完整性规则表

序号	字段名	说明	字段类型	字段长度	取值范围
1	COMPONENT_ID	零件编号	Number		
2	COMPONENT_NAME	零件名称	Varchar	10	
3	PROD_DRA_ID	零件图纸编号	Number		
4	DESCRIPTION	描述	Varchar	200	
5	COMPONENT_PARAMETER	零件参数文档	Blob		0,1
6	COMPONENT_NUMBER	零件数量	Number		
7	COMPONENT_PRICE	零件单价	Number		
8	PROCESS_INFO	加工信息	Varchar	200	
9	START_DATE	加工日期	Date		
10	FINISH_DATE	完工日期	Date		
11	PROCESS_DEPT	加工部门	Varchar	20	
12	RESPONSIBILITY	责任人	Varchar	10	
13	WORKPACKAGE_ID	工作包编号	Varchar	20	
14	STATE	当前状态	Number		
15	REMARKS	备注	Varchar	500	

（4）工艺设计数据库

工艺设计数据库的完整性规则主要是对字段类型、字段长度等进行设置，具体如表2-57 所示。

表 2-57 工艺设计数据库完整性规则表

序号	字段名	说明	字段类型	字段长度	取值范围
1	TECHNOLOGY_ID	工艺编号	Number		$1 \sim 10^4$
2	TECHNOLOGY_NAME	工艺名称	Varchar	10	
3	PROJECT_ID	项目编号	Varchar	15	
4	TYPE	类型	Varchar	10	
5	PLMSTATUS	发放阶段	Varchar	10	
6	CREATOR	创建人	Varchar	10	
7	CREAT_DATE	创建日期	Date		
8	PUBLISHER	发布人	Varchar	10	
9	PUBLISH_DATE	发布日期	Date		
10	MODIFY_LOG	变更记录	Varchar	100	
11	PROCESS_FLOW	工艺顺序	Number		$0 \sim 10^2$
12	WORKSHOP	车间	Varchar	20	
13	WORKTYPE	工种	Varchar	10	
14	WORKSTATION	工位	Varchar	10	
15	EQUIPMENT	设备	Varchar	10	
16	MATERIAL	材料	Varchar	10	
17	WORK_HOURS	工时定额	Number		$0 \sim 10^4$
18	MATERIAL_QUOTA	材料定额	Number		$0 \sim 10^5$
19	REMARKS	备注	Varchar	200	

（5）设计管理数据库

设计管理数据库的完整性规则主要是对字段类型、字段长度等进行设置,具体如表 2-58 所示。

表 2-58 设计管理数据库完整性规则表

序号	字段名	说明	字段类型	字段长度	取值范围
1	PROJECT_ID	项目编号	Varchar	15	
2	PROJECT_NAME	项目名称	Varchar	20	
3	WORKPACKAGE_ID	工作包编号	Number		$0 \sim 10^6$
4	WORKPACKAGE_NAME	工作包名称	Varchar	20	
5	DESCRIPTION	描述	Varchar	100	
6	STATE	状态	Number		
7	VERSION	版本	Number		

表 2-58(续)

序号	字段名	说明	字段类型	字段长度	取值范围
8	DEPARTMENT	设计部门	Varchar	10	
9	RESPONSIBILITY	责任人	Varchar	10	
10	CREATOR	创建人	Varchar	10	
11	CREAT_DATE	创建日期	Date		
12	PUBLISHER	发布人	Varchar	10	
13	PUBLISH_DATE	发布日期	Date		
14	PLAN_START_DATE	计划开始日期	Date		
15	PLAN_END_DATE	计划结束日期	Date		
16	START_DATE	实际开始日期	Date		
17	END_DATE	实际结束日期	Date		
18	PLAN_ID	计划编号	Number		
19	PROGESS_ID	进度编号	Number		
20	REMARKS	备注	Varchar	200	

2.4.2 船舶智能制造车间管理数据库完整性设计

2.4.2.1 数据的完整性

数据的完整性设计主要围绕各数据库的字段设计展开,通过设置覆盖全业务的字段名称实现完整性。

(1)设备管理数据库

设备管理数据库主要存储设备编号、设备名称、设备相关数据,以及操作人与维修信息等,具体字段如表 2-59 所示。

表 2-59　设备管理数据库完整性设计字段

序号	字段名	说明
1	EQ_ID	设备编号
2	EQ_NAME	设备名称
3	EQ_TYOE	设备类型
4	NUMBER	设备数量
5	PRICE	设备单价
6	POWER	功率
7	SERVICE_TIME	使用时间

表 2-59(续)

序号	字段名	说明
8	STATE	设备状态
9	REPAIR_ID	维修编号
10	RESPONSIBILITY	责任人
11	WORKSHOP_ID	车间编号
12	WORKPACKAGE_ID	工作包编号
13	WORKPACKAGE_NAME	工作包名称
14	EQ_USER	设备操作人
15	LAST_USETIME	上次操作时间
16	REMARKS	备注
…	…	…

(2)派工管理数据库

派工管理数据库主要面向车间派工系统,负责存储派工单信息、班组信息、使用设备情况等,具体字段如表 2-60 所示。

表 2-60 派工管理数据库完整性设计字段

序号	字段名	说明
1	DISPATCH_LIST_ID	派工单编号
2	TASK_NAME	任务名称
3	TAKS_TYPE	任务类型
4	DISPATCH_TIME	派工时间
5	DISPATCH_DEPT	派工部门
6	TEAM_ID	班组编号
7	TASK_DESCRIPTION	任务描述
8	TASK_STATE	任务状态
9	FINISH_TIME	完成时间
10	EQ_ID	使用设备编号
11	EQ_NAME	使用设备名称
12	EQ_TYPE	使用设备类型
13	DISPATCH_TYPE	派工性质
14	NUMBER_OF_PEOPLE	操作人数
15	BASIS	生产依据
16	ACCEPTOR	验收人
17	COMMENT	验收意见
18	REMARKS	备注
…	…	…

（3）调度管理数据库

调度管理数据库主要负责存储调度编号、调度类型、相关派工单编号、班组信息、优化方案等，具体字段如表2-61所示。

表2-61　调度管理数据库完整性设计字段

序号	字段名	说明
1	SCHEDULING_ID	调度编号
2	SCHEDULING_TYPE	调度类型
3	DISPATCH_LIST_ID	派工单编号
4	TECHNOLOGY_ID	工艺编号
5	EQ_ID	设备编号
6	PLAN_ID	计划编号
7	START_TIME	调度时间
8	END_TIME	结束时间
9	CREATOR	发起人
10	WORKSHOP_ID	车间编号
11	ALGORITHM_ID	优化算法编号
12	STATE	状态
13	REMARKS	备注
…	…	…

2.4.2.2　完整性约束设计

（1）设备管理数据库

车间设备数据库中，车间设备基本信息表的主键约束为设备编号（EQ_ID），则其命名为<CJSB_PK_WORKSHOP_EQ_INFO>，该表的外键约束为维修编号（REPAIR_ID），则其命名为<CJSB_FK_WORKSHOP_EQ_INFO_REPAIR_ID>。考虑到例如焊接设备资源固定，需要设置触发器来维持相关表数据的一致性。

示意代码如下：

```
Create table T_xt_ WORKSHOP
（EQ_ID char（15）not null,
REPAIR_ID char（15）not null,
VERSION number not null
constraint Pk-EQ_ID primary key（EQ_ID），
constraint Fk-REPAIR_ID foreign key（REPAIR_ID）references WORKSHOP（REPAIR_ID））
　--设置触发器维持焊接设备资源在相关表数据的一致性
FOR UPDATE
```

AS

    declare @ weldingequipment_old char（5），

        @ weldingequipment_new char（5）

     IF（COLUMNS_UPDATED（）&2)>0

     begin

   select @ weldingequipment_old=deleted . weldingequipment from deleted

      select @ weldingequipment_new=inserted. weldingequipment from inserted

   update t _xt_ysbm set weldingequipment=@ weldingequipment_new where weldingequipment=@ weldingequipment_old

      update t_sf_mx z set weldingequipment=@ weldingequipment_new where weldingequipment=@ weldingequipment_old

  …

END

…

（2）派工管理数据库

车间派工数据库中，车间派工信息表的主键约束为派工单编号（DISPATCH_LIST_ID），则其命名为<CJPG_PK_DISPATCH_INFO>，该表的外键约束为班组编号（TEAM_ID），则其命名为<CJPG_FK_DISPATCH_INFO_TEAM_ID>；同时，该表验收人（ACCEPTOR）应设置为非空约束，则其命名为<CJPG_NN_DISPATCH_INFO_ACCEPTOR>。

示意代码如下：

Create table T_xt_ DISPATCH

（DISPATCH_LIST_ID char（15）not null，

TEAM_ID char（15）not null，

ACCEPTOR char（10）not null，

VERSION number not null

constraint Pk−DISPATCH_LIST_ID primary key（DISPATCH_LIST_ID），

constraint Fk−TEAM_ID foreign key（TEAM_ID）references DISPATCH（TEAM_ID））

…

（3）调度管理数据库

车间调度数据库中，调度基本信息表的主键约束为调度编号（SCHEDULING_ID），则其命名为<CJDD_PK_SCHEDULING_INFO>，该表具有多个外键约束，其中派工单编号（DISPATCH_LIST_ID）、工艺编号（TECHNOLOGY_ID）、设备编号（EQ_ID）、优化算法编号（ALGORITHM_ID）均为外键，则其约束命名分别为：<CJDD_FK_SCHEDULING_INFO_DISPATCH_LIST_ID>、<CJDD_FK_SCHEDULING_INFO_TECHNOLOGY_ID>、<CJDD_FK_SCHEDULING_INFO_EQ_ID>、<CJDD_FK_SCHEDULING_INFO_ALGORITHM_ID>。

示意代码如下：

Create table T_xt_ SCHEDULING

（SCHEDULING_ID char（15）not null，

DISPATCH_LIST_ID char（15）not null，

TECHNOLOGY_ID char（15）not null，

EQ_ID char(15) not null,

ALGORITHM_ID char(15) not null,

VERSION number not null

constraint Pk−SCHEDULING_ID primary key(SCHEDULING_ID),

constraint Fk − DISPATCH _ LIST _ ID foreign key（DISPATCH _ LIST _ ID）references SCHEDULING（DISPATCH_LIST_ID））

constraint Fk − TECHNOLOGY _ ID foreign key（TECHNOLOGY _ ID）references SCHEDULING（TECHNOLOGY_ID））

constraint Fk−EQ_ID foreign key（EQ_ID）references SCHEDULING（EQ_ID））

constraintFk − ALGORITHM _ ID foreign key（ALGORITHM _ ID）references SCHEDULING（ALGORITHM_ID））

…

2.4.2.3 完整性规则设计

（1）设备管理数据库

设备管理数据库的完整性规则主要是对字段类型、字段长度等进行设置,具体如表2-62所示。

表 2-62 设备管理数据库完整性规则表

序号	字段名	说明	字段类型	字段长度	取值范围
1	EQ_ID	设备编号	Number		$0\sim10^5$
2	EQ_NAME	设备名称	Varchar	10	
3	EQ_TYPE	设备类型	Varchar	10	
4	NUMBER	设备数量	Number		$0\sim10^5$
5	PRICE	设备单价	Number		$0\sim10^7$
6	POWER	功率	Number		
7	START_DATE	投入使用日期	Date		
8	SERVICE_TIME	使用时间	Time		
9	STATE	设备状态	Varchar	10	
10	REPAIR_ID	维修编号	Number		
11	RESPONSIBILITY	责任人	Varchar	10	
12	WORKSHOP_ID	车间编号	Number		
13	WORKSHOP_NAME	车间名称	Varchar	10	
14	WORKPACKAGE_ID	工作包编号	Varchar	15	
15	WORKPACKAGE_NAME	工作包名称	Varchar	20	
16	EQ_USER	设备操作人	Varchar	10	
17	LAST_USETIME	上次操作时间	Date & Time		
18	REMARKS	备注	Varchar	200	

（2）派工管理数据库

派工管理数据库的完整性规则主要是对字段类型、字段长度等进行设置,具体如表2-63所示。

表2-63　派工管理数据库完整性规则表

序号	字段名	说明	字段类型	字段长度	取值范围
1	DISPATCH_LIST_ID	派工单编号	Number		
2	TASK_NAME	任务名称	Varchar	10	
3	TAKS_TYPE	任务类型	Varchar	10	
4	DISPATCH_TIME	派工时间	Date & Time		
5	DISPATCH_DEPT	派工部门	Varchar	20	
6	TEAM_ID	班组编号	Number		
7	TASK_DESCRIPTION	任务描述	Varchar	100	
8	TASK_STATE	任务状态	Varchar	10	
9	FINISH_TIME	完成时间	Date & Time		
10	EQ_ID	使用设备编号	Number		$0\sim10^5$
11	EQ_NAME	使用设备名称	Varchar	10	
12	EQ_TYPE	使用设备类型	Varchar	10	
13	DISPATCH_TYPE	派工性质	Varchar	10	
14	NUMBER_OF_PEOPLE	操作人数	Number		
15	BASIS	生产依据(图纸或文档)	Blob		0,1
16	ACCEPTOR	验收人	Varchar	10	
17	COMMENT	验收意见	Varchar	100	
18	REMARKS	备注	Varchar	200	

（3）调度管理数据库

调度管理数据库的完整性规则主要是对字段类型、字段长度等进行设置,具体如表2-64所示。

表2-64　调度管理数据库完整性规则表

序号	字段名	说明	字段类型	字段长度	取值范围
1	SCHEDULING_ID	调度编号	Number		
2	SCHEDULING_TYPE	调度类型	Varchar	10	
3	DISPATCH_LIST_ID	派工单编号	Number		
4	TECHNOLOGY_ID	工艺编号	Number		$1\sim10^4$
5	EQ_ID	设备编号	Number		$0\sim10^5$
6	PLAN_ID	计划信息	Number		

表 2-64（续）

序号	字段名	说明	字段类型	字段长度	取值范围
7	START_TIME	调度时间	Date & Time		
8	END_TIME	结束时间	Date & Time		
9	CREATOR	发起人	Varchar	10	
10	WORKSHOP_ID	车间编号	Number		$1 \sim 10^3$
11	ALGORITHM_ID	优化算法编号	Number		$1 \sim 10^2$
12	STATE	状态	Varchar	200	
13	MATERIAL_ID	材料编号	Number		$1 \sim 10^4$
14	REMARKS	备注	Varchar	200	

2.4.3 船舶智能制造生产管理数据库完整性设计

2.4.3.1 数据的完整性

数据的完整性设计主要围绕各数据库的字段设计展开,通过设置覆盖全业务的字段名称实现完整性。

（1）计划管理数据库

计划管理数据库主要存储项目编号、描述、WBS 工作包数据,以及计划执行情况与人员信息等,具体字段如表 2-65 所示。

表 2-65 计划管理数据库完整性设计字段

序号	字段名	说明
1	PROJECT_ID	项目编号
2	DESCRIPTION	描述
3	WORKPACKAGE_ID	工作包编号
4	PLAN_START_TIME	计划开始时间
5	PLAN_END_TIME	计划结束时间
6	PLAN_STATE	计划状态
7	PLAN_LEVEL	计划级别
8	WBS	是否 WBS
9	PLAN_DURATION	计划工期
10	PLAN_HOURS	计划工时
11	PLAN_EDIT_DEPT	编制部门
12	WORK_CALENDER	工作日历

表 2-65（续）

序号	字段名	说明
13	EDITOR	计划编辑人
14	CHANGE_DATE	计划修改日期
15	APPRO_COMMENT	审批意见
16	APPROVER	审批人
17	EXECUTE_DEPT	计划执行部门
18	EXECUTE_STATE	计划执行状态
19	MILESTONE	是否里程碑
20	AUTHORITY_NEXT_LEVEL	下级计划编辑权限
21	PUBLISH	是否发布
22	PUBLISH_ID	发布编号
23	PLAN_FILE	计划文件
24	REMARKS	备注
…	…	…

（2）进度管理数据库

进度管理数据库主要存储项目编号、工作包编号、描述、实际工程进度信息，以及变更信息等，具体字段如表 2-66 所示。

表 2-66　进度管理数据库完整性设计字段

序号	字段名	说明
1	PROJECT_ID	项目编号
2	WORKPACKAGE_ID	工作包编号
3	PROGESS_ID	进度编号
4	PLAN_ID	计划编号
5	STATE	当前状态
6	CONTRACT_INFO	合同信息
7	FEEDBACK_TIME	反馈时间
8	RESPONSIBILITY	负责人
9	START_TIME	实际开始时间
10	END_TIME	实际结束时间
11	CHANGE_ID	变更编号
12	REMARKS	备注
…	…	…

（3）人员管理数据库

进度管理数据库主要存储船厂施工人员个人信息数据，为派工、计划、调度等数据库提供数据支撑，具体字段如表2-67所示。

表2-67　人员管理数据库完整性设计字段

序号	字段名	说明
1	JOB_NUMBER	工号
2	NAME	人员姓名
3	GENDER	性别
4	POSITION	职位
5	TITLE	职称
6	DEPT	所属部门
7	REGISTER	户籍
8	AGE	年龄
9	ADDRESS	住址
10	EDUCATION	学历
11	POLITICS	政治面貌
12	CONTACT	联系方式
13	HIREDATE	入职时间
14	ATTENDANCE_ID	出勤编号
15	SALARY_ID	薪资编号
16	REMARKS	备注
…	…	…

（4）质量管理数据库

质量管理数据库主要存储项目编号、工作包编号、描述、质量检验信息，以及物资与制造追溯信息等，具体字段如表2-68所示。

表2-68　质量管理数据库完整性设计字段

序号	字段名	说明
1	PROJECT_ID	项目编号
2	WORKPACKAGE_ID	工作包编号
3	DESCRIPTION	描述
4	TYPE	类型
5	APPLICATION_TIME	申请时间
6	APPLICAT	申请人

表 2-68（续）

序号	字段名	说明
7	TEST_ID	检验编号
8	TEST_TYPE	检验类别
9	TEST_DEPT	检验单位
10	SPECIALITY	专业
11	TEST_OBJ	检验对象
12	TEST_RESPONSIBILITY	检验负责人
13	COMMENT	检验意见
14	TEST_DOC	详细文档
15	TEST_DATE	检验日期
16	APPRO_RESULT	审批结果
17	APPROVER	审批人
18	QT_TYPE	质量追溯类别
19	MANUFAC_QT_ID	制造追溯编号
20	MATERIAL_QT_ID	物资追溯编号
…	…	…

（5）场地管理数据库

场地管理数据库主要存储场地编号、类别、名称、大小、状态等数据信息，具体字段如表 2-69 所示。

表 2-69　场地管理数据库完整性设计字段

序号	字段名	说明
1	PLACE_ID	场地编号
2	TYPE	场地类别
3	NAME	场地名称
4	AREA	场地大小
5	STATE	场地状态
6	DEPT	责任部门
7	RULE	划分规则
8	RES_SITE	现场负责人
9	TEAM_ID	施工班组编号
10	PERCENT	场地使用百分比
…	…	…

2.4.3.2　完整性约束设计

（1）计划管理数据库

计划数据库中,施工计划信息表的主键约束为项目编号(PROJECT_ID),则其命名为<JH_PK_OPERATION_PLAN>,该表的外键约束为发布编号(PUBLISH_ID),则其命名为<JH_FK_OPERATION_PLAN_PUBLISH_ID>。

示意代码如下:

```
Create table T_xt_ OPERATION_PLAN
(PROJECT_ID char(15) not null,
PUBLISH_ID char(15) not null,
VERSION number not null
constraint Pk-PROJECT_ID primary key (PROJECT_ID),
constraint Fk-PUBLISH_ID foreign key (PUBLISH_ID) references OPERATION_PLAN (PUBLISH_ID))
...
```

（2）进度管理数据库

进度数据库中,进度基本信息表的主键约束为项目编号(PROJECT_ID),则其命名为<JD_PK_PROGESS_INFO>,该表的外键约束为变更编号(CHANGE_ID),则其命名为<JD_FK_PROGESS_INFO_CHANGE_ID>。

示意代码如下:

```
Create table T_xt_ PROGESS
(PROJECT_ID char(15) not null,
CHANGE_ID char(15) not null,
VERSION number not null
constraint Pk-PROJECT_ID primary key (PROJECT_ID),
constraint Fk-CHANGE_ID foreign key (CHANGE_ID) references PROGESS (CHANGE_ID))
...
```

（3）人员管理数据库

人员数据库中,人员基本信息表的主键约束为工号(JOB_NUMBER),则其命名为<RY_PK_PERSON_INFO>,该表的外键约束为出勤编号(ATTENDANCE_ID)及薪资编号(SALARY_ID),则其命名为<RY_FK_PERSON_INFO_ATTENDANCE_ID>及<RY_FK_PERSON_INFO_SALARY_ID>,同时,该表姓名字段(NAME)应设置为非空约束,则该约束命名为<RY_NN_PERSON_INFO_NAME>。

示意代码如下:

```
Create table T_xt_ PERSON
(JOB_NUMBER char(15) not null,
ATTENDANCE_ID char(15) not null,
SALARY_ID char(15) not null,
NAME char(15) not null,
```

VERSION number not null

constraint Pk-(JOB_NUMBER primary key (JOB_NUMBER),

constraint Fk - ATTENDANCE _ ID foreign key (ATTENDANCE _ ID) references PERSON (ATTENDANCE_ID))

constraint Fk-SALARY_ID foreign key (SALARY_ID) references PERSON (SALARY_ID))

constraint Uni-NAME unique (NAME))

constraint Uni-VERSION unique (VERSION))

…

（4）质量管理数据库

质量数据库中,质量管理信息表的主键约束为项目编号(PROJECT_ID),则其命名为<ZL_PK_QC>,该表的外键约束为制造追溯编号(MANUFAC_QT_ID)和物资追溯编号(MATERIAL_QT_ID),则其命名为<ZL_FK_QC_ENG_MANUFAC_QT_ID >和<ZL_FK_QC_MATERIAL_QT_ID>。

示意代码如下:

Create table T_xt_ PERSON

(JOB_NUMBER char(15) not null,

ATTENDANCE_ID char(15) not null,

SALARY_ID char(15) not null,

NAME char(15) not null,

VERSION number not null

constraint Pk-JOB_NUMBER primary key (JOB_NUMBER),

constraint Fk - ATTENDANCE _ ID foreign key (ATTENDANCE _ ID) references PERSON (ATTENDANCE_ID))

constraint Fk-SALARY_ID foreign key (SALARY_ID) references PERSON (SALARY_ID))

constraint Uni-NAME unique (NAME))

constraint Uni-VERSION unique (VERSION))

…

（5）场地管理数据库

场地信息数据库中,场地信息表的主键约束为场地编号(PLACE_ID),则其命名为<CDXX_PK_PLACE_INFO>。

示意代码如下:

Create table T_xt_ PLACE

(PLACE_ID char(15) not null,

TYPE char(15) not null,

NAME char(15) not null,

AREA char(15) not null,

STATE number not null,

DEPT char(10) not null,

RULE char(10) not null,

RES_SITE char(10) not null,

TEAM_ID number not null,

PERCENT number not null,

constraint Pk-PLACE_ID primary key（PLACE_ID），

constraint Uni-NAME unique（NAME））

constraint Uni-STATE unique（STATE））

…

2.4.3.3 完整性规则设计

（1）计划管理数据库

计划管理数据库的完整性规则主要是对字段类型、字段长度等进行设置,具体如表 2-70 所示。

表 2-70 计划管理数据库完整性规则表

序号	字段名	说明	字段类型	字段大小	取值范围
1	PROJECT_ID	项目编号	Varchar	15	
2	DESCRIPTION	描述	Varchar	100	
3	WORKPACKAGE_ID	工作包编号	Number		$1\sim10^6$
4	PLAN_START_TIME	计划开始时间	Date & Time		
5	PLAN_END_TIME	计划结束时间	Date & Time		
6	PLAN_STATE	计划状态	Number		
7	PLAN_LEVEL	计划级别	Number		$1\sim5$
8	WBS	是否 WBS	Number		0,1
9	PLAN_DURATION	计划工期	Date		
10	PLAN_HOURS	计划工时	Number		
11	PLAN_EDIT_DEPT	编制部门	Varchar	10	
12	WORK_CALENDER	工作日历	Varchar	20	
13	EDITOR	计划编辑人	Varchar	10	
14	CHANGE_DATE	计划修改日期	Date		
15	APPRO_COMMENT	审批意见	Varchar	100	
16	APPROVER	审批人	Varchar	10	
17	EXECUTE_DEPT	计划执行部门	Varchar	10	
18	EXECUTE_STATE	计划执行状态	Number		0,1,2
19	MILESTONE	是否里程碑	Number		0,1
20	AUTHORITY_NEXT_LEVEL	下级计划编辑权限	Number		$0\sim10$
21	PUBLISH	是否发布	Number		0,1
22	PUBLISH_ID	发布编号	Number		
23	PLAN_FILE	计划文件	Blob		
24	REMARKS	备注	Varchar	200	

（2）进度管理数据库

进度管理数据库的完整性规则主要是对字段类型、字段长度等进行设置，具体如表 2-71 所示。

表 2-71　进度管理数据库完整性规则表

序号	字段名	说明	字段类型	字段长度	取值范围
1	PROJECT_ID	项目编号	Varchar	15	
2	WORKPACKAGE_ID	工作包编号	Number		$1 \sim 10^6$
3	PROGESS_ID	进度编号	Number		$1 \sim 10^6$
4	PLAN_ID	计划编号	Number		$1 \sim 10^6$
5	STATE	当前状态	Varchar	5	
6	CONTRACT_INFO	合同信息	Varchar	20	
7	FEEDBACK_TIME	反馈时间	Date & Time		
8	RESPONSIBILITY	负责人	Varchar	10	
9	START_TIME	实际开始时间	Date & Time		
10	END_TIME	实际结束时间	Date & Time		
11	CHANGE_ID	变更编号	Number		
12	REMARKS	备注	Varchar	200	

（3）人员管理数据库

人员管理数据库的完整性规则主要是对字段类型、字段长度等进行设置，具体如表 2-72 所示。

表 2-72　人员管理数据库完整性规则表

序号	字段名	说明	字段类型	字段长度	取值范围
1	JOB_NUMBER	工号	Number		
2	NAME	人员姓名	Varchar	10	
3	GENDER	性别	Number		0,1
4	POSITION	职位	Varchar	10	
5	TITLE	职称	Varchar	10	
6	DEPT	所属部门	Varchar	10	
7	REGISTER	户籍	Varchar	10	
8	AGE	年龄	Number		$0 \sim 65$
9	ADDRESS	住址	Varchar	50	
10	EDUCATION	学历	Varchar	10	
11	POLITICS	政治面貌	Varchar	10	

表 2-72(续)

序号	字段名	说明	字段类型	字段长度	取值范围
12	CONTACT	联系方式	Number		10000000000 ~ 19999999999
13	HIREDATE	入职时间	Date		
14	ATTENDANCE_ID	出勤编号	Number		
15	SALARY_ID	薪资编号	Number		
16	REMARKS	备注	Varchar	200	

（4）质量管理数据库

质量管理数据库的完整性规则主要是对字段类型、字段长度等进行设置,具体如表 2-73 所示。

表 2-73　质量管理数据库完整性规则表

序号	字段名	说明	字段类型	字段长度	取值范围
1	PROJECT_ID	项目编号	Varchar	15	
2	WORKPACKAGE_ID	工作包编号	Number		$0 \sim 10^6$
3	DESCRIPTION	描述	Varchar	100	
4	TYPE	类型	Varchar	10	
5	APPLICATION_TIME	申请时间	Date		
6	APPLICAT	申请人	Varchar	10	
7	TEST_ID	检验编号	Number		
8	TEST_TYPE	检验类别	Varchar	10	
9	TEST_DEPT	检验单位	Varchar	20	
10	SPECIALITY	专业	Varchar	10	
11	TEST_OBJ	检验对象	Varchar	10	
12	TEST_RESPONSIBILITY	检验负责人	Varchar	10	
13	COMMENT	检验意见	Varchar	200	
14	TEST_DOC	详细文档	Blob		
15	TEST_DATE	检验日期	Date		
16	APPRO_RESULT	审批结果	Varchar	10	
17	APPROVER	审批人	Varchar	10	
18	QT_TYPE	质量追溯类别	Number		$0 \sim 10$
19	MANUFAC_QT_ID	制造追溯编号	Number		
20	MATERIAL_QT_ID	物资追溯编号	Number		
21	REMARKS	备注	Varchar	200	

（5）场地管理数据库

场地管理数据库的完整性规则主要是对字段类型、字段长度等进行设置,具体如表2-74所示。

表2-74　场地管理数据库完整性规则表

序号	字段名	说明	字段类型	字段长度	取值范围
1	PLACE_ID	场地编号	Varchar	15	
2	TYPE	场地类别	Varchar2	20	
3	NAME	场地名称	Varchar2	20	
4	AREA	场地大小	Varchar2	20	
5	STATE	场地状态	Number		0,1
6	DEPT	责任部门	Varchar	10	
7	RULE	划分规则	Varchar	10	
8	RES_SITE	现场负责人	Varchar	10	
9	TEAM_ID	施工班组编号	Number		
10	PERCENT	场地使用百分比	Number		0~1
11	REMARKS	备注	Varchar	200	

2.4.4　船舶智能制造企业资源数据库完整性设计

2.4.4.1　数据的完整性

数据的完整性设计主要围绕各数据库的字段设计展开,通过设置覆盖全业务的字段名称实现完整性。

（1）采购资源数据库

采购资源数据库主要存储采购订单编号、描述、设备编号及名称、设备类别,用途与购买时间等数据信息,具体字段如表2-75所示。

表2-75　采购资源数据库完整性设计字段

序号	字段名	说明
1	PO_ID	采购订单编号
2	DESCRIPTION	描述
3	EQ_ID	设备编号
4	EQ_NAME	设备名称
5	EQ_TYPE	设备类别
6	SUPPLIER	供应商
7	PRICE	单价
8	NUMBER	数量

121

表 2-75（续）

序号	字段名	说明
9	UNIT	单位
10	PURCHASER	采购人
11	PURPOSE	用途
12	PARAMETERS	设备参数
13	PURCHASE_TIME	购买时间
14	ARRIVAL_TIME	到货时间
15	VOUCHER	采购凭证
16	DEPT	使用部门
17	RESPONSIBILITY	设备负责人
…	…	…

（2）仓储资源数据库

仓储资源数据库主要存储仓库编号、仓库名称、存放的货物编号及名称、货物类别、用途与出入库时间等数据信息，具体字段如表 2-76 所示。

表 2-76 仓储资源数据库完整性设计字段

序号	字段名	说明
1	WAREHOUSE_ID	仓库编号
2	WAREHOUSE_NAME	仓库名称
3	WAREHOUSE_SIZE	仓库大小
4	WAREHOUSE_TYPE	仓库类别
5	WAREHOUSE_LOCATION	仓库位置
6	STORAGE_LOC_NUMBER	库位数量
7	STORAGE_PERCENT	存储量
8	LOC_ID	库位编号
9	CARGO_ID	货物编号
10	CARGO_NAME	货物名称
11	CATEGORY	所属大类
12	CARGO_TYPE	货物类别
13	CARGO_STATE	货物状态
14	CARGO_STOCK	货物存量
15	ENTRY_TIME	入库时间
16	DELIVERY_TIME	出库时间
17	KEEPER	仓库保管员
18	REMARKS	备注
…	…	…

（3）物流资源数据库

物流资源数据库主要存储配送编号、配送车辆信息、物资存放仓库信息、配送物资信息，以及出入库与配送时间等数据信息，具体字段如表2-77所示。

表2-77　物流资源数据库完整性设计字段

序号	字段名	说明
1	DISTRIBUTION_ID	配送编号
2	VEHICLE_ID	配送车辆编号
3	DRIVER	车辆驾驶员
4	WAREHOUSE_ID	仓库编号
5	CARGO_ID	配送物资编号
6	CARGO_NAME	物资名称
7	CARGO_TYPE	物资类别
8	CARGO_NUMBER	物资数量
9	CARGO_STATE	物资状态
10	DELIVERY_TIME	出库时间
11	KEEPER	仓库保管员
12	ARRIVAL_TIME	到达时间
13	ARRIVAL_LOC	到达地点
14	ARRIVAL_DEPT	接收部门
15	RECIPIENT	接收人
…	…	…

2.4.4.2　完整性约束设计

（1）采购资源数据库

采购数据库中，设备采购信息表的主键约束为采购设备编号（EQ_ID），则其命名为<CG_PK_EQ_PUR>；该表的外键约束为采购编号（PURCHASE_ID），则其命名为<CG_FK_EQ_PUR_PURCHASE_ID>。

示意代码如下：

```
Create table T_xt_ EQ_PUR
（EQ_ID char（15）not null,
PURCHASE_ID char（15）not null,
constraint Pk-EQ_ID primary key（EQ_ID），
constraint Fk-PURCHASE_ID foreign key（PURCHASE_ID）references EQ_PUR（PURCHASE_
ID））
```

…

（2）仓储资源数据库

仓储数据库中，仓库基本信息表的主键约束为仓库编号（WAREHOUSE_ID），则其命名为<CC_PK_WAREHOUSE>；该表的外键约束为库位编号（STORAGE_LOC_ID），则其命名为<CC_FK_WAREHOUSE_STORAGE_LOC_ID >。

示意代码如下：

```
Create table T_xt_ WAREHOUSE
（WAREHOUSE_ID char（15） not null,
STORAGE_LOC_ID char（15） not null,
constraint Pk-WAREHOUSE_ID primary key （WAREHOUSE_ID）,
constraint Fk - STORAGE _ LOC _ ID foreign key （ STORAGE _ LOC _ ID ） references
WAREHOUSE （STORAGE_LOC_ID））
...
```

（3）物流资源数据库

物流数据库中，集配信息表的主键约束为配送编号（DISTRIBUTION_ID），则其命名为<WL_PK_DISTRIBUTION>；该表的外键约束为配送车辆编号（VEHICLE_ID），则其命名为<WL_FK_DISTRIBUTION_VEHICLE_ID>；同时，该表仓库保管员（KEEPER）应设置为非空约束，则其命名为<WL_NN_DISTRIBUTION_KEEPER>。

示意代码如下：

```
Create table T_xt_DISTRIBUTION
（DISTRIBUTION_ID char（15） not null,
VEHICLE_ID char（15） not null,
KEEPER char（15） not null,
constraint Pk-DISTRIBUTION_ID primary key （DISTRIBUTION_ID）,
constraint Fk-VEHICLE_ID foreign key （VEHICLE_ID） references DISTRIBUTION （VEHICLE_ID））
constraint Uni-KEEPER unique （KEEPER））
...
```

2.4.4.3 完整性规则设计

（1）采购资源数据库

采购资源数据库的完整性规则主要是对字段类型、字段长度等进行设置，具体如表2-78所示。

表2-78 采购资源数据库完整性规则表

序号	字段名	说明	字段类型	字段长度	取值范围
1	PO_ID	采购订单编号	Number		
2	DESCRIPTION	描述	Varchar	200	
3	EQ_ID	设备编号	Number		
4	EQ_NAME	设备名称	Varchar	20	

表 2-78(续)

序号	字段名	说明	字段类型	字段长度	取值范围
5	EQ_TYPE	设备类别	Varchar	10	
6	SUPPLIER	供应商	Varchar	20	
7	PRICE	单价	Number		$0 \sim 10^7$
8	NUMBER	数量	Number		$0 \sim 10^6$
9	UNIT	单位	Char	5	
10	PURCHASER	采购人	Varchar	10	
11	PURPOSE	用途	Varchar	20	
12	PARAMETERS	设备参数	Varchar	200	
13	PURCHASE_TIME	购买时间	Date & Time		
14	ARRIVAL_TIME	到货时间	Date & Time		
15	VOUCHER	采购凭证	Blob		
16	DEPT	使用部门	Varchar	20	
17	RESPONSIBILITY	设备负责人	Varchar	10	

（2）仓储资源数据库

仓储资源数据库的完整性规则主要是对字段类型、字段长度等进行设置,具体如表2-79 所示。

表 2-79 仓储资源数据库完整性规则表

序号	字段名	说明	字段类型	字段长度	取值范围
1	WAREHOUSE_ID	仓库编号	Number		
2	WAREHOUSE_NAME	仓库名称	Varchar	20	
3	WAREHOUSE_SIZE	仓库大小	Number		
4	WAREHOUSE_TYPE	仓库类别	Varchar	10	
5	WAREHOUSE_LOCATION	仓库位置	Varchar	20	
6	STORAGE_LOC_NUMBER	库位数量	Number		$0 \sim 10^4$
7	STORAGE_PERCENT	存储量	Number		$0 \sim 10^6$
8	LOC_ID	库位编号	Number		
9	CARGO_ID	货物编号	Number		
10	CARGO_NAME	货物名称	Varchar2		
11	CATEGORY	所属大类	Varchar2		
12	CARGO_TYPE	货物类别	Varchar	10	
13	CARGO_STATE	货物状态	Varchar	10	

表 2-79(续)

序号	字段名	说明	字段类型	字段长度	取值范围
14	CARGO_STOCK	货物存量	Number		$0\sim10^6$
15	ENTRY_TIME	入库时间	Date & Time		
16	DELIVERY_TIME	出库时间	Date & Time		
17	KEEPER	仓库保管员	Varchar	10	
18	REMARKS	备注	Varchar	200	

(3)物流资源数据库

物流资源数据库的完整性规则主要是对字段类型、字段长度等进行设置,具体如表2-80所示。

表 2-80　物流资源数据库完整性规则表

序号	字段名	说明	长度类型	字段长度	取值范围
1	DISTRIBUTION_ID	配送编号	Number		
2	VEHICLE_ID	配送车辆编号	Number		$0\sim10^4$
3	DRIVER	车辆驾驶员	Varchar	10	
4	WAREHOUSE_ID	仓库编号	Number		$0\sim10^4$
5	CARGO_ID	配送物资编号	Number		
6	CARGO_NAME	物资名称	Varchar	10	
7	CARGO_TYPE	物资类别	Varchar	10	
8	CARGO_NUMBER	物资数量	Number		$0\sim10^6$
9	CARGO_STATE	物资状态	Varchar	20	
10	DELIVERY_TIME	出库时间	Date & time		
11	KEEPER	仓库保管员	Varchar	10	
12	ARRIVAL_TIME	到达时间	Date & Time		
13	ARRIVAL_LOC	到达地点	Varchar	10	
14	ARRIVAL_DEPT	接收部门	Varchar	10	
15	RECIPIENT	接收人	Varchar	10	

2.5　本章小结

本章首先按照数据仓库的架构设计了两类库:一类是基础支撑数据库,用于存储船舶设计、生产、管理等方面的规范化数据,另一类是根据统计分析及生产决策等需求按照数据仓库或数据集市的架构设计的主题数据库。本章还分别提出了基础支撑数据库和主题数据库的设计需求,然后详细介绍了设计管理、车间管理、生产管理及企业资源管理四类数据库的设计规范,指导船厂统一数据库平台建设;明确了三维模型数据库和其他数据库的轻量化设计规范,实现数据的轻量化存储;最后分别介绍了设计管理、车间管理、生产管理及企业资源管理四类数据库的完整性设计要求。

第3章 面向船舶智能制造的统一数据库映射关联技术与标准接口技术

3.1 概 述

目前船舶建造过程中,涵盖了种类繁多、信息量巨大、涉及面广、格式多样的多源数据库,各数据库之间的信息交互、关联及变更频繁。而当前船舶建造过程中的数据库联动性较低,为实现"数字化与智能化造船",需要构建船舶建造多数据库的映射关系,将船舶建造过程中协同企业、不同部门、不同建造阶段之间的数据库进行关联,以提高数据的联动性,支撑数据库集成平台的构建。

为实现数据库集成平台直接对各船厂、船级社等数据源层数据库进行数据抽取、转换、加载的功能,亟须梳理船舶智能制造各阶段过程的数据流、业务流,对面向服务的船舶制造数据库接口规范进行统一设计,以便于面向船舶智能制造的统一数据库集成平台的开发以及集成,为船舶智能制造数据集成、数据交换和数据共享、源数据库与集成平台的本地数据库的实时互联互通提供可行性条件,为使集成平台的使用者、软件开发者及分析人员对该软件的初始规定有一个共同的理解。

3.2 多数据库的映射关联技术

数据映射(Data Mapping),即给定两个数据模型,在模型之间建立数据元素的对应关系,将这一过程称为数据映射。数据映射是很多数据集成任务的第一步,例如数据迁移(Data Migration)、数据清洗(Data Cleaning)、数据集成、语义网构造、p2p 信息系统等。

数据映射的方式有两种:手工编码(Hand-coded)和可视化操作(Graphical Manual)。手工编码是直接用类似 XSLT、JAVA、C++这样的编程语言定义数据对应关系。可视化操作通常支持用户在数据项之间画一条线以定义数据项之间的对应关系。有些支持可视化操作的工具可以自动建立这种对应关系。这种自动建立的对应关系一般要求数据项具有相同的名称。无论采用手工方式操作还是自动建立关系,最终都需要工具自动将图形表示的对应关系转换成 XSLT、JAVA、C++这样的可执行程序。

目前数据映射领域前沿的研究方向为数据驱动的映射,即利用统计方法分析源数据库和目标数据库的实际数据,挖掘出数据对应关系。这种方法不仅可以发现数据之间的"substring""concatenations""arithmetic""case statements"等转换逻辑,还可以发现异常情况,也就是不符合已定义转换逻辑的数据。

通常,数据迁移包括三个阶段:数据抽取、数据转换、数据加载,也就是俗称的 ETL。但是如何抽取,如何转换,加载到什么位置,这些问题都需要有一个明确的规则指导。因此需要利用数据映射来定义这些规则。这与软件开发过程中的设计和开发有些类似。数据映射相当于软件设计,ETL 的执行代码实现过程相当于软件开发。

当前船舶企业数据库体系主要是客户机/服务器(Client/Server, C/S)模式和基于 Web 的浏览器/服务器(Browser/Server,B/S)模式,如图 3-1 所示。国内外的建造编码主要包括船舶零部件编码、分段编码、舾装件编码、涂装编码等,不同企业的编码方式可能稍有不同,需要在数据关联时进行合理转化。

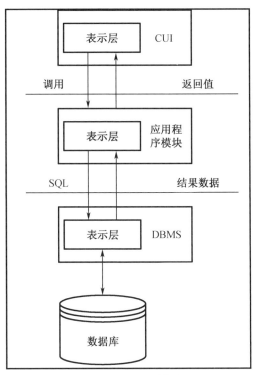

图 3-1　B/S 三层模式图

3.2.1　船舶制造多数据映射关联数据

关联数据的核心是创建数据之间的联系,形成一个关系型的数据网络。在造船各个阶段中,不同的数据发布者在发布自身所拥有的数据时,采用了不同的词汇表进行描述。

船舶智能制造多数据库映射关系中的对象-关系数据库映射是为了减少用户业务逻辑受到数据库结构变化的影响而提出的一种设计模式,主要是为了将用户使用面向对象语言编写的对象直接存储在关系数据库中,即将对象,如文本文件、关系数据库、对象数据库、对象-关系数据库、层次数据库、网络数据库等存储在某种持久机制中,同时还需要从这些永久机制中将对象还原出来。

为减少程序和数据库结构之间的耦合性,使应用程序系统尽可能不受数据库结构变化

的影响。面向对象的语言开发出来的对象不能以一种很自然的方式存储在关系数据库中，研究多数据库映射技术可以使系统受数据库变动的影响减少，从而大大降低应用程序和数据库之间的耦合性，增强应用程序的可移植性。

属性映射子模块的主要功能是维护一个字段映射子模块 ColumnMap，每一个属性映射子模块 AttributeMap 都对应着由字段映射子模块 ColumnMap 所代表的数据库中的数据表的一个字段，存储要持久化的类所对应的数据表所在的数据库名称和数据库类型。

船舶建造包含分段建造、总段建造、总段合龙、分/总段船台舾装等建造过程，其中包含多个数据库，同时船舶建造过程也涉及众多的供应商和分包商，会用到多种数据源和不同的编码方式，因此需要对不同数据源之间的数据关联进行研究，确定同数据源不同数据库之间映射关系和不同数据源之间映射关系的关联形式。

3.2.2 复杂类型数据映射方法

由于造船过程的复杂性、长周期性，不同数据集间数据关系种类多样，具有大量的复杂类型映射，每个复杂类型映射为数据库中的一个表，还要建立其他的表来处理复杂类型间多对多的映射关系。映射复杂类型主要分为以下几种情况：

（1）复杂类型 A 参照复杂类型 B，则映射成表 A 和表 B，且这两个表之间有依赖关系；

（2）复杂类型 A 对复杂类型 B 有多个参照，则映射成三个表，类型 A 和类型 B 分别映射成表 A 和表 B，同时生成第三个表 C，用来表示表 A 和表 B 之间的关系；

（3）复杂类型 A 与复杂类型 B 一一对应，即类型 A 包含且只包含一个类型 B，则分别映射成表 A 和表 B，并建立表 A 和表 B 的约束关系，表 B 中将设置外键参考表 A 中的主键，如果 A 表中的元素被删除，则 B 表中相应的元素也将被删除；

（4）复杂类型 A 包含多个复杂类型 B，则表示 A 和 B 是一对多的关系，分别映射为表 A 和表 B，并建立表 A 和表 B 之间的映射关系，表 B 中将设置外键参考表 A 中的主键，若 A 表中的元素被删除，则 B 表中相应的元素也将被删除。

3.2.3 外键式数据映射方法

在船舶制造过程同源的数据库中，可建立外键简单地实现数据映射关系，外键约束的主要目的是控制存储在外键表中的数据，但它还可以控制对主键表中数据的修改。外键约束并不仅仅可以与另一表的外键约束相链接，它还可以定义为引用另一表的唯一约束。外键可以引用同一表中其他列（自引用）。一个表最多可包含 253 个外键，每个表在其外键约束中最多可以引用 253 个不同的表。外键的主要作用是让数据库通过外键保证数据的完整性和一致性，增加 E-R 图的可读性。

外键式数据映射方法的优点：保证数据完整性，关联查询时可以用到外键的统计信息，增加了查询的效率。

外键式数据映射方法的缺点：删除或更新关联数据时需要检查数据映射，效率会降低，不便于维护，数据量很大时对性能有明显影响。

3.2.4　同数据源不同数据库之间映射方法

船舶制造过程中使用的数据库数量较多,虽然能够保证部分数据存储在同源数据库中,但是多数数据库仍然无法合并。这种情况下,数据映射的实现方式可以先建立 DB LINK,然后创建存储结构,通过 schedule 定期同步。

（1）DB LINK 的连接方式

①已经配置本地服务:

CREATE PUBLIC DATABASE LINK TEST_DB_LINK CONTECT TO USER IDENTIFIED BY TEST_PWD;

CREATE DATABASE LINK 数据库链接名 CONNECT TO 用户名 IDENTIFIED BY 密码 USING "本地配置的数据的实例名";

②未配置本地服务:

CREATE DATABASE LINK TEST_DB_LINK CONNECT TO USER INDENTIFIED BY TEST_PWD

    USING '（DESCRIPTION =

（ADDRESS_LIST =

        （ADDRESS =（PROTOCOL =TCP）（HOST =192. 168. 1. 100）（PORT =1522））

）

（CONNECT_DATA =

        （SERVICE_NAME =dbnamesid）

）

    ）'

如果创建全局 DB LINK,必须使用 systm 或 sys 用户,在 database 前加 public。

③删除 DB LINK:

DROP　PUBLIC　DATABASE　LINK LINK_TEST;

（2）创建 procedure

①在源表中建立标志位字段

②创建 procedure 示例:

```
create or replace procedureproc_name as begin
insert intotarget_table@ TEST_DB_LINK（column_1,column_2,column_3,column_4）
select column_1,column_2,column_3,column_4 from source_table where flag =0;
updatesource_table set flag =1 where flag =0;
endproc_name;
```

（3）创建 scheduler

```
BEGIN DBMS_SCHEDULER. CREATE_JOB（
job_name          =>  'INSERT_TEST_TBL',
job_type          =>  'STORED_PROCEDURE',
job_action        =>  'proc_name',
start_date        =>  sysdate,
```

```
repeat_interval        =>  'FREQ=DAILY;INTERVAL=1');
END;
```

3.2.5　不同数据源之间映射方法

当前主要的数据库种类有 Oracle、MySQL、SQL server 等,以及部分特殊专业软件使用的专用数据库,如 Aveva Marine 使用专用的文件型数据库。异构数据源之间需要透明网关或者 DB LINK 的形式实现,以 Oracle 与 MySQL 映射为例设置透明网关,详细过程见附录 A。建立与其他专用数据库的映射,需在目标软件的二次开发平台中进行设计开发,实现映射数据的抽取与操作。

3.3　面向服务的数据库标准接口技术

3.3.1　数据库标准接口需求

统一数据库集成平台通过面向服务的船舶制造数据库标准接口将船舶智能制造过程中的各类数据集成起来。现从面向船舶智能制造的统一数据库集成平台需求出发,通过对国内典型船厂调研分析,分别梳理船舶设计过程、车间制造执行过程、船舶项目管控过程以及船厂资源管理过程的数据传输流程,完成相关的数据描述,分析目前的接口实现状态,制定船舶智能制造的接口思路,并对接口进行总结与分析,为后续的面向数据库集成平台的接口规范制定、船舶制造接口软件的设计与开发奠定基础。

船舶设计是一项较为复杂却又不得不进行的事情,船舶的设计工作主要由船厂的设计部门完成。面向船舶智能制造的设计阶段产生的数据包括船舶的初步设计、详细设计、生产设计、工艺设计以及设计管理等过程所产生的数据,现对船舶设计的数据流进行梳理。在船舶的设计阶段,产生的大量设计图纸、生产图纸等非结构化数据以及其他半结构化数据和结构化数据,通过设计管理传递至相关的生产部门及生产车间,设计管理与进度管理、物流管理等存在着大量的业务流通,产生大量的设计管理数据。船舶设计阶段的数据流图如图 3-2 所示。

车间作为船舶制造企业的执行部门,其设备的高效运行、作业计划的有序实施、车间进度的精准反馈、车间产品质量的高效保证,决定了整个船厂的生产效率、经济效益以及国内船舶建造水平的推进。船舶车间制造执行过程与生产设备的加工指令、设备运行状态采集、生产管理部门的车间派工、集配中心的车间调度等多方面业务存在着频繁的数据流通,因此亟须梳理车间制造的业务流程,描述相关加工数据流,整理相关数据信息,完成面向船舶智能制造的统一数据库集成平台的接口需求分析。船舶车间制造执行阶段的数据流图如图 3-3 所示。

船舶制造阶段的高效管控是船厂进行正常运行的重要保障,船舶制造阶段的生产管控包括对船舶生产过程的计划管控、生产过程的进度管控、生产产品的质量管控、船厂的可用场地管控以及船厂员工的人员管控等。船舶制造生产管控阶段的数据流图如图 3-4 所示。

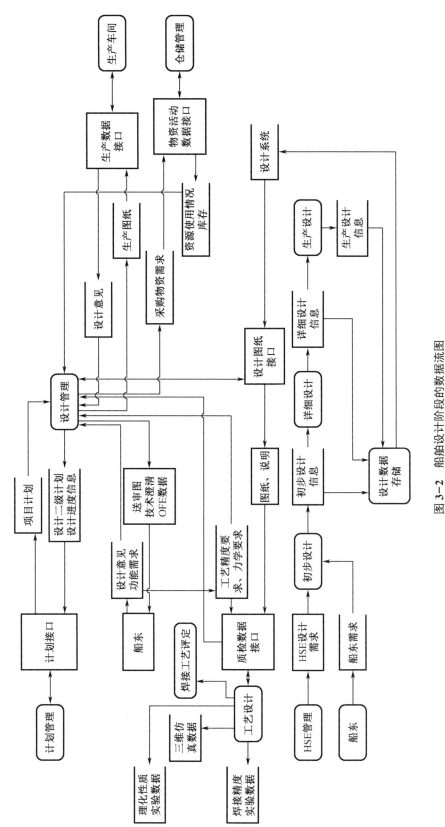

图 3-2 船舶设计阶段的数据流图

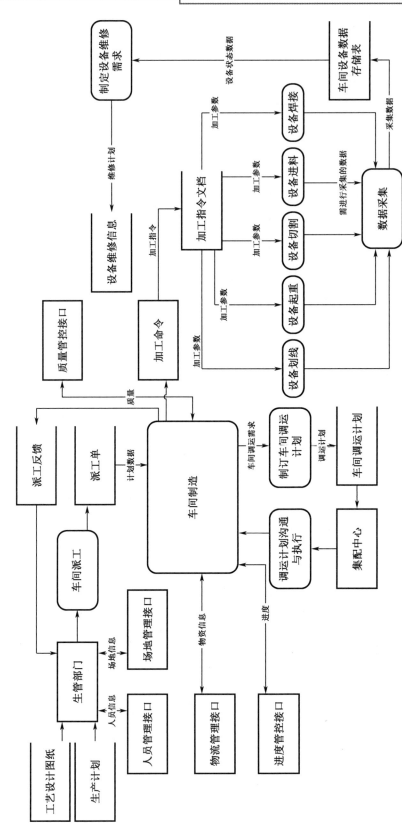

图 3-3　船舶车间执行阶段的数据流图

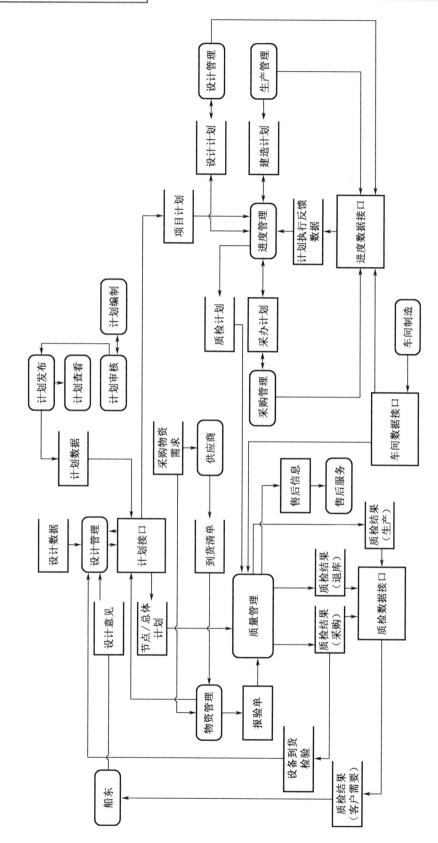

图 3-4 船舶制造生产管控阶段的数据流图

　　船舶制造过程中,充足的企业资源是确保生产过程能够顺利进行的物质基础;在船舶企业资源的管理过程中,需对企业物资的仓储信息、采购信息、物流信息进行详细准确地记录,并及时提交物料物流的计划需求、托盘需求等,针对生产车间的资源需求,进行合理的规划与执行工作。船舶制造企业资源管理阶段的数据流图如图 3-5 所示。

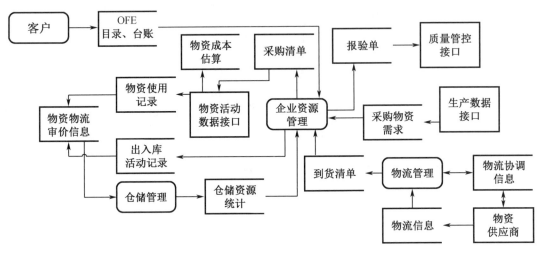

OFE—船东提供的设备。

图 3-5　船舶制造企业资源管理阶段的数据流图

　　数据库标准接口需求的数据流图绘制方式详见附录 B。

　　通过上述对船厂业务的描述以及对相关数据流的梳理,这里分别从船舶设计的内容、形式、状态三个维度对船舶数据类型进行分析。从内容上来分,船舶数据主要包括设计数据、管理数据、车间制造数据、企业资源数据等。从形式上来分,包括结构化数据和非结构化数据。结构化数据有属性、对象、关系等,格式非常规范;非结构化数据主要是各种文档数据,其中文档数据可用元数据和物理文件管理,实现文档结构化管理。从状态上来分,船舶数据包括静态数据和动态数据,动态和静态是相对的,同样的数据,在不同的阶段,可能的状态是不同的,比如产品装配关系在设计阶段是动态数据,在建造阶段则是静态数据。

　　随着接口技术的不断发展,大量的接口技术衍生,如直连数据库、HTTP 接口、Web Service 接口和 RESTful 接口、二次开发接口、Scoket 接口、文件方式接口、共享数据库等诸多接口实现方式,可实现多方面的数据集成需求,这为船舶数据库集成平台的构建提供了坚实的基础。但相比国外先进船厂的数据集成程度而言,我国船舶行业的数据集成水平相对较低,尚未形成集成平台形式,在船舶数据库集成平台接口实践方面尚处于空白阶段;在船舶制造船企业数据到集成平台的接口设计过程中,需要针对数据库集成平台的模型架构,深度理解集成平台的业务需求,结合其他制造行业领域数据库集成平台接口的设计形式,设计船舶制造船企数据到集成平台的接口。

　　目前,各个船厂使用的系统软件以及信息化程度并不是一致的,目前船舶设计软件包括计算机辅助设计与制造(CAD/CAM)、TRIBON 软件、NAPASteel 设计软件、CADDS5i 设计软件、Smart3D 设计软件等,物资、生产、质量、人员等管理软件也各有不同,同时也包含外部的船检、供应商的软件系统。因此数据库集成平台的接口设计应支持以下数据源：数据库、文件以及第三方应用系统的数据格式。下面针对上述接口需求，分析数据库接口技术。

3.3.2　统一接口设计规范

针对面向服务的船舶制造数据库标准接口的需求分析，结合船舶制造过程中待集成的软件系统特点，对以下五种接口进行介绍，并对相关的接口规范进行了制定。

3.3.2.1　HTTP 接口

HTTP 协议是建立在 TCP 协议基础之上的，当浏览器需要从服务器获取网页数据时，会发出一次 HTTP 请求。HTTP 会通过 TCP 建立起一个到服务器的连接通道，当本次请求需要的数据完毕后，HTTP 会立即将 TCP 连接断开，这个过程是很短的。所以 HTTP 连接是一种短连接，是一种无状态的连接。其主要特点包括支持客户/服务器模式，简单、快速、灵活，每次连接只处理一个请求且对事物处理没有记忆能力。

HTTP 接口规范制定：

（1）API 接口必须加版本号；

（2）不使用 rest 的 PUT 和 DELETE，因为很多浏览器不支持，很多框架也不支持；

（3）所有路径 path 全部小写，以下划线分隔，所有参数，包括 POST 里面的 body，以及 header 使用驼峰；

（4）返回统一使用 Json 格式；

（5）使用 Token 令牌来作用户身份的校验与权限分级；

（6）暴露外部请求一定使用 SSL。

3.3.2.2　Web Service 接口

Web Service 接口具有跨编程语言、跨操作系统平台的特点。跨编程语言指的是服务端、客户端程序的编程语言可以不同；跨操作系统平台是指服务端、客户端可在不同的操作系统上运行。从表面上看，Web Service 接口是指一个应用程序向外界暴露了一个能通过 Web 调用的 API 接口，我们把调用这个 Web Service 的应用程序称作客户端，把提供这个 Web Service 的应用程序称作服务端。从深层上看，Web Service 是建立可互操作的分布式应用程序的新平台，是一个平台也是一套标准。它定义了应用程序如何通过 Web 实现互操作性，通过 Web Service 标准对服务进行查询和访问。Web Service 通过 XML 的形式进行数据的传输，由于 XML 可以跨平台解析、自描述语义、表达结构化数据/半结构化数据/非结构化数据，因此 Web Service 接口是数据库集成平台系统接口的核心。

Web Service 接口规范制定：

（1）接收服务只能有一个参数，参数为 XML 格式的字符串（即内容为 XML，数据类型为 String）。

（2）参数的 XML 格式为：root 节点下，每条数据记录为一个 record 节点，每个数据元为 record 节点的一个属性。root 节点下可能有多条 record。XML 内容如下所示：

```
<root>
<record name='admin' password='1' subsys='001'/>
</root>
```

其中,name、password、subsys 是订阅方订阅的发布主题中的数据元。

3.3.2.3 RESTful 接口

RESTful 是一种基于 HTTP 的网络应用程序的设计风格和开发方式,通过 XML 或 JSON 格式为异构系统数据提供新增、变更、删除操作功能。RESTful 架构是对 MVC 架构改进后所形成的一种架构,通过使用事先定义好的接口与不同的服务联系起来。在 RESTful 架构中,使用 POST、DELETE、PUT 和 GET 四种请求方式分别对指定的 URL 资源进行增删改查操作。URL 具有很强的可读性、剧透自主描述性,可提供 OpenAPI,便于第三方系统集成,提高互操作性,提高了系统的水平扩展性。

RESTful 接口规范制定:

(1)版本号:命名版本号可以解决版本不兼容问题,设计 RESTful API 的一种实用的做法是使用版本号。一般情况下,我们会在 URL 中保留旧版本号,并同时兼容多个版本。

(2)路径资源:URI 不能包含动词,只能是名词(命名名词时,要使用小写、数字及下划线来区分多个单词)。

资源的路径应该从根到子,依次如下:

/{resources}/{resource_id}/{sub_resources}/{sub_resource_id}/{sub_resource_property}

(3)查询参数:RESTful API 接口应该提供参数,过滤返回结果。

(4)响应参数:JSON 格式(code、data、msg)。

(5)状态码:使用适合的状态码很重要,而不应该全部返回状态码 200。

3.3.2.4 二次开发接口

随着船厂业务需求的不断提升,需对现有的软件进行二次开发,并对接口进行设计,以满足船厂的业务需求。此外,对于一类较封闭的软件系统,可以进行有针对性的二次开发,实现接口互通。

二次开发接口规范制定:

(1)对于附加在产品外的二次开发,严禁修改产品源代码,禁止修改数据到产品数据表;

(2)对于独立二次开发的产品,禁止直接调用产品的业务方法和接口。

3.3.2.5 数据库接口

数据库接口可通过数据表或视图来实现,确定传输数据库与传输交互方法,包括数据交互的频率、主动、触发等方式。在数据库接口规范制定的过程中,需明确设计数据库的接口结构。

3.3.3　平台内接口功能模块开发

面向服务的船舶制造数据库接口系统开发是构建面向船舶智能制造的统一数据库集成平台的重要一环。这里结合面向船舶智能制造的统一数据库集成平台接口需求分析,对面向智能制造的数据库接口系统的功能进行具体设计,进而制定数据库集成接口系统体系结构,并对系统的开发语言、开发环境及软件运行环境等进行描述,最终实现面向服务的船舶制造数据库接口系统开发。

3.3.3.1　系统整体功能设计

首先对系统的功能模块进行设计,梳理各模块的层次结构关系,对系统的外部接口以及内部接口进行设计。面向服务的船舶制造数据库接口系统功能列表如表3-1所示。

表3-1　数据库接口系统功能列表

序号	名称	功能简述
1	接口状态模块	通过记录接口调用时各数据表接口调用信息,进行数据接口访问信息统计,包括访问用户、数据表调用的时间、调用次数,以及数据调用时备注信息,便于管理员对各类接口的系统资源进行调配
2	接口管理模块	接口管理包括接口定义、地址发布和状态管理三部分。在接口定义管理中,设置接口的名称、类型、业务范畴、权限等信息,并将相应的接口注册到接口系统中;地址发布的内容是接口的访问地址,采用双重加密算法,保证接口的数据安全;接口状态管理是对已生成接口进行维护,对接口的停用、启用和删除进行分析,防止人为操作造成系统故障
3	数据映射关联模块	对不同或相同数据源的数据表组建数据集合,接口调用不直接操作源数据库,通过数据集对外发布接口
4	系统管理模块	对接口系统自身进行管理,包括系统日志、权限管理、用户管理等。其中系统日志包括接口访问的日志,实现对接口使用过程的全方位监控,同时为接口信息统计提供原始数据作为依据

3.3.3.2　模块层次结构关系

根据系统的模块划分以及功能设定,面向服务的船舶智能制造数据标准接口软件功能包括:

①接口状态模块:接口状态列表;接口调用统计。

②接口管理模块:接口维护;接口分配。

③数据映射关联模块:多数据源管理;数据集管理。

④系统管理模块:系统日志;用户管理;角色管理;菜单管理。

（1）外部接口

系统外部接口包括：

①ESB 接口；

②Web Service 接口；

③RESTful 接口；

（2）内部接口

本系统采用 Spring-MVC 框架结构,内部接口通过配置框架实现,该部分接口对程序员是透明的。接口系统由于要向外部提供服务并允许外部系统通过注册表提供查询服务,因此在接口系统内部,ESB 和注册表之间需要数据交换的接口。接口应提供以下功能:服务注册、服务查询、删除服务、修改服务等,以实现 ESB 中服务和注册表中服务的同步。

（3）数据库设计

数据库设计分别对面向服务的船舶智能制造统一数据库集成平台接口软件进行逻辑结构设计以及物理结构设计。逻辑结构设计中主要包括接口状态数据表结构、接口调用统计数据表结构、接口列表结构、接口数据表结构、接口分配数据表结构等;物理结构设计主要包括系统管理 PDM 图等。现以接口状态数据表结构为例进行展示,如表 3-2 所示。

表 3-2　接口状态数据表结构

序号	字段	名称	类型	长度	是否可空	备注
1	id	接口 id	String	32	主键	
2	btype	接口类别			n	业务类别,通过数据字典选择
3	icode	接口编号	String	50	n	
4	iname	接口名称	String	50	n	
5	istate	接口状态			n	未发布、启用、停用、已删除
6	iadd	访问地址	String			未发布和已删除状态下没有地址
7	Remark	接口说明	String	200		

物理结构设计图如图 3-6 所示。

（4）代码设计

代码设计分别对接口状态模块、接口管理模块、数据映射关联模块进行程序包定义、类图的绘制以及所用方法的列表描述。现以接口状态模块为例进行描述,如表 3-3、图 3-7 以及表 3-4~表 3-8 所示。

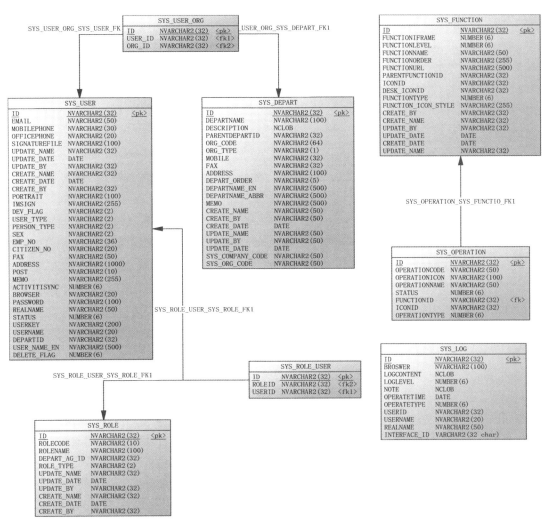

图 3-6　物理结构设计图

表 3-3　程序包定义表

包名	说明
interfc. state. entity	数据映射关联模块实体类包
interfc. state. service	数据映射关联模块 service 包
interfc. state. service. impl	数据映射关联模块 service 接口实现类包
interfc. state. controller	数据映射关联模块 controller 类包

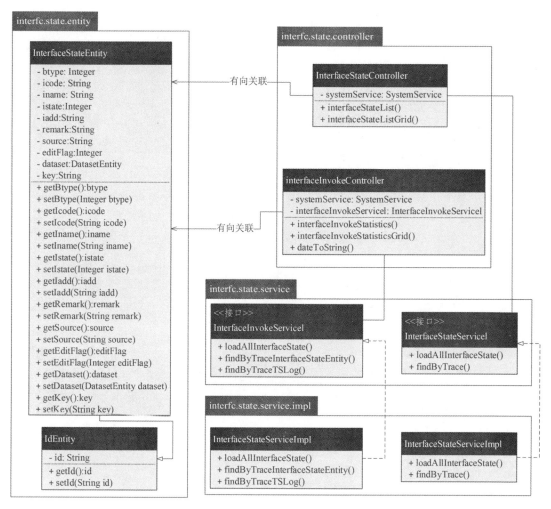

图 3-7 接口状态模块类图

表 3-4 interfaceStateList 方法

功能说明	接口状态列表页面跳转		
调用位置	interfc. state. controller. InterfaceStateController		
方法名称	publicModelAndViewinterfaceStateList( )throwsException;		
输入参数	参数名称	数据类型	参数说明
	无	无	无
输出参数	参数名称	数据类型	参数说明
	ModelAndView	ModelAndView	模型和视图
错误信息			

表 3-5　interfaceStateListGrid 方法表

功能说明	接口状态列表数据加载		
调用位置	interfc. state. controller. InterfaceStateController		
方法名称	publicvoidinterfaceStateListGrid（InterfaceStateEntityinterfaceStateEntity，HttpServletRequestrequest，HttpServletResponseresponse，DataGriddataGrid）；		
输入参数	参数名称	数据类型	参数说明
	interfaceStateEntity	InterfaceStateEntity	查询条件
	request	HttpServletRequest	请求对象
	response	HttpServletResponse	响应对象
	dataGrid	DataGrid	无
输出参数	参数名称	数据类型	参数说明
	interfaceStateEntity	InterfaceStateEntity	数据列表
	request	HttpServletRequest	请求对象
	response	HttpServletResponse	响应对象
	dataGrid	DataGrid	无
错误信息			

表 3-6　interfaceInvokeStatistics 方法表

功能说明	接口调用统计页面跳转		
调用位置	packageinterfc. state. controller. interfaceInvokeController		
方法名称	publicModelAndViewinterfaceInvokeStatistics（）throwsException；		
输入参数	参数名称	数据类型	参数说明
	无	无	无
输出参数	参数名称	数据类型	参数说明
	ModelAndView	ModelAndView	模型和视图
错误信息			

表 3-7　interfaceInvokeStatisticsGrid 方法表

功能说明	接口状态列表数据加载		
调用位置	packageinterfc. state. controller. interfaceInvokeController		
方法名称	publicJSONArrayinterfaceInvokeStatisticsGrid（InterfaceStateEntityinterfaceStateEntity，HttpServletRequestrequest，HttpServletResponseresponse，DataGriddataGrid）；		
输入参数	参数名称	数据类型	参数说明
	interfaceStateEntity	InterfaceStateEntity	查询条件
	request	HttpServletRequest	请求对象
	response	HttpServletResponse	响应对象
	dataGrid	DataGrid	无

表 3-7（续）

功能说明	接口状态列表数据加载		
输入参数	参数名称	数据类型	参数说明
	interfaceStateEntity	InterfaceStateEntity	数据列表
	request	HttpServletRequest	请求对象
	response	HttpServletResponse	响应对象
	dataGrid	DataGrid	无
错误信息			

表 3-8　dateToString 方法表

功能说明	接口调用统计数据加载		
调用位置	packageinterfc. state. controller. interfaceInvokeController		
方法名称	privateStringdateToString(Datedate) ;		
输入参数	参数名称	数据类型	参数说明
	date	Date	需要转换的日期类型数据
输出参数	参数名称	数据类型	参数说明
	date	String	转换成字符串的数据
错误信息			

（5）出错处理设计

这是指对出错信息进行推测,梳理可能的出错或故障,整理出错时系统的输出信息、含义以及处理方法,制定补救措施方案。

（6）开发语言及开发环境

开发语言选用主流的 Java 语言,开发环境采用 Eclipse、Tomcat 服务器、Oracle 数据库。

（7）运行环境配置

运行环境配置分别对 Web 服务器、数据库服务器、客户端软件配置环境以及硬件配置环境进行规定。

（8）相关系统截图举例

相关系统截图举例如图 3-8 和图 3-9 所示。

图 3-8　接口维护页面

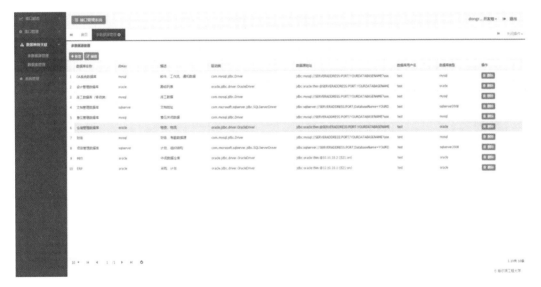

图 3-9　映射关联页面

3.4　本章小结

本章针对面向船舶智能制造的统一数据库集成平台,介绍了映射关联和标准接口两项技术。映射关联技术包括复杂类型数据、外键式数据、同数据源不同数据库之间以及不同数据源之间的映射方法,将船舶建造过程中协同企业、不同部门、不同建造阶段之间的数据库进行关联,提高数据的联动性。标准接口技术中介绍了 HTTP、Web Service、RESful、二次开发及数据库共五种统一接口设计规范,基于面向服务的船舶制造数据库接口统一设计规范的需求,结合船舶制造过程中待集成的软件系统特点,介绍了面向船舶智能制造的统一数据库平台接口系统设计方法。首先设计接口系统的功能,进而制定数据库集成接口系统体系结构,并描述系统的开发语言、开发环境及软件运行环境等,最终实现面向服务的船舶制造数据库接口系统开发。

第4章 面向船舶智能制造的统一数据库集成技术

4.1 概　述

船舶制造是一个典型的多品种、小批量，多工种、跨专业，工作开展面广、交叉作业量大的系统工程。这就导致船舶企业在建设信息化时的业务系统种类繁多，结构化、半结构化和非结构化数据大量存在，并且数据的集成度较低。目前国内大部分造船企业仅仅进行了部分结构化数据库的集成，并未开展半结构化和非结构化数据集成工作，无法满足企业实时了解生产经营情况的需求，并且随着国内船舶智能制造技术的不断发展，越来越多的企业认为数据库集成工作迫在眉睫。

4.2　统一数据库集成设计规范

按照统一数据库集成平台顶层架构设计，平台设计主要分为数据采集层、基础支撑库、数据处理层、主题数据库层以及展示层。

平台基础支撑库以及主体数据库的规范在第2章进行了阐述，平台接口设计规范在第3章进行了阐述，本章节主要阐述数据采集层、数据处理层以及展示层的相关设计规范。

平台数据采集、处理、管理及服务的框架体系如图4-1所示，平台以现有船舶制造企业内部业务数据为基础，汇聚船舶制造结构信息、图纸信息、报表信息、设备信息、设计管理、进度管理、物资管理等各种数据以及外部相关数据资源，实现所有数据统一交换、存储、安全管理，为指挥集成平台及其他系统提供统一的数据应用支撑。

4.2.1　数据交换规范

数据库集成平台主要是解决内外部数据的安全采集、传输问题，并提供可审计、过程可视化、内容安全过滤检查等功能，保证数据交换安全性，它是支持 Oracle、SQL Server、Access、DB2、Sybase、Excel 等形式数据库的结构化和日志文件及非结构化数据并行采集和抽取，满足不同网络环境下应用服务需求的一套成熟的解决方案。这突显了本平台的灵活性、实操性、安全性、可靠性。

平台通过数据采集模块采集来自分散的、异构的各业务系统的数据等，经过清洗、转换等整合与提炼处理，将数据加载到平台统一建设的数据仓库中，保证数据的唯一性、准确性、完整性、规范性和时效性，并为数据的管理、数据的开放服务等活动奠定良好的数据基础。

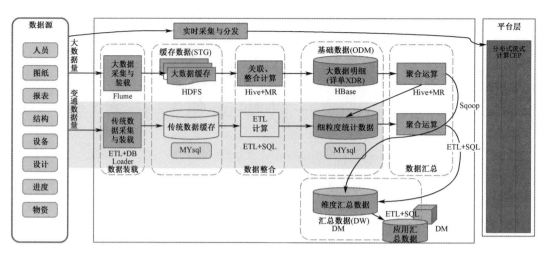

图4-1 平台数据采集、处理、管理及服务的框架体系

数据处理(清洗、转换)规则组合可单独编写成一个流程,多个此类流程不断积累便形成了处理规则库,可对数据进行模块化的预处理操作。数据采集系统提供流程嵌套调用的功能,可以很方便地将插件库中封装好的校验流程嵌入新的流程中进行复用;同时提供任务化管理机制,以任务流程管理手段为主,对数据交换流程的运行策略进行管理,控制任务流程的定时运行或者周期式运行,多个任务流程顺序执行或是并行执行等。

4.2.2 数据管理规范

数据库集成平台部署数据安全云支撑模块同时也加载了数据质量监控功能,对平台的安全进行加固,双重保证平台数据的安全,做到万无一失。

用户可以基于业务模型,通过友好的图形化界面建立相应的数据存储模型,通过元数据管理可以对数据的类型、权限、属性等信息进行定义。元数据管理采用基础数据操作引擎和应用数据模型相分离的数据处理模式,数据模型支持动态调整。

通过数据清洗规则和质量控制等功能,实现对不完整数据(值缺失)、数据错误值、重复记录、数据不一致性(数据源内部及数据源之间)的检测及提供解决方法。

通过提供的数据处理组件可对输入数据的任何字段进行内容修改、格式修改、字段替换等,以此对应相应的数据转换规范。

提供数据视图自定义功能,能够根据不同用户的不同需求,基于数据的不同属性,从数据来源、类型、系统层次、所属网络等多角度层次化地组织和查看数据信息,从而实现为不同角色的人员提供不同类型数据查看视图的功能,也可以按照不同的分类方法,以导航树的方式呈现相关数据。

4.2.3 平台数据服务类规范

按照功能设计和功能需求,在数据库集成平台实施中严格按照要求搭建一套易操控、功能模块可拓展、数据导入自由的服务系统,极大程度上满足用户的需求。平台数据服务图如图4-2所示。

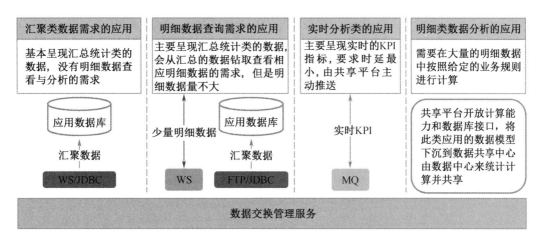

图4-2 平台数据服务图

(1)数据权限管理服务:数据存取权限管理主要用于提供根据数据内容进行授权共享的机制,通过对不同用户设置不同级别的数据存取权限,实现基于数据内容的权限管理控制。

(2)数据开放共享服务:根据不同的用户数据需求,按照权限,实现各类资源的在线订阅申请,经系统审核批准后,实现订阅数据的自动分拣、发送服务,通过可信方式进行数据的传输和应用。通过通用的数据开放共享模式,实现统一数据集中管理和开放共享的功能,同时满足数据对数据库集成平台的数据支撑以及对外部的数据服务的需求。

(3)数据可视化服务:数据可视化将标准化的试验数据在系统内以曲线、表格、色谱图、瀑布图等多种可视化工具进行展现。系统允许在统一窗口中对同一数据源或多数据源的数据同时进行可视化观察,并支持对图表(或曲线等)进行各种常规操作。对数据特定指标进行综合处理、分析,以可视化的形式对多组标准化的数据进行数据对比,并输出比对结果。数据可视化开发框架如图4-3所示。

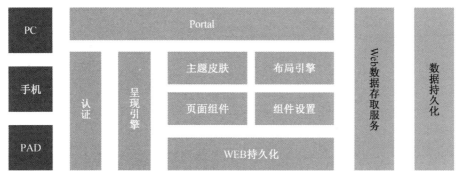

图4-3 数据可视化开发框架

4.3　统一数据库集成平台开发

4.3.1　需求分析

目前,我国船厂在船舶设计、建造、管理过程中已经处于数字化的水平。在设计方面,国内船厂在初步设计方面大都采用国外 NAPA 船舶设计系统,在船舶详细设计和生产设计方面,船厂和设计院主要采用国外的 TRIBON、CADDS5 和国内的 SPD 等造船系统;在船舶产品制造方面,主要以 MES、CAPP、NC、过程仿真等数字化技术为基础;在船舶产品管理方面则是将制造业先进的管理理念和方法(如精益生产、敏捷制造、MRP\ERP\SCM)与数字化技术(如数据库技术、网络技术)相融合,按照船舶生产管理特点,形成数字化管理技术。

虽然国内船厂基本上达到了数字化的水平,但智能化的起步较晚,数据较为分散,缺少系统性。以设计数据和项目管理数据为例:国内船厂的设计数据主要存储在设计软件自带的数据库中,且设计软件较为老旧,主要以 TRIBON、SPD 为主,这些软件在保障数据安全的前提下数据共享效率低,需对软件进行二次开发生成通用格式的数据才能进行数据集成;国内船厂目前采用的项目管理软件,如 ERP、P6 等,与船厂其他数据库并未完全集成,部分数据直接存储源文件,数字化水平不能满足船舶智能制造需要。

因此,为提高船舶产品的核心竞争力,需开发面向船舶智能制造的统一数据库平台,在开发前梳理船舶制造全生命周期的业务需求和船舶制造过程中的智能化需求,利用统一数据库集成平台创新成果和数据集成手段全面提升我国船舶制造全生命周期的智能化水平。

4.3.2　建设目标

建设面向船舶智能制造的统一数据库集成平台,主要利用数据汇集平台、数据治理平台、大数据资源中心、大数据共享平台,实现数据碰撞、比对、清洗,从而快速、有效地构建集成数据共享平台,最终满足船舶制造企业内部或者企业之间的数据互联互通需求。

4.3.3　设计原则

根据系统需求分析,平台具有涉及范围广、难度大、性能要求高、业务间关系相对复杂等特点,考虑到这些特点,总体设计必须具有下列特性。

(1)全面性:系统设计必须完整,以支撑所有业务的实施和集成。保证系统内及内部系统与外部系统的顺利整合与交互。

(2)扩展性:能够适应未来业务变化和调整的需要。

(3)继承性:应充分考虑系统的定位以及未来发展的需求,保证系统建设中架构和组件可适应发展的要求。

(4)实用性:系统建设要面向未来,技术必须具有先进性和前瞻性,但同时也要坚持实用的原则。系统在满足高性能的前提下,坚持选用符合标准的、先进成熟的产品和开发平

台,构建一个切合实际、解决实际问题的系统。

(5)可用性:本系统要能够部署在 Linux/Unix 及 Windows 平台,在各种浏览器中可以正确显示网页内容。

(6)灵活性:架构的重点在于描述系统之间的边界及相互关系,采用逻辑集中分布部署原则,保证内部系统以及内部系统与外部系统之间的耦合松紧适度。

平台的设计总体从信息共享这一核心功能出发,把握各功能之间的区别和联系,按照不同功能的特点和信息技术的特点,遵循规范、科学、通用、实用、安全、易用等要求,统筹规划总体的应用架构,并通过管理与技术的双重手段,达到资源共享、软件复用及可管理、可维护等目的。

4.3.4　系统架构

面向船舶智能制造的统一数据库集成平台系统架构主要分四层,底层是数据汇集平台层,主要包括支撑这一架构运行的数据采集组件、数据汇集库、数据加工整合、数据库适配器,负责实现各业务系统数据的抽取采集和整合。

数据汇集平台层之上是数据治理平台层,主要包括数据清洗、元数据管理、数据质量管理、信息规范标准、数据开放共享服务,主要实现各业务系统已汇集数据的清洗、转换和加载功能。

数据治理平台层之上是大数据资源中心层,主要包括业务共享库、基础信息库,主要实现数据交换共享标准化、业务数据资源化、决策数据集成化,提供数据搜索引擎、统计报表和服务接口。

大数据资源中心层之上是大数据共享平台层,主要包括数据共享功能、数据交换服务、数据共享门户、数据权限管理,实现门户展示、信息布控、信息检索、统计分析、数据碰撞、数据挖掘、异常事件处置等功能。为应用系统开发提供公共应用支撑、数据交换、应用整合、数据整合、内容整合和安全管理的公共软件能力支持。

面向船舶智能制造的统一数据库集成平台系统架构图如图4-4所示。

4.3.5　建设内容

统一数据库集成平台建设是一个复杂的系统工程。具体建设内容包括:标准体系建设、数据汇集平台建设、数据治理平台建设、大数据资源中心建设、大数据共享平台建设。其功能结构图如图4-5所示。

4.3.5.1　标准体系建设

(1)概述

标准体系由数据标准、交换标准、信息安全标准三个分体系组成。这三个分体系相互作用、相互依赖和相互补充,每个分体系又可再划分为若干个二级类目。基于统一数据库集成平台开发项目建设的特点,本章重点对信息分类与代码、元数据、数据字典及数据元素标准进行编制。

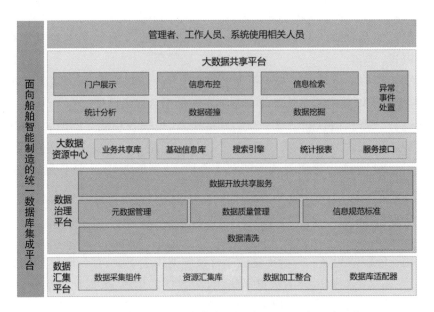

图4-4　面向船舶智能制造的统一数据库集成平台系统架构图

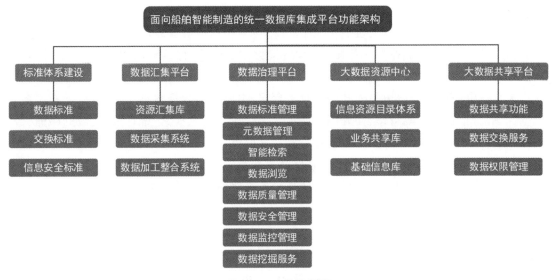

图4-5　功能结构图

（2）数据标准建设

数据标准主要包括信息分类与代码、元数据、数据字典、数据元素标准。

①数据标准

a. 信息分类与代码标准，信息分类编码标准化是实现信息处理、信息交换和信息资源共享的重要前提，是信息标准化工作的重要组成部分。应根据业务和管理的需求，科学合理地进行信息分类，并在分类的基础上，赋予标准代码，以便被本次建设的信息系统以及以后建设的信息系统采纳和使用。

b.元数据标准,元数据是描述数据的数据,即描述元数据元素的基本内容和属性。在信息系统中,无论是数据库应用还是未来数据仓库的应用,都离不开元数据,特别是在将多个应用系统建立在统一的平台上,便于各应用系统调用彼此数据时,建立元数据标准就显得非常重要。

c.数据字典,数据字典是指对数据的数据项、数据结构、数据流、数据存储、处理逻辑等进行定义和描述的集合,其目的是对数据流图中的各个元素做出详细的说明;由于一些公用数据,如企业名称、地名等会在不同的系统中被使用,需要在不同的系统中对相同的数据采用唯一的数据定义,为此需要对数据字典进行规范,使之成为信息系统的标准。

d.数据元素标准,其规定了数据元素的编写规则与方法,并给出数据元素分类和共享数据元素目录;适用于数据库的设计和开发,指导各共建部门共享数据库之间的数据交换。

②信息资源类型

a.结构化数据,结构化数据包括人、地、事、物、组织等业务数据。

b.半结构化数据,半结构化数据一般都是纯文本数据,但有多种存储格式,例如 XML。

c.非结构化数据,非结构化数据包括各类文本、文档、设备照片、录音、视频等数据。

③编码标准

各系统信息资源库的存在方式、体系结构、数据标准均是不统一的,因此必须建立共同遵守的编码标准规范,才能保证数据的一致性。编码标准示例如表4-1所示。

表4-1　职业类型编码规则示例

编码	编码名称	上级编码	编码说明
1	国家机关、党群组织、企业、事业单位负责人	NULL	
101	中国共产党中央委员会和地方各级党组织负责人	1	
102	国家机关及其工作机构负责人	1	
103	民主党派和社会团体及其工作机构负责人	1	
104	事业单位负责人	1	
2	专业技术人员	NULL	
201	科学研究人员	2	
202	工程技术人员	2	
203	农业技术人员	2	
204	飞机和船舶技术人员	2	
205	卫生专业技术人员	2	
206	经济业务人员	2	
207	金融业务人员	2	
208	法律专业人员	2	
209	教学人员	2	

表 4-1（续）

编码	编码名称	上级编码	编码说明
210	文学艺术工作人员	2	
211	体育工作人员	2	
212	新闻出版、文化工作人员	2	
213	宗教职业者	2	
299	其他专业技术人员	2	
3	办事人员和有关人员	NULL	
301	行政办公人员	3	
302	安全保卫和消防工作人员	3	
303	邮政和电信业务人员	3	
399	其他办事人员和有关人员	3	
4	商业、服务业人员	NULL	
401	购销人员	4	
402	仓储人员	4	
403	餐饮服务人员	4	
404	饭店、旅游及健身娱乐场所服务人员	4	
405	运输服务人员	4	
406	医疗卫生辅助服务人员	4	
407	社会服务和居民生活服务人员	4	
499	其他商业、服务业人员	4	
5	农、林、牧、渔、水利生产人员	NULL	
501	种植业生产人员	5	
502	林业生产及野生动物保护人员	5	
503	畜牧业生产人员	5	
504	渔业生产人员	5	
505	水利设施管理养护人员	5	
599	其他农、林、牧、渔、水利生产人员	5	
6	生产、运输设备操作人员及有关人员	NULL	
601	勘测及矿物开采人员	6	

（3）交换标准建设

平台实现各业务系统间信息的互联互通,必须对交换共享数据建立共同遵守的标准规范,只有统一数据交换的标准,才能实现对数据交换和数据共享的有效管理。

①数据交换标准定义

根据对目标系统综合性应用内容的需求分析,定义出一系列的数据交换标准。这些标准将反映各个应用所需要数据的结构。同时在标准中定义的还有数据"宿主"位置等信息，表示该数据将向哪个业务系统请求获得。

所有的数据交换标准定义信息，均以 XML 结构记录。可以通过数据交换标准定义管理工具完成功能如下：

a. 新建、修改或删除标准；

b. 维护标准中的属性，包括数据结构、数据"宿主"位置、缺省过滤条件等；

c. 实现对用户身份识别与管理权限控制。

②数据交换流程定义

数据交换是依据数据交换流程实现的，针对不同的数据，需要设定和管理不同的数据流转过程。数据交换模块的作用是提供图形化界面，给数据交换平台的管理人员提供实现数据流转过程的定义。数据交换流转过程的描述也采用 XML 方式。

具体功能如下：

a. 新建、修改或删除流程；

b. 维护流程的规则、数据加工过程和数据路由方式；

c. 实现对用户身份识别与管理权限控制。

③数据交换标准与内部数据结构的映射管理

由于数据交换标准并不知道在具体业务系统内相应数据的位置、属性、名称等信息，所以需要在业务系统内对数据交换标准中的对应项有一个映射关系的定义。这种定义包括数据项与数据项的对应或组合对应(公式化)、数据类型的匹配或转换关系、数据项位置描述记录等等。以 XML 结构保存定义的内容。

具体功能如下：

a. 数据交换标准定义信息的导入；

b. 维护数据交换标准与内部数据结构间的映射定义表，包括数据项与数据项的对应或组合对应(公式化)、数据类型的匹配或转换关系、数据项位置描述记录等；

c. 实现对管理员的身份识别与管理权限控制。

④数据交换流执行

数据交换流的执行是通过应用集成中间件实现的。采用中间件产品可以保证数据交换的高效、安全和可靠。其工作原理是：读入数据交换流程，根据流程设定，启动数据交换过程。根据业务需要，可以同时并发若干个数据交换流程。当业务变化时，只需修改数据交换流程定义，就可以实现基于新业务的数据交换过程，因此系统具有很好的可扩展能力。

具体功能如下：

a. 接收数据；

b. 验证数据；

c. 分析流程定义；

d. 根据流程进行数据交互过程；

e. 数据交互的事务管理；

f. 日志管理和交换数据存储；

g. 消息队列管理；

h. 实现对管理员的身份识别与管理权限控制。

（4）安全标准建设

安全标准从总体上划分为四大类：基础标准、技术与机制标准、管理标准和评估标准，对每一大类，按照标准所涉及的主要内容进行细分。

①基础标准分为安全术语、安全体系与模型标准、保密标准和密码技术标准四类。基础标准主要对信息安全领域最基本的内容进行约定，是其他信息安全标准制定、使用的基础。

②技术与机制类标准分为标识与鉴别、授权与访问、管理技术、物理安全四类标准。技术与机制类标准通过规定信息安全相关技术领域的基本技术机制，为不同安全产品和系统的互操作性、兼容性、一致性奠定基础。技术与机制类标准一般不涉及具体的实现细节，而集中于对通用的、基础性的安全机制进行规定。

③管理标准主要是对信息安全涉及的管理方面的安全措施进行规定。

④评估标准则是根据安全产业的需求，针对安全产品与系统的技术要求与测评准则制定的标准。评估标准分为基础评估标准、安全产品评估标准和系统安全评估标准。

（5）标准编制的组织

①标准制定的管理办法

标准化管理要求一切工作都通过标准化过程来完成，包括了标准的制定、发布、实施和对标准实施的监督的全过程。标准化过程方法要求对其标准体系的各有关过程都有清晰的理解和识别。

在建立标准体系时，应像其他管理体系那样，运用戴明轮管理模式——PDCA 模式，从策划、动作直到结果的检查和持续改进分成四个周而复始、螺旋式循环上升的阶段。为使标准化过程成为增值转换，必须通过一个标准化过程网络来完成，标准化网络的结构通常不是一个简单的按顺序排列的结构，大多错综交替，往往一个标准化过程的输出就是另一项标准化过程的输入，因此，关键是要准确识别、管理、控制各标准化过程网络和接口，对标准化过程实现有序化管理，明确要求、程序、接口、职责和权限。在分析和识别过程中，应确定过程活动中的关键控制点（CCP），并按轻重缓急，明确需要修订或增补标准的标准编制计划，按程序制定、发布标准。对评价和确认中发现的标准体系不完善或标准贯彻不到位的情况，应及时研究，妥善处理，认真采取纠正和预防措施，并及时对标准、体系文件进行修改，持续改进，使标准体系更加健全完善，更加切合实际，更加有效。

②标准编制程序

a. 编制准备

组织机构建立 标准体系的编制涉及的范围广，专业性强，是一项复杂、繁重又费时的工作，仅靠一两个人是做不好的，需提前组织标准编制的组织机构。

清理、收集、分析标准和相关文件：着手编制标准体系前，应依靠各个单位收集信息资料，对各单位在工作中贯彻执行的标准和规范性文件进行分类汇总。对在用的国家标准、行业标准和地方标准，需查询或对照有关标准目录，确认是否为现行有效版本；确定是否在复审的有效期内。若已有替代标准,则应提出清单汇总到标准化管理部门,尽快收集新的标准文本,及时组织有关单位研究是否执行最新版本标准。

分析现有标准和相关文件　对现有标准进行清理和分析,分析、调查、清理工作必须依靠各单位共同完成。要分析在现有标准中哪些是有效的、要保留的,哪些是不适应而要修订的,哪些是无效的,应该作废的。在调查分析的基础上,各单位应提出已在实施的标准、准备补充制定或修订的标准以及打算收集标准的清单,汇总报给标准化管理部门。这是编好标准体系的关键的一步。

b. 标准准备

标准需求分析　根据信息标准规范化的一般工作技术路线,在制定标准之前,首先需要确定项目的信息化建设的需求。进行需求分析,一方面是为了确定系统的标准体系,另一方面也是为了正确把握系统对标准的需求,以保证标准的实用性和有效性。

标准编制　标准编写之前首先要根据标准体系,重点针对项目需要编制的技术标准,收集国际国内的相关标准,尤其是相关系统的技术标准与技术文件,并分析这些标准与文件的技术特点,然后编写相应的标准。

标准编写还要考虑编写者对技术的了解程度,根据标准的内容特点,通过各标准组成员在工作过程中取长补短,相互合作、相互补充,以保证标准的技术完备性和管理规范性。标准编写时还需要考虑标准之间技术内容的相关性,在成立每个标准编写组的同时,技术内容相关或相近的标准编写组之间应该建立顺畅的协调机制,如设立协调组、召开协调会等。为保证标准的技术正确性、与实际情况的符合性、标准应用的可操作性,每个或每类标准应成立相应的专家组,而且专家组成员由相关部门的管理人员、相关研究人员以及信息标准化专家组成。

在编写每个标准时,首要必须保证标准技术路线的正确性,然后在技术路线的指导下,对业务和系统进行进一步的调研和分析,提取更为详细、正确的标准内容。

c. 标准实施

标准实施也是事关标准制定是否成功的关键因素。本项目提出的标准主要针对不同实施单位的技术人员,因此标准的宣贯和培训也应具体标准具体对待。根据标准规范实施阶段的不同,标准培训将分阶段开展。标准规范在使用过程中,根据实际应用情况,不断进行修订和完善。

4.3.5.2　数据汇集平台

(1)概述

数据汇集平台通过数据接口实现各业务系统数据的采集和整合,平台由资源汇集库、数据采集系统和数据加工整合系统组成。

(2)资源汇集库

资源汇集库建设是指数据的数据采集中间库建设,其建立是以现有业务系统、电子文档等多种形式的数据源为基础,通过对资源的分析、梳理进行数据建模,不对数据做复杂的业务处理,保持数据的原始状态。经过对现有数据的分析,进入资源汇集库中的数据包括如下几类业务数据,数据库的设计需要基于这几类业务数据范围,但不限于此。

①船舶制造 HSE 管理数据库

船舶制造 HSE 管理数据库中主要存储安全教育情况、包装方式、处理方法、等级、防范措施、检查内容等数据。

②船舶制造财务管理数据库

船舶制造财务管理数据库中主要存储关于人员的考勤、薪资、基本信息、人员及薪资的变动、报销等数据。

③船舶制造 OA 办公管理数据库

船舶制造 OA 办公管理数据库中主要存储关于人员的工号、通信内容、通信时间、附件信息等数据。

(3)数据采集系统

数据采集系统由数据采集接口、数据采集模板和数据自检组成。其中数据采集接口包括文件方式接口、数据表型接口、实时消息接口,如图 4-6 所示。

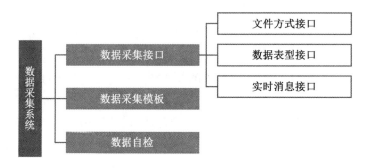

图 4-6　数据采集系统结构图

①数据采集接口

a. 文件方式型。各业务系统的数据以半格式化文本文件(CSV)、Excel 文件、格式化数据文件等形式保存,按照平台要求的数据标准通过 FTP 等标准传输协议传输到信息资源采集交换系统的前端采集应用服务器,由部署于信息资源采集交换系统负责文件的接收、解析,并形成统一格式的中间结果文件,经接入边界安全平台接入临时缓冲库(STAGE 库)。

b. 数据表型。各部门的数据存储于接口表中,信息资源采集系统的前端采集程序对接口表中的数据进行定时扫描或轮询,并生成统一格式的中间结果文件,并通过 FTP 协议传输给信息资源采集系统。

c. 实时消息型。对于实时传输型的数据,需要基于消息总线或 Socket 等技术开发前端数据接收模块,将采集数据生成统一格式的中间结果文件后,通过 FTP 协议传输给信息资源采集系统。

②数据采集模板

针对每类采集的数据设定采集的模板,在模板中定义采集的每个字段的名称、字段个数、字段含义,方便每个平台针对要求准备提供相应数据信息。

以 Word、Excel 文件提供模板下载功能。模板管理、规则管理功能是整个系统的核心、控制枢纽。所有数据采集的处理逻辑、逻辑配置都通过模板、过滤规则配置实现。

③数据自检

对于以文件方式上传的数据,在文件上传时提供自检功能,对基本的接口要求进行检验,如果发现不符合的情况以提醒的形式反馈给数据提供方。

(4)数据加工整合系统

数据加工整合系统由数据整合、数据汇集、数据模型设计、数据存储及计算、数据资源管理、流程调度设计、流程调度监控、标签数据加工、数据导入导出模块组成,如图4-7所示。数据加工整合的流程为:

a. 数据源系统现状调研分析,包括数据内容、数据结构、数据质量分析;

b. 与源系统明确数据采集接口内容及采集方式;

c. 数据采集程序开发;

d. 数据采集、清洗、加载入库;

e. 数据仓库模型设计;

f. 数据流程设计、数据转换规则及数据统计口径确认;

g. ETL作业部署实施;

h. 数据服务封装;

i. 端到端数据质量稽核;

j. 端到端元数据管理。

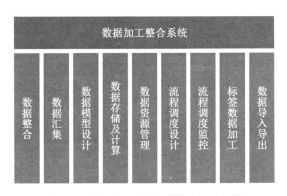

图4-7 数据加工整合系统功能结构图

①数据整合

数据整合是基于大数据库模型,结合应用支撑,以企业级数据模型域的划分为指导,构建一个面向主题的、集成的、稳定的、当前的细节数据整合层,实现对源数据库的格式标准化。

数据加工整合系统负责从各类业务数据库提取新鲜数据,对数据进行清洗(非空检查、逻辑符合性检查、业务符合性检查等)、转换(包括字段映射、格式转换,字典表转换等)、数据加载、异常日志记录等工作,其目的是持续将业务数据经过处理按照设计要求送入信息汇集库(全文索引库)。对于不符合要求的数据形成问题数据记录。数据加工整合系统所建立的数据处理过程应针对目前各类信息资源进行通用化设计,面对种类繁多的数据,其

转换方案应具有较好的可监控、可维护能力和可调度能力。

数据加工整合系统的技术基础是一个数据汇集的过程，但是 ETL 工具并不能实现数据整合所提出的要求。在系统建设过程中，大量的工作发生在建立数据整合方案的过程中。因此，数据整合系统的业务需求包括两个部分，一个部分是对抽取方式的要求，另一部分是对数据抽取整合方案的要求。而对于数据抽取整合方案而言，其技术要求的实现是基于 ETL 方式实现的，因此数据整合系统的建设主要在于数据汇集方式的建设。

②数据汇集

数据需要通过统一的方式进行抽取，形成本地的全文索引库，包括对数据源的表配置、字段配置、字典配置、字段映射配置、大字段配置、特殊字段映射、照片源配置、照片配置，从而实现整套符合大数据需求的数据整合初始化配置方案；同时具有对数据的全量抽取、时间戳增量抽取等能力，支持以任务调度的方式实现对数据源的循环更新。整个抽取过程描述如下：

在数据整合的初始化设置工作完成后，就可以使用系统的任务调度来启动抽取了。由于系统的数据来源比较多，这些系统的数据存储形式差异很大，而全文索引库将这些来源的信息进行统一检索，所以系统会采取统一的扫描机制，将混合数据源中的信息扫描后实时建立索引，形成存储在本地服务器的全文库；为了唯一标识不同来源中的数据，系统采用 URL 的指纹识别生成算法。对于数据库信息，系统将根据数据库连接协议、数据库名、表名、该表主键值，对每条记录生成唯一的 URL，并保存该 URL 列表信息，对于每一条 URL 指纹，依赖于指纹算法的唯一性，系统顺序扫描目标数据库表中的记录，直至将数据全部读入系统，对于扫描过的数据，系统不会重复读取。

利用分块索引技术，全文索引库保留原始库完整的（二维表）逻辑结构，为后期各类关联、分组、比对应用提供实现的基础。系统可以分阶段对数据进行扫描，可支持动态添加新的目标数据源，系统可在任务调度配置后，即刻对新添加的数据源启动扫描。这里需要特别提出的一点，搜索引擎在扫描过程中使用"智能化断点回滚算法"来保证扫描的效率和可靠性。

对于大数据量或更新非常频繁的扫描信息，单一的服务器可能很难保证系统扫描的速度和效率。搜索引擎充分考虑了扫描服务器集群的问题，基于可自定义扫描范围功能和 URL 指纹识别算法，对于扫描服务器的群集的实现，只需要简单地将一部分扫描数据源配置在增加的服务器上，然后启动该服务器上独立的扫描程序。在多机大型应用下（1 台检索+多台扫描），系统可根据特殊配置方式，将所有扫描服务器的信息全部同步到检索服务器进行索引，各台扫描服务器扫描回来的重复信息将因为 URL 指纹相同而被系统识别和处理。对于索引和查询量很大的应用，系统同样提供将索引和检索功能分布在多个服务器运行的功能。

③数据模型设计

数据抽取整合过程信息汇集库的建设，数据来源主要是各业务系统数据。利用数据抽取整合工具通过逻辑映射、批量抽取、数据复制等形成集中的、同构的数据资源，然后通过数据转换工具实现对数据的抽取、清洗、转换等，最后加载形成信息汇集库。实现的总体思路示意图如图4-8所示。

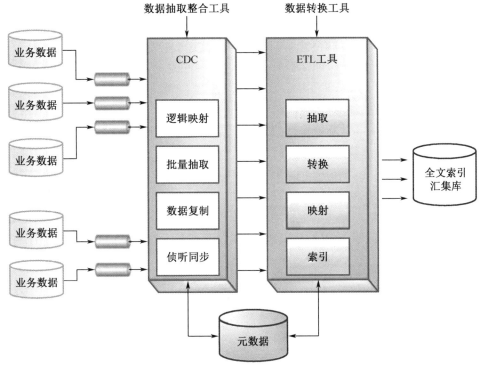

图 4-8　数据整合步骤图

如图4-8图所示,数据抽取整合的实现包括两个步骤,这两个步骤分别通过不同的工具来实现:

步骤1,数据配置:实现对分布式、异构数据的同构集成,采用物理和逻辑的方式,获取数据变化;

步骤2,数据抽取:数据抽取过程是一个相对复杂的步骤,包括数据的抽取、清洗、转换和加载等过程,通过ETL方式实现。

ETL性能设计:

a. 能够实现Oracle、SQL Server、DB2等常见数据库系统的多种版本源数据抽取。

b. 能够实现源数据的增量抽取。

c. 能够实现数据抽取项的映射与内容转换、特殊标记等。

d. 单线程数据抽取速率大于500万条(表单)/小时,可支持4线程同时抽取。

e. 数据抽取策略:系统管理员能够根据系统应用功能的需要,在不需要进行编码级工作的情况下调整业务数据被抽取项的范围、频率。

④数据存储及计算

a. 数据存储机制

平台提供三种存储机制,分别是硬存储(不常修改),适变存储(频繁修改),内存存储(热点数据)。硬存储区存储不会被修改的数据。这类数据一旦形成极少被修改,通常以

按时间增长的形式出现。例如,机器日志、行为流水等数据。这些数据我们推荐使用 Parquet 作为具体的列存储文件格式,原因如下:

Twitter 的开源产品,受到 Cloudera 的推荐使用,作为 Imapla 默认支持格式内置,使用场景较广;列存储优化大数据查询效率,查询只会读取相应的字段,效率高;由于同一列数据顺序存储,所以列存储在文件压缩上具有天然优势;Parquet 自带字典压缩、行程编码等压缩算法。

适变存储中的数据适合被频繁修改,可以使用列存储+LSMTre 的数据结构对这部分数据进行存储,提供更新接口以方便数据的更新。

平台需要提供将热点数据加载到内存存储区的功能。管理员可以通过这个功能,将热点数据加载到内存,以加速 SQL 查询,提供在线实时查询的功能。

b. 混搭云计算架构机制

如图 4-9 所示,信息资源共享平台需要基于现有服务器设施搭建"混搭"架构的数据生产加工环境,将根据数据源、数据类型、数据特征以及业务上对数据时效性、安全性等要求,匹配适当的计算手段。

图 4-9　混搭云计算架构机制

这种机制基于数据价值的特征,采取三种生产加工手段:

a. 高价值密度数据:即信息聚合度高、数据关联关系强的数据,采用关系型数据库技术,如 Oracle、MySQL,为数据加工或服务提供 SQL 支持。

b. 低价值密度数据:即批量或海量的大数据,将基于 Hadoop 生态体系构建计算能力提供批量计算、海量查询和大数据存储以满足业务需要。

c. 流数据:主要是指实时数据处理,将基于 Storm、Kafka 构建实时流计算和分布式消息机制。

⑤数据资源管理

对 ETL 过程中使用的各类数据资源进行配置管理,实现对资源的以下管理功能。

a. 资源的增删改查:对各类数据资源进行新增、删除、修改、查询操作,如在资源管理中创建、新增、删除、查询表。

b. 资源的导入、导出:对资源类型进行导入、导出操作,在资源管理中对映射进行导入与导出,减少二次开发资源映射的工作量及起到安全备份的作用。

⑥流程调度设计

通过统一的 ETL 平台实现数据的加工及调度。设计数据的映射关系,数据加工过程;设计基础层、汇总层等各层数据的详细加工流程以及调度时序,通过与 ETL 的集成,在 ETL

平台上实现各类加工规则的配置,实现数据加工过程的统一配置及管理。

ETL流程管理调度是ETL过程中的统一调度者和指挥者,它把复杂的数据处理过程中各个步骤整合成一个整体。对于同一流程的不同周期运行要求,需要根据数据的依赖关系和重要紧迫程度运用相应的流程调度机制和策略。

综合考虑ETL流程的依赖关系和环境资源的合理分配,需要对所有ETL环节进行统一规划和部署,保障和实现ETL过程的有序调用与管理。

⑦流程调度监控

平台设计标准的ETL流程监控,对流程调度的关键点进行实时监控,能够及时发现及处理流程调度过程中的异常问题,保证数据流调度。

ETL作业流程监控主要考虑ETL的监控范围、监控点、异常级别以及异常通知机制。

ETL作业异常大致分为人工处理和系统处理,对于可修复情况,由ETL自动处理,比如网络连接错误,系统设置重新执行次数及间隔,在预警同时尝试重新处理。

⑧标签数据加工

为进一步掌握关键事件的特征点,提供准确、可靠的依据,围绕人、地、事、物、组等维度,基于人的基本特征,如性别、年龄、交往、特征等多方面信息,构建围绕"自然人"特征的、全视角的、面向未来的、领域更加广阔的全新人物画像,实现360度视角的洞察能力,真实还原本质印象和特性,为构建传统数据与大数据内容于一体的、具备持续可演进的标签体系提供支撑。

标签体系的构建本身是一个不断丰富的过程,除原有基于数据源导入的标签外,实践过程本身也产生新的、有价值的标签,需要关注过程中的信息采集、标签加工与标签深度优化。整个标签体系持续改进和不断深化,以其在实际业务应用中的反馈和效果作为逐步完善的推动力。

⑨数据导入导出

数据导入导出采用文件存储的方式实现。采集系统导入工具将各类结构化数据转换为专有的格式数据文件,非结构化数据以附件形式上传导入系统中,不对该类数据进行格式转换。采集系统应能快速导出数据,对于大文件,提供专用工具,加快下载速度。根据实际需要数据智能导入需要实现以下两个方面的功能:

a. 提供导入功能,即实现原始数据采集和格式转换功能,将过程中产生的原始数据转换为符合国标的数据,对现有测量设备采集的数据定义转换规则模板,对于未知的测量设备采集的数据,导入规则可自定义;对于符合国标的数据提供导入功能,单条或批量将数据导入数据库中。

b. 提供导出功能,将数据导出为用户约定的格式(符合国标的TXT和Excel文本,或自定义的TXT和Excel文本)。用户可以根据需要查询到需要导出的数据集,利用导出工具即可将数据集打包下载。

数据出入库管理主要涉及出入库流程管理和出入库日志管理,数据出入库流程管理将流程分申请、审批、数据出入库三步,提供用户网上审签运作,实现无纸化流程管理,并可打印输出为审签单。数据出入库日志管理将所有的数据出入库系统都以日志的形式记录申

请时间、申请人、审批人、出入库时间等有关信息。

4.3.5.3 数据治理平台

（1）数据标准管理

数据标准管理模块为数据标准提供系统工具支撑，包括标准管理、标准展示、标准监控三大功能。面向数据管理者提供标准发布、审批管理等功能。面向数据维护者提供标准维护、稽核、版本管理等功能。面向数据提供者和消费者提供查询、提取、核对及分析等功能，全面提供数据标准服务能力，提供接口数据标准、维度数据标准、指标数据标准的功能支撑。

①功能架构

数据标准管理功能架构如图4-10所示。

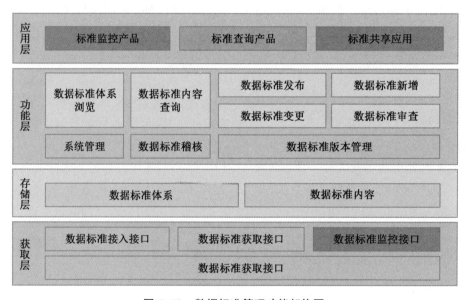

图4-10 数据标准管理功能架构图

各层说明如下：

a.获取层可以通过多种方式将数据标准体系定义的标准内容进行录入，并支持以接口方式获取数据标准内容。另外，还支持以接口方式进行数据标准执行和稽核检验结果的获取。

b.存储层对数据标准体系定义的标准规范要求和数据标准内容进行存储保留，并进行标准版本的存储管理。

c.功能层主要通过系统平台支撑数据标准管理的主要功能要求，将数据标准化的相关流程通过系统功能实现。

d.应用层允许数据标准管理模型在功能点和应用场景的基础上，开发符合数据标准管理需求的应用产品。

②数据标准管理模块与其他模块的交互关系

数据标准管理模块处理流程与其他模块交互关系流程说明如下：

a. 获取或整理数据标准化的需求,制定数据标准体系和内容,提交数据标准管理机构;

b. 通过数据标准管理机构审批通过后发布数据标准,并通过接口方式录入数据标准管理系统中;

c. 数据标准执行,通过将定义的数据标准映射到元数据信息上,将元数据信息提供给数据质量管理,由数据质量管理基于元数据信息按照稽核规则对数据进行标准质量稽核;

d. 将标准质量稽核的结果告知数据标准管理系统;

e. 将数据标准执行监控的结果反馈给数据的提供者和数据维护者;

f. 通过数据标准执行效果评估,对数据标准进行持续新增或变更;

g. 将新增或变更标准的请求提审批,完成后再发布最新数据标准体系和内容,使整个数据标准管理形成闭环。

③数据标准管理功能说明

a. 管理流程

图4-11所示为数据标准管理流程图,数据标准在填写申请但未提交审核状态时,为"草稿状态",数据标准提交后状态变为"已提交待审核",数据标准在通过审核后状态自动变为"已发布",数据标准在审核阶段驳回数据标准发起人处,为"草稿状态",数据标准在发布阶段退回数据标准发起人处,为"废止状态"。

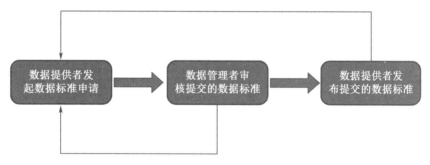

图4-11　数据标准管理流程图

b. 数据标准申请

通过填写任务信息以及数据标准相关信息发起数据标准的申请审核流程,包括数据标准新增、数据标准修改、数据标准注销。下面以物料信息的管理为例说明数据标准申请流程中涉及的主要功能:

(a)新增数据标准

任务相关:申请任务名称、申请任务描述、任务申请人(根据当前系统登录用户获取)、申请人所在部门(根据当前系统登录信息获取)。

数据标准:一条或者多条数据标准信息;物料信息包含的信息项如表4-2所示。

表 4-2　物料信息内容

基础指标标准	说明
指标属性	
物料信息编码	根据数据标准编码命名规则进行编写
物料信息定义	给定统计条件下,物料信息的定义
单位	个
数据来源	物料信息来源的数据源系统
物料分类	描述物料信息的分类,如配件类、设备类等分列体系
业务部门	该数据标准定义数据业务主管部门,该部门对数据口径、编码取值和相关专业术语有决定权
物料信息状态	说明该物料处于草稿、待审批、发布的状态
生效时间	物料信息的生效时间
失效时间	物料信息的失效时间
发布时间	物料信息审批后的发布时间
版本	物料信息的版本

审核相关:下一步审核人员。

(b)修改数据标准

任务相关:申请任务名称、申请任务描述、任务申请人(根据当前系统登录用户获取)、申请人所在部门(根据当前系统登录信息获取)。

数据标准相关:调整的数据标准信息。

审核相关:下一步审核人员。

(c)注销数据标准

任务相关:申请任务名称、申请任务描述、任务申请人(根据当前系统登录用户获取)、申请人所在部门(根据当前系统登录信息获取)。

数据标准相关:注销的数据标准信息。

审核相关:下一步审核人员。

功能实现如下:

运行方式:基于请求响应的方式。

运行周期:点击触发。

c.数据标准审核

对提出的数据标准申请进行审核,包括填写数据标准审核意见和修改数据标准审核意见。数据标准审核流程中涉及的内容如下:

(a)填写数据标准审核意见

审核相关:审核人填写审核意见信息、是否通过信息;如果审批通过,数据标准自动发布;如果审批不通过,将审核意见信息反馈至申请人处,申请人修改数据标准信息,重新提交审核。

（b）修改数据标准审核意见

审核相关：审核人修改审核意见信息、是否通过信息。

注意：一个任务包括一条或多条数据标准信息，审核时，如果有一条数据标准信息没有通过，全部驳回，修改数据标准信息，重新提交审核。

d. 数据标准发布

审核通过后，数据标准自动发布，发布信息除了包括任务详细信息、标准信息外，还包括数据标准初始版本号、文档管理初始版本号；

提供数据标准发布信息查询功能。

e. 数据标准获取

数据标准系统通过 Web Service 接口对外提供数据标准信息获取的功能。

接口方式：多数据结果集传输、单数据结果集传输、指定数量结果集传输。

接口参数：数据标准编码（单条）、数据标准名称（可能多条）、数据标准属性有属性值的键值对（可能多条）、A\B\C 的信息、页码、每页包含的数据条数。

f . 数据标准采集与接入

这是指通过数据标准对外提供的接口，将数据标准录入数据标准系统的过程。

接口方式：页面 Excel 导入、异步 Web Service 接口调用。

（a）页面 Excel 方式导入数据标准：一条或者多条数据标准信息，接口信息项遵循规范定义。

（b）异步 Web Service 接口调用方式接入数据标准：一条或者多条数据标准信息，接口信息项遵循规范定义。

操作人员：调用接口系统信息（根据此信息获取对应数据标准系统该提供特殊的用户账号与组织信息）。

审核信息：下一步审核人。

g. 数据标准版本管理

版本管理是数据标准管理的基础之一，通过版本管理，管理并保护数据标准，在数据标准管理过程中，采用对单个数据标准进行记录管理的方式，版本号的格式为 x. x. xx，其中第一个 x 表示当前整个数据标准系统的版本号，一般情况下该版本号为 1 不做变化，第二个 x 为单个数据标准的大版本信息，该大版本信息在数据标准的首次申请时自动注册为 1，后续在数据标准变更的申请中如不做大版本升级的申请，则该版本信息不做变化，如再数据标准变更申请过程中提出升级大版本的申请，则在原版本的基础上增加 1，如：当前版本信息为 1. 1. xx，在数据标准变更过程中如申请大版本升级，该版本号变更为 1. 2. 00，xx 代表数据标准再变更过程中小版本的变化，在数据标准变更申请过程中，如不对数据标准的大版本进行提升，则本小版本号在原来的基础上自增长一次。

（2）元数据管理

元数据管理是按照数据整合的层次结构、主题域划分，对各层的各种对象，如表、存储过程、索引、数据链、函数等的管理。

元数据内容涉及整个信息整合平台的各个数据环节，从数据采集、逐层加工稽核、数据

服务到最终应用展现的处理,元数据管理贯穿了整个流程,并与各环节实现有效互动,元数据内容如图 4-12 所示。在业务层、数据层和应用层,元数据管理的具体内容如图 4-13 所示。

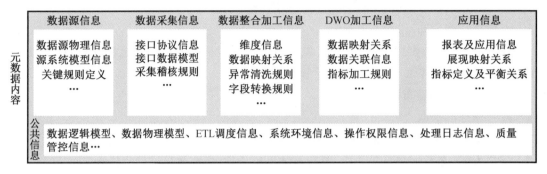

图 4-12　元数据内容

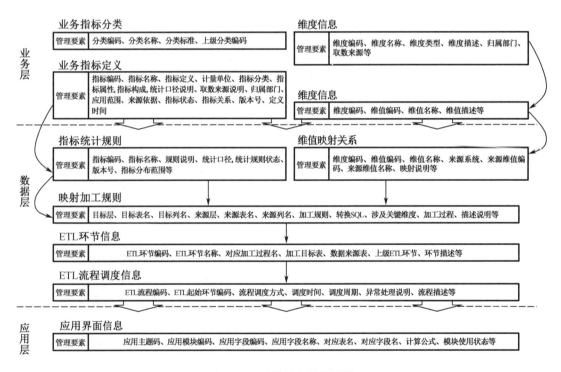

图 4-13　元数据分层结构图

(3)智能检索

智能检索包括全文检索、综合查询、组合查询和分词功能四个功能模块,如图 4-14 所示。

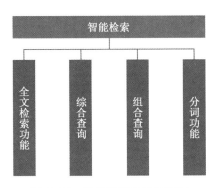

图 4-14 智能检索功能结构图

①全文检索功能是依托数据联查和全文信息检索而开发的更高端的、人性化的应用。是通过一个或者多个特征数据,在本地和异地多种业务系统数据间及网络环境中,按照运算逻辑关系完全结构化、非结构化一体检索的一个功能应用。通过对读取数据建立全文索引库,这些数据可以是结构化的资源中心数据、半结构化的日志文件和非结构化的文件类数据。系统主要包括三大块:数据源挂接管理、索引任务调度、全网检索服务。全文检索功能架构图如图 4-15 所示,全文检索界面和检索结果界面示意图分别如图 4-16、图 4-17所示。

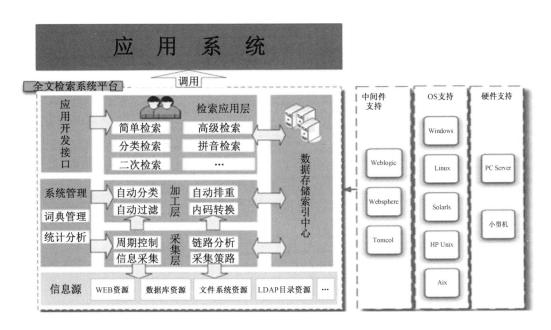

图 4-15 全文检索功能架构图

图 4-16　全文检索界面示意图

图 4-17　全文检索结果界面示意图

②综合查询利用全文索引的索引库优势和正则表达式的复杂处理能力,可动态对多个表中的内容进行检索、匹配操作,使得跨多个表的要素查询无须进行数据的统一抽取整理,并具有天然的跨表查询能力,使业务不固定的跨表字段精确查询成为可能,并具有良好的可用性,也为实现其他更深一步的分析比对功能提供了坚实的基础。

③组合查询功能可以让管理员在系统平台中根据各表中的字段属性定义字段的分类(如名称类、编码类、型号类、计量单位类等),依次将各表中的相关字段选择到该类下。有了这样的配置,用户可以通过一次查询,将所有名称数据中包含"XX"的数据一一查询出来。这样的结果既全面、又保持了准确性。

④分词功能,平台提供多种灵活的索引策略:按词检索的索引策略、按字检索的索引策

略、按用户自定义关键词的检索策略,以及二元索引策略。这些策略各有自己的特点,用户可以根据业务特点和需要,选择不同的切分词策略。

（4）数据浏览

数据浏览包括数据概览和数据多维查看两个功能模块。

①数据概览可提供已知数据源的展示、查找、编辑功能,同时在编辑功能中还提供数据新增功能。

②数据多维度查看提供数据视图自定义功能,能够根据不同用户的不同需求,基于船舶制造相关数据的不同属性,从类型、层次、所属系统等多角度、层次化地组织和查看数据信息,从而实现为不同角色的人员提供不同类型数据查看视图的功能。

（5）数据质量管理

按照现代数据质量管理(DQM)观念,数据质量是一个过程而不是结果。数据仓库的数据质量应当在整个数据仓库规划、设计、建设、维护中体现和实现。数据质量保证重点从数据质量组织机构、数据质量管理以及数据质量验证机制三个方面考虑,提供相应的管理流程支持。

数据质量管理包括数据核查和关键指标检查两个功能模块。

①数据核查方面,根据数据质量情况,结合综合分析系统,我们可以考虑及时性、完整性、有效性、一致性、准确性等数据质量指标(DQI)规则。

②关键指标检查,有利于在数据流的最末端发现数据质量问题。关键指标检查分为指标基础检查和指标加权波动检查两类。

a. 指标基础检查包括指标数值检查、波动检查、关联检查和平衡检查等;

b. 指标加权波动检查,通过对单个指标的基础检查结果和影响因素的加权计算分析,综合检查指标的波动和变化情况。

（6）数据安全管理

数据安全管理包括数据权限管理、规则管理和数据加密三个功能模块。

①数据权限管理模块提供用户管理功能和权限管理功能,系统首先定义权限,权限针对不同类型数据、不同秘密级别数据定义,然后管理员可以创建新用户,给不同用户定义不同的角色,不同的角色分配不同权限。从而实现用户访问操作控制。系统支持用户身份识别和鉴别机制、用户操作记录、自主访问控制或强制性访问控制策略,界面如图4-18所示。

②规则管理是指对数据管理采取细粒度权限定义,根据用户的权限执行自主访问控制,详细定义系统用户能对系统数据对象可执行的操作。本模块通过定义用户的系统权限与对象权限,来保证用户只能够进行规定权限的操作。其中系统权限设置不同的角色和用户对系统各模块的操作权限,包括权限生效时间等;而对象权限设置不同的角色和用户对数据文档、数据集等对象的操作权限。

③数据加密是指为了防止数据泄露被他人盗用,上传到文件服务器上的数据都会被压缩和加密,只有通过企业内部人员的本机上的数据管理系统客户端,才能对其进行解压、解密。

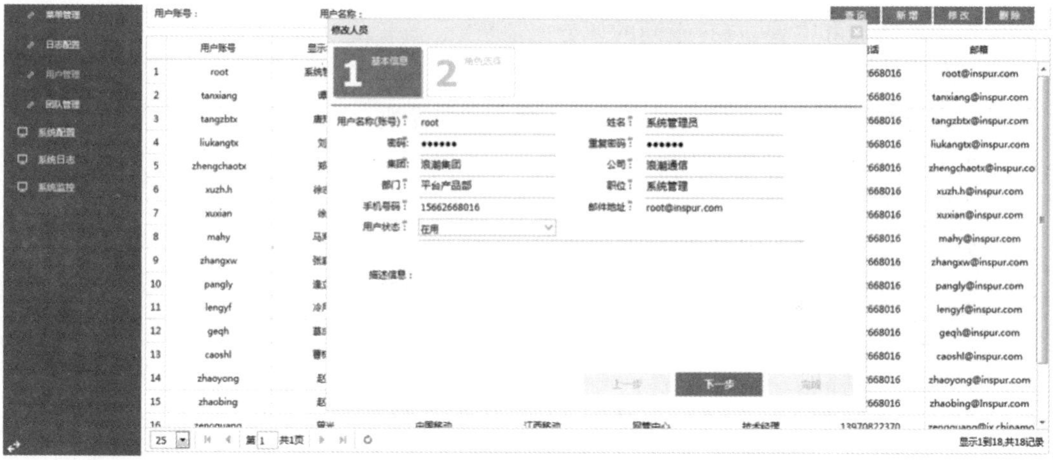

图 4-18 数据权限管理界面示意图

（7）数据监控管理

这是指监控各数据资源的数据源以及抽取汇集的资源库情况，功能如下：

源端数据库监控在数据源不可用、数据表改变等情况时自动进行报警。

汇集库监控提供可视化界面，将每天统计汇集库中各用户下的数据变化情况、空间变化情况等信息，进行汇总展现，反映汇集库当前的状态和健康程度。

（8）数据挖掘服务

数据挖掘提供用户需要的多种数据挖掘方法，包括包络分析（DEA）、决策树、关联关系、贝叶斯、聚类、神经网络等；通过配置不同的参数，实现数据的聚类、关联分析和预测等。同时支持不同场景的分析算法，如社交关系网分析、用户重大事件挖掘、协同推荐、基于决策森林的文本分类等。

4.3.5.4　大数据资源中心

（1）概述

大数据资源中心设计包括信息资源目录体系建设、业务共享库设计和基础信息库设计，实现数据交换共享标准化、业务数据资源化、决策数据集成化。

利用数据仓库技术，建立企业级数据资源中心，一方面满足各级人员的数据需求，另一方面，大数据平台与各业务源系统进行信息互动，可以为这些系统提供评估类信息的反馈。

（2）信息资源规划总体思路

按照关于数据资源服务建设的有关国家标准、行业标准和面向船舶智能制造相关信息资源管理有关规定和要求，以信息资源规划方法和系统工程要求，在现有信息资源规划体系的基础上，以信息共享协作为目标，进行共享信息资源规划、信息资源中心和资源目录建设。

①数据交换共享标准化

在多年的信息化建设过程中，各系统的信息资源数据库的存在方式、体系结构、数据标准等均是不统一的，因此，要解决系统间信息的互联、互通、互操作，必须对交换共享数据建立共同遵守的标准规范,只有具有统一的编码、数据结构、数据格式等,才能保证数据的一致性,才能实现对数据交换和数据共享的有效管理。

②业务数据资源化

各业务系统分管的业务范围和职责不同,因此,系统在全局考虑、统一设计的同时,还要充分考虑不同业务部门自身的特点,在统一规划的前提下,保证支持不同业务活动的数据具有相对独立性,建立面向各业务系统进行业务处理的业务数据库。

③决策数据集成化

建设数据中心的一个最重要的目的就是将各业务系统的业务结果数据有机地集成在一起,进行综合查询和统计分析,为相关人员的决策提供有力的数据辅助支持。

(3)信息资源目录体系建设

①建设思路

信息资源目录是按照树状信息组织模式,实现信息管理和服务接口的一种方法,是揭示信息资源结构、指导用户使用的检索工具,是用户迅速、准确、有效地寻找信息的向导,是对信息资源实施安全保护的有效手段。

建立信息资源目录体系,实现对系统的共用资源以目录形式进行统一管理与配置,对业务系统交换数据进行统一的数据分类、数据目录及交换目录管理与记录管理,可为行业内部及外部提供资源信息服务,为信息资源目录体系提供资源目录服务接口。

通过信息资源目录体系的建设,可以达到如下目的:

a. 提供灵活的资源管理方式,实现资源集中整合;

b. 资源科学分类管理;

c. 丰富的权限级别和授权方式,保证资源高效、安全共享;

d. 便于系统的扩展和外联。

②主要框架

信息资源目录体系的概念模型包括支撑标准、数据库、信息资源目录等三部分。

a. 支撑标准包括指标体系分类编码标准、数据元标准、数据交换格式标准、信息资源目录标准、共享数据集标准及其他相关标准,是建立信息资源目录体系的重要基础和保障。

b. 数据库包括信息资源库和核心元数据库。

c. 信息资源目录是以信息资源核心元数据为基础,对信息资源进行分级分类和格式标准化,形成信息资源的有序组织,包括数据资源目录和服务资源目录。

③主要功能

信息资源目录是揭示信息资源结构、指导用户使用的检索工具,是用户迅速、准确、有效地寻找信息的向导,是对信息资源实施安全保护的有效手段。

目录管理系统将信息资源根据多种分类方法进行编目,并提供目录查询和目录管理功能,通过将资源进行有序排列整理,便于用户尽快找到所需信息和定位资源。

目录管理系统主要依据元数据标准、信息资源目录标准、目录服务标准等,完成资源表示、资源目录管理、提供资源目录查询服务等功能。

目录管理系统的功能主要分为目录创建、目录维护和目录使用三个方面,其中目录创建和维护都属于目录管理范畴。目录创建功能利用 XML 标准技术和 LDAP 目录服务系统或其他的相关技术,将原有各业务系统中的数据按标准抽取出来,经过目录编制人员和维护人员对数据进行定制化汇总、分类,将关键资源信息存储到相应的目录服务系统中。目录维护包括目录树的维护和目录内容的维护,以及目录相关内容的设置和与多级目录库的变动自动保持同步的机制。目录使用功能主要是提供目录查询服务,使用方式有目录系统的应用程序接口和目录系统的用户图形交换界面。

(4)业务共享库

①建设目标

业务共享库是基于资源汇集库中的数据,经过数据治理平台按照既定业务数据处理规则进行清洗比对,根据信息资源目录的结构进行组织,通过资源共享平台统一定义,统一标准结构生成的业务共享数据。用于支撑主题类、专业类的应用。业务共享库中存储业务信息,在数据共享平台中通过目录资源申请数据。

业务共享库中的数据基于不同的业务要求,按不同主题、专业形式进行组织。业务共享库采用分散建设的方式,按实际数据要求,可以形成多个数据库实例。

业务共享库中存储各专业口的业务共享数据,使用频次、要求比基础信息库要低,与基础信息库通过基础数据的编号等属性进行关联。

②建设内容

业务共享库是向外提供数据的数据源头,系统中的共享服务均基于业务共享库建设。表4-3 中所列内容需要在项目建设过程中根据实际要求进行补充完善,项目建成后,根据资源需求及业务需求动态扩充内容。

表4-3　业务共享库一览表

业务系统数据库	字段名
船舶制造结构信息数据库	结构编号
	类型
	描述
	参数
	数量
	单价
	状态
	零部件信息
	型材信息
	板材信息
	加工信息
	责任部门
	备注

表 4-3（续 1）

业务系统数据库	字段名
船舶制造图纸信息数据库	图纸编号
	数量
	状态
	描述
	比例尺
	标注
	标准标注
	出图风格
	设计软件
	幅面
	责任部门
	备注
船舶制造报表信息数据库	报表编号
	描述
	类型
	状态
	入库产品报表
	出库产品报表
	仓库统计
	意见
	备注
船舶制造人员信息数据库	人员编号
	描述
	类型
	状态
	人员基本信息
	人员动态信息
	人员薪金信息
	人员出勤信息
	意见
	备注

表 4-3(续 2)

业务系统数据库	字段名
船舶制造设备信息数据库	强度
	编号
	负责部门
	参数
	重量
	使用寿命
	主要功能
	数量
	类型
	功率
	工作时间
	备注
船舶制造设计管理数据库	设计编号
	物资编号
	描述
	类型
	状态
	参数
	进度要求
	进度信息
	物资储备信息
	采购申请信息
	负责部门
	备注
船舶制造进度管理数据库	建造进度编号
	项目编号
	生产计划
	建造进度
	合同信息
	反馈时间
	进度信息
	进度负责人

表 4-3(续 3)

业务系统数据库	字段名
船舶制造物资管理数据库	物资编号
	项目编号
	单位
	单重
	物资描述
	物资类别
	物资能力
	物资能力单位
	物资数量
	物资数量单位
	物资占用情况
	物资可用情况
	备注
	录入人员
	录入日期

(5)基础信息库

①建设目标

基础信息库是基础信息资源的数据库。基础信息库中的数据是船舶制造集成平台数据的基础,基础信息库中的数据具有基础性、基准性、标识性、稳定性等特征,通过数据共享平台支持各类应用系统,为船舶制造企业内部或企业之间甚至是行业内提供信息服务。

②建设内容

通过基础信息库可以获取共享业务库各业务的唯一信息编码,基础信息库一览表如表4-4 所示,所列内容需要在项目建设过程中随着共享业务库的扩展而扩展,项目建成后,根据资源需求及业务需求动态扩充内容。

表 4-4 基础信息库一览表

业务系统数据库	字段名
船舶制造集成平台数据库	编号
	采购编号
	人员编号
	图纸编号
	结构编号
	物资编号

表 4-4(续)

业务系统数据库	字段名
船舶制造集成平台数据库	进度信息
	设计编号
	报表编号
	描述
	责任部门
	备注

4.3.5.5　大数据共享交换平台

（1）概述

大数据共享交换平台的共用技术支撑软件,为应用系统开发提供了公共应用支撑、数据交换、应用整合、数据整合、内容整合和安全管理的公共软件能力支持,并且屏蔽了复杂的底层技术,为应用系统的建设和整合提供了方便。

大数据共享交换平台是各应用系统的技术及业务支撑,是整个面向船舶智能制造的统一数据库集成平台中最重要的建设内容。

大数据共享交换平台是位于网络系统、操作系统与各大应用系统之间的一个逻辑上的平台,由众多专用组件和中间件组成,是构建应用系统的基础结构,起着承上启下的作用。对下,大数据共享交换平台提供基础的组件,如应用服务器中间件、消息中间件等负责与底层硬件进行数据传输和统一资源调配。对上,提供应用系统界面集成组件、应用集成组件和公共组件,支撑应用系统的开发与整合。同时提供数据集成组件实现对数据中心的数据进行统一访问、统一管理及统一存储等操作,利用数据交换组件为不同应用系统、不同数据中心之间的数据交换提供支持和服务,通过门户组件使各应用系统集成在同一环境下,提供单一入口、统一的用户界面、统一的用户管理和权限管理。

同时,大数据共享交换平台也是以信息的采集、存储为基础,能够自动产生、分发、推送工作任务清单,通过服务的方式,为应用系统提供支撑的信息平台。大数据共享交换平台是为满足连接各业务系统建设的数据交换和共享平台,它是在整体的层面上对不同系统和平台之间进行信息整合的基础和载体。大数据共享交换平台除了完成系统间的数据整合、交换、共享及业务系统的功能之外,同时也承担着面向各个业务应用的支撑。

大数据共享交换平台具有的基本功能是建立以数据交换为核心的体系,支持不同业务处理,不同软硬件平台,不同结构数据的捕获、分类、整合、管理、传送等交互操作的协同工作机制。

大数据共享交换平台要具有不同业务信息共享和不同工作流程相配合的功能,能够将应用系统的基础结构改造成为一个开放的系统,便于接纳新的应用系统。

大数据共享交换平台同时还要具有统一性、安全性、灵活性等特点,即必须建立在安全支撑平台基础之上,通过统一的接入认证、安全 Web 门户、可信信息交换和可信应用传输以及系统间的接口规范,来为业务系统提供安全服务和可信应用环境,实现安全、互联、互通和安全信息共享及安全运行业务应用。

对于新的应用系统,直接在大数据共享交换平台上进行设计,无须限制新应用系统的操作规则,无须限制新应用系统的数据库类型和结构,无须为实现数据互通而为新应用系统编写接口。

对于原有的应用系统,提供数据层的整合方案,尽量减少对现有系统的修改。大数据共享交换平台可从新、旧系统的数据库中有选择地实时获取数据,可以识别、抽取、输出多种文件格式的数据。

通过预设业务规则,应用支撑环境可依据系统条件或相关数据库状态自动启动数据处理操作。

大数据共享交换平台要具有可扩展性,允许逐个接入、启用应用系统,不相互制约。新增应用系统可以通过大数据共享交换平台与已接入的应用系统建立数据共享关系。现有应用系统不会限制未来新应用系统与大数据共享交换平台的数据关系。

大数据共享交换平台主要提供以下两大类数据服务:

①数据共享

数据共享主要以数据资源中心中的各类数据资源库、主题库为数据基础,将各业务系统的数据以封装服务方式,提供多数据格式、多协议的数据接口服务,供其他业务系统调用,辅助业务的协同。

②数据交换

各业务系统数据源种类数量庞大,除了部分汇聚到资源中心外,各业务系统功能仍保留了大量自有数据,为了使这部分数据体现价值,同时为了减小各业务系统数据交换的成本,由大数据共享交换平台提供制定管理体系内统一的数据交换标准(包括数据标准、接口标准)以及服务,各业务系统按标准提供数据查询接口,并通过平台数据交换服务获取需要交换的数据,辅助业务协同。

(2)数据共享功能

数据共享服务主要解决各业务系统汇聚到大数据资源中心后的资源共享,对汇聚的数据进行封装,以数据接口或文件传输方式,通过中间件进行格式或标准转换,提供给其他业务系统数据,实现数据资源共享。

①数据封装

数据封装是指将各类数据库资源以标准数据服务接口的形态为应用层提供服务。经过封装的各类数据库,可依据核心数据库的安全要求及资源访问范围等进行分布式的独立数据库服务部署。由独立的数据库服务对外提供数据服务,包括以下功能:

a.基础资源库封装基础资源库的数据和服务接口。

b.主题库服务主题库的数据封装服务接口。

c.资源目录服务资源目录数据服务的封装接口。

d.应用接入组件封装实现第三方应用接入的统一标准化。定义了各类型应用接入的接口类型,如 Web Service、HTTP/Rest、FTP、Socket 等协议。

e. 查询分析能力组件封装查询分析能力,实现单次信息查询、批量信息查询的内部处理逻辑,将系统内部的数据根据查询请求组装、规整;系统应支持两种方式供外部数据需求方进行数据查询,即界面模式和接口模式。

(a)界面模式:数据使用方首先申请"数据查询功能",管理员分配查询权限以及查询范围。数据使用方通过系统提供的界面进行数据查询操作,系统界面中需提供查询条件、过滤条件、过滤等相关数据查询辅助手段。

(b)接口模式:数据使用方首先申请"数据查询功能",管理员分配查询权限、查询范围、查询密钥及配置数据连接信息和 SLA 策略。数据使用方通过接口方式连接到系统进行数据查询操作。

f. 挖掘能力组件封装平台通过对挖掘工具的封装,提供统一的标准,对外提供数据挖掘能力。平台提供图形界面,数据使用方首先申请"数据挖掘",管理员分配数据权限以及范围。数据使用方通过系统提供的界面进行数据挖掘操作。挖掘能力组件封装主要包括关系挖掘组件、碰撞组件等。

g. 服务接口管理,服务接口是对应用层进行开放的各类数据服务、应用组件服务的服务接口,主要包括服务地址、服务接口负载及安全支撑、服务接口日志等功能。

h. 服务地址配置管理,平台各类服务通过统一的部署管理进行管理,服务接口依据规范定义标准的数据访问和应用组件访问地址。

i. 服务接口负载控制服务接口具备自动的负载适应及控制能力,对高并发、异常访问等进行有效的负载和报警处理。

j. 服务接口安全控制,由于服务开放的统一接口是直接对外提供数据产品服务能力的,因此需要在以下几方面实现服务接口安全管理功能:

(a)具有对超出统一接口最高并发数的访问查询请求的自动延迟。

(b)实现对统一接口输出内容的独立监控模块,确保不包含客户隐私数据和敏感数据,且监控模块具有可快速直接切断指定链接的功能。

(c)实现对外部恶意访问、查询、攻击的抵御和防范功能,建立完善的安全管理机制。

k. 服务接口日志,服务接口日志是指分服务接口具备对各个接口日志生成能力,提供依据各类维度信息的全面采集,如按时间、按接口、按状态、按用户名、按 IP 地址等充分记录服务接口访问日志,为服务流量、安全、运维提供有效的日志管理基础数据。

②封装管理

数据封装的方式分为两种:一种是对批量的数据进行封装,将封装后的数据发布到数据仓库的共享区或者 FTP 服务上,提供数据应用和外围系统获取服务,这种方式主要针对访问方需要海量数据的情况;另一种方式是将数据封装成 Web Service 或者其他专用 Socket 协议的格式供访问方获取单条数据,这种方式主要针对用户视图等的访问情况。

a. 数据封装的格式主要有三种,数据表格式、普通文本格式和 XML 格式。

(a)数据表格式:数据表格式是将数据库中的数据表直接共享给数据应用系统,根据数据库管理系统的不同,数据表可能是 Oracle 格式或者是 DB2 格式。

(b)普通文本格式:普通文本是一种常见的数据共享格式,适合于大数据量的批量数据

共享。通常通过 FTP 协议向数据应用系统提供数据。

（c）XML 格式：XML 格式的封装适合于即时性强、数据量小的数据共享。XML 格式根据所采用的服务协议不同而结构有所不同。

b. 数据获取协议数据服务组件统一放在数据共享区域，提供数据应用系统进行访问服务，数据服务管理系统支持数据库共享（DB Link）、FTP、Web Service 和其他自定义方式的数据访问协议。

（a）数据库共享：数据库共享方式为直接向数据应用系统开发数据访问权限，但账户信息和分级权限由数据服务管理系统进行统一管理。此方式属于同步数据获取方式。

（b）FTP：数据应用系统通过 FTP 协议获取数据，数据通常为文本格式，也可以是 XML格式。FTP 的账号和分级目录权限由数据服务管理系统统一管理。此方式属于异步数据获取方式。

（c）Web Service：数据应用系统通过 SOAP 协议获取数据，数据服务管理系统对每个Web Service 服务统一管理。此方式属于发布订阅数据获取方式。

（d）自定义协议：可协商制定其他方式的数据获取协议。

c. 数据发布服务支持手动数据发布和定期自动数据发布。手动数据发布主要用于应对临时性的数据提取需求，由数据服务管理人员在系统界面上编写数据抽取规则，由系统自动从数据库中根据相应规则将数据取出，发布到数据共享区域；定期数据发布适用于普通的周期性数据共享（如每月定期共享用户消费、使用数据等），系统根据事先编写好的数据抽取规则定期从数据库中抽取相应数据发布到数据共享区域。数据服务管理可根据需要通过四种数据发布方式将数据发布到共享区域中：

（a）共享区数据复制：在数据仓库之上开放数据共享区，将需共享的数据复制到数据共享区，数据共享区可以是独立软硬件环境（适合于固定格式的数据共享）。

（b）虚拟数据发布：在数据仓库中设置相应的账户和访问权限，通过虚拟视图的方式共享数据（适合于需要灵活查询方式的数据共享）。

（c）RPC 服务：通过服务共享层的 API 共享数据，数据获取方可通过远程调用访问共享层的 API，由 API 提供数据仓库中相应的数据（适合于消息类的数据共享）。

（d）平面文件导出：将数据导出为平面文件，使用常用网络协议，如 HTTP、FTP 等接口方式提供共享数据（适合于固定格式的批量数据共享）。

③组件管理

数据服务可以位于不同的数据共享区，并且可包含数种数据获取协议，数据格式和数据获取协议构成了数据服务组件。数据服务管理系统将位于个共享区的数据服务组件进行分类管理，形成一个数据服务组件池。数据服务管理系统对组件池中组件的元数据、生命周期、分类目录等信息进行管理。

a. 服务组件目录管理：为了便于数据应用系统对数据服务组件进行查询、访问，数据服务管理系统将服务组件组织成服务目录树，通过域->子域->实体的组织结构向数据应用系统提供查询信息服务。

b. 服务组件权限管理：数据服务管理系统支持基于角色的数据访问权限，并且维护一

个数据服务组件的可访问权限矩阵。权限控制的最小粒度可到数据资源(一个数据服务组件可包含多个数据资源)。

c.服务组件生命周期管理:包括组件注册、组件变更、组件目录查询、数据获取反馈、组件删除等功能。

(a)组件注册:建立一个新的数据服务组件时,需要向数据服务管理系统注册。数据服务管理系统将服务组件添加到组件目录树中。

(b)组件变更:在数据服务组件变更时(接口方式变更、资源路径变更等)将向数据服务管理系统更新数据服务组件的元信息。

(c)组件目录树查询:应用系统通过服务管理接口对目录树进行查询,服务管理接口支持关键字查询、服务 ID 查询、服务名称查询、数据接口方式查询、数据资源路径查询、数据资源名称查询、数据资源更新时间查询。服务管理接口返回单条或多条服务的详细信息。

(d)数据获取反馈:应用系统获取数据完毕后,反馈消息到数据服务管理接口,数据服务管理系统依据所反馈的消息对数据进行清理。

(e)组件删除:当数据服务组件不再使用后,则生命周期结束,此时数据服务管理系统将从服务目录树中将服务删除。服务组件在注册时会同时注册服务组件的有效期,服务组件在到达有效期时会被服务管理系统删除。如果数据应用系统在有效期结束后还需要使用服务,则需要在有效期内发出申请以延长有效期。

④服务共享管理

数据共享服务是通过数据接口对外提供数据,同时接收数据应用的数据回写。

a.服务交互接口通过服务交互接口向业务应用系统提供服务组件查询、元数据获取和数据获取等数据服务。数据服务支持多种自定义消息格式,例如组件查询请求、组件信息获取、数据获取请求等。

b.数据回写服务业务应用系统生成的衍生数据如果存在共享价值,平台提供回写机制,将衍生数据回写到 DWA 层,回写数据时,同样涉及数据检验、清洗、转换、装载等处理工作,包括:

(a)回写服务注册:数据应用系统通过回写服务注册接口向数据服务管理系统申请数据回写请求,回写请求包括回写数据的格式(以 FTP 形式提交文本文件,或者通过数据库共享直接回写相关数据表)、数据文件大小、数据表记录大小等数据属性信息,服务管理系统收到请求后向客户端返回一个服务 ID,作为数据应用回写数据时的识别编号。

(b)回写通知:数据应用完成回写任务后,通过回写通知接口向数据服务发送回写任务的执行结果。

(c)回写数据装载:回写数据处理包括以下四部分内容:数据装载、数据校验、数据清洗、数据转换。

(d)回写服务注销:由于业务需求的变化数据服务管理系统会根据数据应用系统的申请而取消回写服务。回写服务注销后,服务管理系统根据注销操作生成回写服务注销通知,包括回写服务的编码、名称、内容、流程关联(回写流程中的关联服务信息)、注销原因等信息。

c. 由数据共享配置管理、管控及可视化操作相关的功能组成：

（a）共享配置管理：对共享数据的内容和共享接口规则进行配置，包括基础数据配置、共享服务配置、共享权限和共享配置下发。

（b）数据共享管控：对共享过程提供监控手段，发现异常能够实时告警，同时监控各系统是否正常按照配置规则进行数据共享。

对共享过程中产生的异常，提供接口派单至保障系统进行处理。

对共享过程中产生的各种日志能够进行查询和清理，包括配置日志、共享日志、异常日志等。

对共享过程产生的控制消息、共享数据、共享数据服务提供查询、统计和分析功能。

（c）可视化管理：提供管理界面，完成如下功能：

可视化：展示现有的共享服务状态，中断/失败的服务请求的内容日志。

可配置：配置共享服务包含可配置的内容，共享指标，维度。

可管理：对共享服务进行起、停、配置管理。

（3）数据交换服务

数据交换系统主要解决各业务系统不便于汇聚到大数据资源中心的数据的交换，由需要交换数据的两个部门协定交换内容以及接入码，通过中间件进行数据格式或标准转换，完成两个业务系统间的数据交换。

①ESB服务总线

企业服务总线（ESB）提供了通用连接能力，对连接在平台上的各个系统进行配置和监管，以松散耦合的方式相互交互来完成各系统的集成，它以SOA为核心，对系统内各种服务进行统一的管理，为系统提供了一种较强的适应能力。

由ESB总线提供的基础级服务支撑以上的所有服务。ESB通常采用面向服务的体系结构，SOA保证在一个异构的环境中实现信息稳定、可靠的传输，屏蔽掉用户实际中的硬件层、操作系统层、网络层等相对复杂、烦琐的界面，为用户提供一个统一、标准的信息通道，保证用户的逻辑应用和这些底层平台没有任何关系，最大限度地提高用户应用的可移植性、可扩充性和可靠性，提供一个基于应用总线的先进应用整合理念，最大限度地减少应用系统互联所面临的复杂性。

采用ESB总线技术，平台管理的实现和维护都相对简单，保证每一个应用系统的更新和修改都能够实时地实现；同时当新的应用系统出现时能够简便地纳入整个IT环境当中，与其他的应用系统相互协作，共同为用户提供服务。

ESB的总体架构如图4-19所示。

ESB由集成开发工具、逻辑节点和监控管理中心三大核心部分组成。逻辑节点中包含企业服务总线ESB、应用流程引擎以及便于应用集成开发的组件和套件（如适配器、控制块、处理组件）组成。

a. 逻辑节点

它是ESB系统的运行环境，节点控制器是一个独立的监控进程，用于监控在同一个逻辑节点内所有受控服务器的运行状况以及启停控制，包含通过ESB服务器的中介流程、适配器、组件的运行服务器。

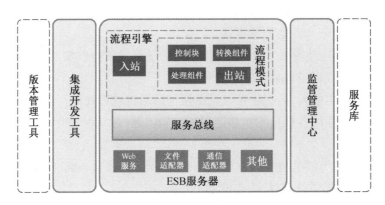

图 4-19　ESB 总体架构图

（a）服务总线

SOA 体系结构中 ESB 处于服务消费者和提供者的中间,提供中介功能来完成查找、访问、路由及服务治理等功能,提供了对同步/异步等通信方式的支持。

（b）应用流程

这是指在 ESB 服务上的,提供服务中介功能的流程。应用流程可以将用户应用系统接入并转换为服务,并且将其与已有的 Web 服务之间进行中介转换。

（c）适配器

适配器是外系统接入业务集成平台的桥梁,是多种异构系统之间互联、互通及互操作的重要组件,包含支持连接服务与应用系统。

（d）Web 服务

ESB 提供 Web 服务是基于标准开发协议的服务接口,提供应用系统的服务化、服务的接入与接口转换、服务安全扩展等功能。

b. 监控管理中心,监控管理中心是监控管理逻辑节点及对部署在逻辑节点上面的项目、服务、组件及业务流程等运行状况的集中管理。通过监控管理中心提供的管理控制台,可以查看逻辑节点及部署在逻辑节点上面的项目、服务、组件及业务流程等运行状态、日志信息等,并能够对所监控的对象进行如启动/停止等控制。

c. 版本管理,为满足不同开发工具,需提供多开发环境,可以根据需要选择合适的版本管理工具。

d. 服务库是对服务进行统一的注册和发现的系统。

②消息中间件

消息队列为构造以同步或异步方式实现的分布式应用提供了松耦合方法。消息队列的 API 调用被嵌入到新的或现存的应用中,通过消息发送到内存或基于磁盘的队列。消息队列可用在应用中以执行多种功能,如要求服务、交换信息或异步处理等。

在消息队列中,队列分为很多种类型,包括本地队列、远程队列、模板队列、动态队列、别名队列等。本地队列又分为普通本地队列和传输队列,普通本地队列是应用程序通过

API对其进行读写操作的队列;传输队列可以理解为存储-转发队列,比如:我们将某个消息交给消息队列系统发送到远程主机,而此时网络发生故障,消息队列将把消息放在传输队列中暂存,当网络恢复时,再发往远端目的地。

远程队列是目的队列在本地的定义,它类似一个地址指针,指向远程主机上的某个目的队列,它仅仅是个定义,并不真正占用磁盘存储空间。根据应用逻辑划分,ESB主要划分成发送和接收两种队列。

消息中间件由运行节点、监控管理中心、开发接口三部分组成。节点是由一个或一组队列控制单元、配置文件、系统运行监控进程、远程监控代理进程组成,为应用系统提供消息存储、传输、管理、控制服务。

a. 队列控制单元

队列控制单元负责对一组队列进行管理和监控,消息发送、接收、通道维护等工作都由队列控制单元负责。一个节点可以根据系统的规模建立一个或多个队列控制单元,以提高系统的管理灵活度和消息的处理能力。队列控制单元由配置文件、数据交换区、一组核心进程(发送进程、接收进程、监控进程)和一组代理进程(客户代理进程、发布订阅代理进程)等组成。

b. 系统运行监控

系统运行监控模块负责对整个系统的运行情况进行监控,并诊断、排除和报告各种错误。系统运行监控模块需要能够及时掌握各系统进程的运行情况,当某个进程出现问题时,系统运行监控模块可以第一时间监测到,并能够及时进行修复,系统运行监控模块能够根据用户的配置对应用进程进行调度和管理,当有消息到达时,能够及时触发和通知应用进行接收和处理。

c. 远程监控代理

远程监控代理作为节点与监控管理中心之间的桥梁,负责为监控管理中心收集和提供节点的各类配置信息、监控信息等,同时负责执行监控管理中心上的相关远程控制操作(如配置变更、消息清理),真正实现监控管理中心对节点的实时动态管理。

③ETL中间件

在实施数据集成的过程中,由于不同用户提供的数据可能来自不同的途径,其数据内容、数据格式和数据质量千差万别,有时甚至会遇到数据格式不能转换或数据转换格式后丢失信息等棘手问题,严重阻碍了数据在各部门和各应用系统中的流动与共享,因此将采用主流数据集成技术ETL技术,ETL中间件如图4-20所示。

从不同结构的数据源中抽取数据,对数据进行复杂的加工处理,最后将数据加载到各种存储结构中,ETL集成开发环境如图4-21所示。

a. 开发/调试

ETL提供任务组件和转化组件,通过这些组件以图形化的方式,实现数据集成流程的快速编排,可以将完成开发的数据集成流程保存到资源库中。

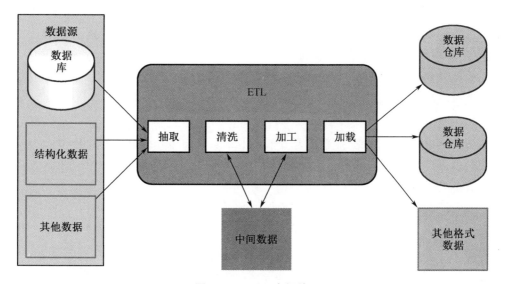

图 4-20　ETL 中间件

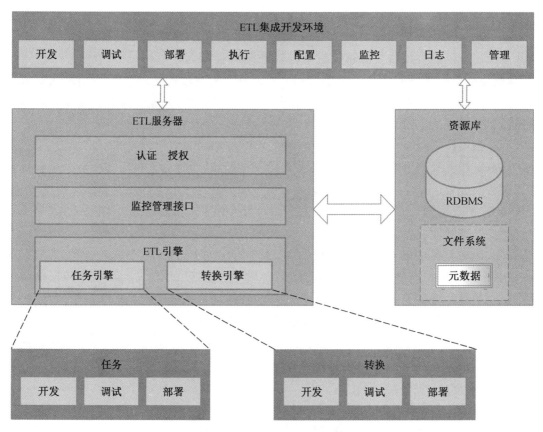

图 4-21　ETL 集成开发环境

b. 远程管理

通过 ETL 服务器的远程接口,实现对服务器的管理,包括数据集成流程的分布式部署、远程执行、对执行状态的实时监控、对执行日志进行查看和分析。

监控管理功能可以对运行中的流程执行暂停、开始、停止、解部署等控制,同时还可以对数据处理状态进行实时监控,包括每个组件处理的记录数、过滤的记录数,并且可以得到每个组件处理数据的性能指标和整个集成流程的性能指标。ETL 服务器包含两个执行引擎,任务引擎和转换引擎,分别实现对任务的调度管理和完成实际数据抽取、加工处理、加载的执行。

c. ETL 引擎

ETL 服务器包含执行数据集成流程(任务流程和转换流程)的任务引擎和转换引擎,可以检查部署在该节点上的数据集成流程,并执行配置为启动执行的流程。

d. 监控管理接口

ETL 服务器还提供了对运行时的监控和管理功能,这些功能都通过 HTTP 接口对外开放。通过这些接口,可以实现远程管理,如流程部署、流程控制、转换监控、日志查看等功能。

e. 认证授权

ETL 服务器提供了完善的认证授权机制,只有通过认证和授权的用户,才可以通过监控管理接口实现对服务器的管理和监控。

(4)数据权限管理

基础数据库中包含的数据量较大,同时又来源于不同的数据源,且基础数据库的数据信息对于船舶制造发展的意义重大。因此数据的权限控制至关重要,系统中规划设计了数据的权限管理。

①数据应用权限管理

a. 查阅权限管理。对大部分用户登录至系统中可以查阅具体哪些部分的数据进行配置。

b. 数据下载权限管理。对可下载的数据进行严格控制,下载数据与资源申请模块结合,对可下载的数据进行留痕记录,同时可下载数据部分也可以进行配置管理。

c. 数据管理权限。系统管理员或各业务管理角色可针对各自管理的数据范围进行数据的管理,例如数据更新、数据权限配置、数据的备份以及错误数据管理等。

d. 流程控制。对部分数据资源需进行资源的申请,系统提供资源审批的流程管理机制,各环节审批流程结束后方可查阅或者浏览数据。

②用户角色管理

角色分为两类角色,一类角色只管业务系统的访问权限,一类角色只管业务系统的授权权限,将授权与统一账号认证本身的管理区分开来。

a. 设置用户角色

设置某一个或某一批用户所属角色,系统提供三种设置方式:

(a)以组织机构的方式设置:以树形目录的方式列出所有组织机构下的用户,可以直接选择某一节点的组织机构设置这个节点组织机构下的所有用户属于哪几种角色,也可以单独设置某一个用户所属的角色。

(b)以用户组的方式设置:系统列出所有用户组信息,选择某一用户组后,再选择该用户组所对应的一个或多个角色。当为一个用户组设置了一个或多个角色时,该用户组下所有用户都具有了用户组所设置的角色。

(c)以模糊查询条件的方式设置:系统以向导的方式,通过提供的工号、用户姓名、用户所属组织机构、用户账号所属期限、用户的性别等多个查询条件筛选出用户,对查询出的用户再选择对应的角色。

b.设置用户属性

设置某一个或某一批用户所属的属性,同样系统也提供三种设置方式:

(a)以组织机构的方式设置:以树形目录的方式列出所有组织机构下的用户,可以直接选择某一节点的组织机构设置这个节点组织机构下的所有用户在某一应用系统中的属性值。

(b)以用户组的方式设置:系统列出所有用户组信息,选择某一用户组后,再设置该用户组所对应某一应用系统中的各个属性值。用户组设置某一应用各个属性值的方式,要满足该用户组下所有用户的这些属性值都必须相同的条件。

(c)以模糊查询条件的方式设置:系统提供多个查询条件筛选出某个或某批用户,再设置其对应的某一应用系统的应用属性值。

③角色分级授权管理

我们把角色按照是否具有分级授权功能可分两大类:一类是具有分级授权功能的角色;另一类是普通角色,即不具有分级授权功能。

在所有统一账号认证平台中注册的所有功能、权限也可以分成两大类:一类是本身统一账号认证平台具有的功能、权限;另一类是各业务系统注册的功能、权限。

为了实现统一账号认证平台的角色分级授权功能,首先要确定具有分级授权功能的角色在统一账号认证平台中具有哪些权限。因此,我们把统一账号认证平台本身的这些功能在统一应用管理中注册,这些功能包括:

a.统一角色管理功能,这项应用功能下需要注册的应用权限包括:新增角色、修改角色、删除角色、新增用户组、修改用户组、删除用户组、添加用户到用户组。

b.统一应用管理功能,这项应用功能下需要注册的应用权限包括:新增应用、删除应用、修改应用、新增应用权限、修改应用权限、删除应用权限、新增属性、修改属性、删除属性。

c.统一授权管理功能,这项应用功能下需要注册的应用权限包括:设置用户角色、设置用户属性、设置角色的应用权限、权限的代理、权限的委托。

实现统一账号认证平台的角色分级授权功能,其次是要实现具有分级授权功能的角色的可操作数据的范围管理,包括以下三个方面:

a.用户数据的范围,在用户数据的范围中扩展出可管理的组织机构的范围。

b.角色数据的范围,在角色数据的范围中扩展出可管理的用户组的范围。

c.注册的应用功能、应用权限、应用属性的范围。

分级授权场景举例：

条件1：假如《基础数据库》中现在就一个超级管理 SuperUser，他具有《基础数据库》的所有功能权限。

条件2：现在有三个业务系统要集成到《基础数据库》中进行管理，分别是《进度管理》《物资管理》《设备管理》。

实现从系统管理员到各业务系统管理员的分级授权，步骤如下：

（a）SuperUser 用户在角色管理中新增三个角色：Admin_jd、Admin_wz、Admin_sb；

（b）添加用户至这三个角色：Admin_jd(User_jd)、Admin_wz(User_wz)、Admin_sb(User_sb)；

（c）设置这三个角色的系统权限和允许管理的各项数据范围。

各业务系统管理员要对本业务系统中角色进行分级授权，步骤如下（以《进度管理》为例）：

（a）User_jd 新增《进度管理》所需的角色，进度维护管理员（Role_jdwh）；在统一应用管理中注册《进度管理》的各项应用功能、应用权限、应用属性。

（b）指定 Role_jdwh 角色为分级授权角色；

（c）设置 Role_jdwh 可操作的系统权限和允许管理的各项数据范围。

业务系统中具有分级授权功能的角色用户，进行下一级的分级授权设置是一个等同于范例（b）的递归过程。递归的终点只需要上一级具有分级授权角色的用户，不再添加它所管理的角色至分级授权角色。

④数据字段加密管理

业务共享数据中可能存在一部分数据需进行涉密相关的特殊处理和特殊存储方式，对于这部分数据系统设计通过对接业务数据加密、解密的配置方式进行管理，如图 4-22 所示，具体流程如下：

a.数据对接密文传输

涉及的业务系统中的涉密数据，在对接过程中由业务单位进行文件审核并最终脱密或由数据交换中心进行涉密字段的脱密传输，脱密传输同样并非指明文传输，需通过一定的加密手段进行加密，双方约定解密方式或系统保留业务单位所提供的解密密钥。

b.字段加密存储

数据在通过数据整合平台后，由本系统进行数据的再次加密，对特殊字段的加密方式通过系统的加密规则模块进行配置管理，若数据信息隶属于该配置中某个字段，则根据字段所配置的加密方式进行加密，然后进行存储。

c.数据解密

特殊字段进行加密存储后，查看具体的数据时需通过数据权限管理模块的权限控制，例如通过申请流程审批，经过审批后获得某些数据信息的临时查看权限，系统根据字段加密解密配置进行数据的解密，并提供展示。

d. 共享数据时进行解密

原则上,涉密数据不在本系统对外进行交互,只做更新,若需涉密字段对外共享需通过有关部门的审批及程序的特殊处理。

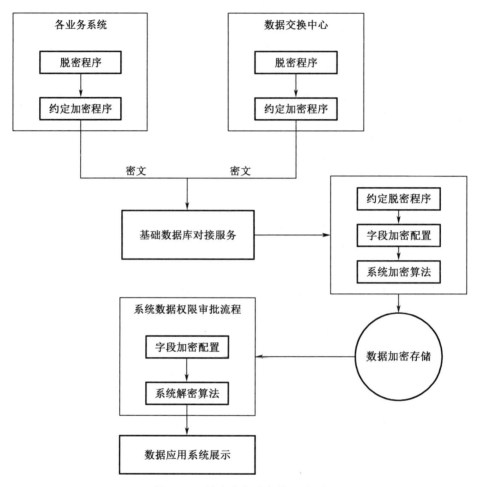

图 4-22　涉密字段信息管理流程

系统常用的加密相关的方式:

a. 加密算法

采用 DES 加密算法,对称密码算法,即算法需要一个密钥,加解密共用。

b. 密钥生成

密钥由密钥程序生成,为保证数据安全性,用户可以对密钥进行修改,同时对历史加密数据进行刷新。密钥程序可由用户手动生成密钥。

c. 密钥存放

加密密钥以文件方式存储,存放在指定主机的指定目录下。

加密程序需要读取这个指定主机指定目录下的加密密钥文件,解密密钥由指定人员保管。

4.4　统一数据库集成平台应用验证

平台可提供数据采集、数据治理、数据服务等功能,实现船舶各业务部门的系统互通与数据共享,促进船舶企业对现有数据资源的有效利用,减少资料收集和数据采集带来的重复劳动和额外费用。

平台对船舶智能制造的研发设计、生产制造、经营管理、售后服务等数据进行采集、集成,一方面可为船舶各系统提供数据支撑,另一方面可对海量数据进行分析挖掘,辅助船舶企业进行生产决策。

4.4.1　数据采集模块开发

4.4.1.1　概述

平台在数据采集方面,针对数据来源不同、类型不同、数据量大小不同等特点,进行了多种数据源的适配接入开发。一方面可以通过传统 ETL 技术接入传统网管对数据进行采集,另一方面可应用分布式数据装载和数据流接入的方式完成对海量数据的采集。支持结构化数据、日志文件数据及非结构化数据的并行采集和抽取,满足不同网络环境下应用服务的数据解决方案。数据采集框架如图 4-23 所示。

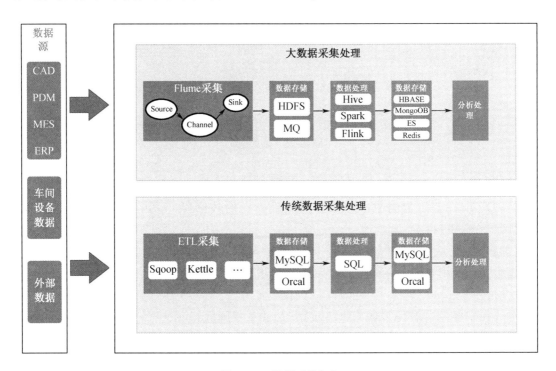

图 4-23　数据采集框架

平台开发的数据采集组件有 FTP 下载、SFTP 下载、HDFS 下载、执行 SQL、表输入、表输出、XML 输出等功能组件,用于数据的采集,采集流程如图 4-24 所示。

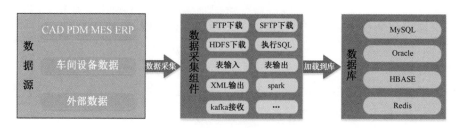

图 4-24　数据采集组件流传

以下选取代表性采集组件进行介绍:

(1)表输入

使用该组件可以连接指定数据库,通过自定义 SQL 语句从中取出对应的数据集,并输入到下一步。表输入如图 4-25 所示。

图 4-25　表输入

(2)表输出

使用该组件,上一步输出的结果集写入到指定的数据库与表中。表输出如图 4-26 所示。

(3)HDFS 下载

该组件是使用 HDFS 协议从 HADOOP 集群中任一服务器下载指定文件。HDFS 下载如图 4-27 所示。

对船舶智能制造各环节数据进行采集时,针对不同数据源选择不同的适配接入方式,获得数据源接入后根据数据格式、类型,选择相应的数据采集组件,以拖拉拽的方式进行数据采集流程配置实现数据的采集。

传统数据采集时,可用数据输入输出组件或执行 SQL 组件对数据库中数据进行采集,也可使用 SSH 组件编写数据采集脚本对数据进行采集,传统数据采集流程如图 4-28 所示。

图 4-26　表输出

图 4-27　HDFS 下载

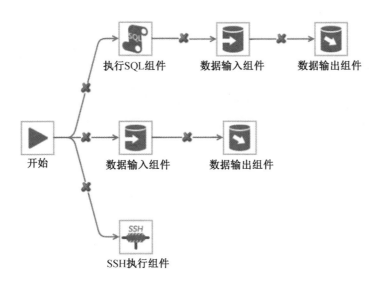

图 4-28　传统数据采集流程

海量数据采集时,可用 spark 任务组件、SSH 执行组件通过脚本与批处理等方式对船舶海量数据进行采集,海量数据采集流程如图 4-29 所示。

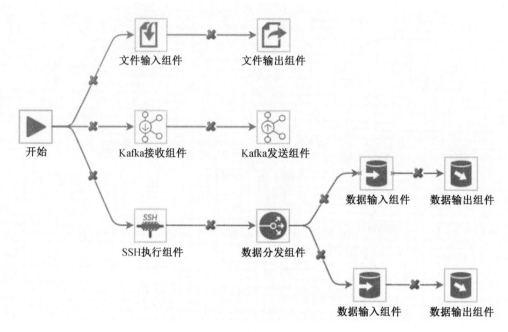

图 4-29 海量数据采集流程

4.4.1.2 数据采集引擎

通过元数据驱动,依据数据提供方式,平台对数据源进行探测,核实数据是否已按要求提供。海量数据采集流程如图 4-30 所示。

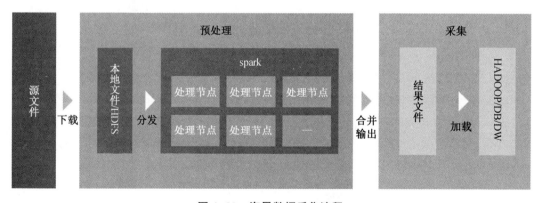

图 4-30 海量数据采集流程

(1)组件管理

主要的组件如下。

①FTP 下载

该组件是使用 FTP 协议连接至指定 FTP 服务器,并且将指定目录下的指定文件下载至

指定目录,如图4-31所示。

图4-31　FTP下载

配置参数说明:

<步骤名称>:通用属性,给组件命名并展现在拓扑图内。

<数据源>:选择FTP数据的来源。

<文件路径>:要下载文件所在路径。

<输出路径>:文件下载后的存放路径、相对路径、绝对路径均可。

<文件名称>:需要下载文件的名称,可使用通配符"＊",如"＊""file＊"。

②SFTP下载

该组件是使用SFTP协议连接至指定服务器,并且将指定目录下的指定文件下载至指定目录,如图4-32所示。

图4-32　SFTP下载

配置参数说明:

<步骤名称>:通用属性,给组件命名并展现在拓扑图内。

<数据源>:选择FTP数据的来源。

<文件路径>:要下载文件所在路径。

<输出路径>:文件下载后的存放路径、相对路径、绝对路径均可。

<文件名称>:需要下载文件的名称,可使用通配符"＊",如"＊""file＊"。

③HDFS 下载

该组件是使用 HDFS 协议从 HADOOP 集群中任一服务器下载指定文件,如图 4-33 所示。

图 4-33　HDFS 下载

配置参数说明:

<步骤名称>:通用属性,给组件命名并展现在拓扑图内。

<HDFS 路径>:HDFS 文件所在路径,其配置结构为 hdfs://IP:port/dir,如:hdfs:// 10.190.1.1:8080/ws。

<本地路径>:文件下载后的存放路径、相对路径、绝对路径均可。

<下载线程数>:下载文件时启动的线程数,最小 1,最大 10。

④解压缩

该组件将指定文件或上一步传入文件进行解压缩操作,常与下载类(如 FTP 下载)相关组件配合使用。

配置参数说明:

<步骤名称>:通用属性,给组件命名并展现在拓扑图内。

<文件源路径>:要解压文件所在路径及名称,可手动填写,也可以从上一步获取文件名称。

<选择参数>:将文件源路径设置为上一步输出,只有上一步有文件名输出时,该选项可用。

<前面步骤参数>:选择前面步骤输出的参数,仅有"选择参数"被勾选时可用。

<是否设置解压密码>:设置文件解压时是否需要解压密码,若选择是,则必须在"解压密码"中输入密码。

<解压密码>:解压文件时提供的密码,默认不可编辑,当选择需要解压密码时为必填。

<文件压缩格式>:文件压缩类型,从下拉列表中选择。

⑤存储过程

该组件提供连接指定数据源,并且执行被连接数据源中存储过程的功能。

配置参数说明:

<步骤名称>:通用属性,给组件命名并展现在拓扑图内。

<数据源>:选择要执行存储过程的数据库。

<SQL>:键入需要执行的存储过程名称。不支持语句块。

<参数设置>:可新增,删除参数,参数名称在SQL中被引用,参数方向分为输入与输出,参数设置每个参数所在行均为必填项。存储过程可以没有参数。

⑥执行SQL

该组件提供连接指定数据源,并且执行自定义的功能,如图4-34所示。

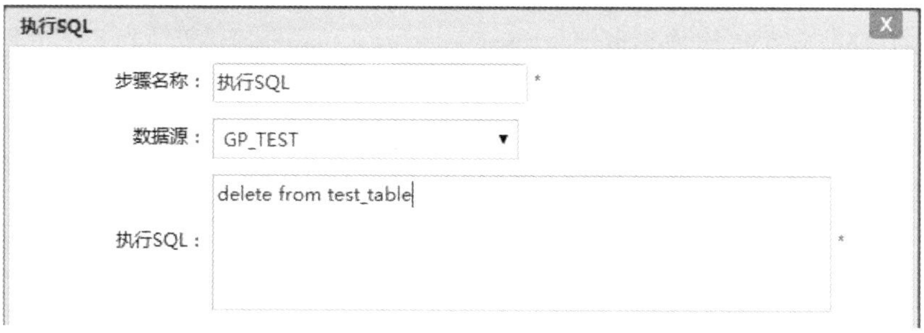

图4-34 执行SQL

配置界面参数:

<步骤名称>:通用属性,给组件命名并展现在拓扑图内。

<数据源>:选择要执行SQL的数据库。

<执行SQL>:键入需要执行的SQL名称,不支持语句块。

⑦表输入

使用该组件可以连接指定数据库,通过自定义SQL语句从中取出对应的数据集,并输入到下一步,如图4-35所示。

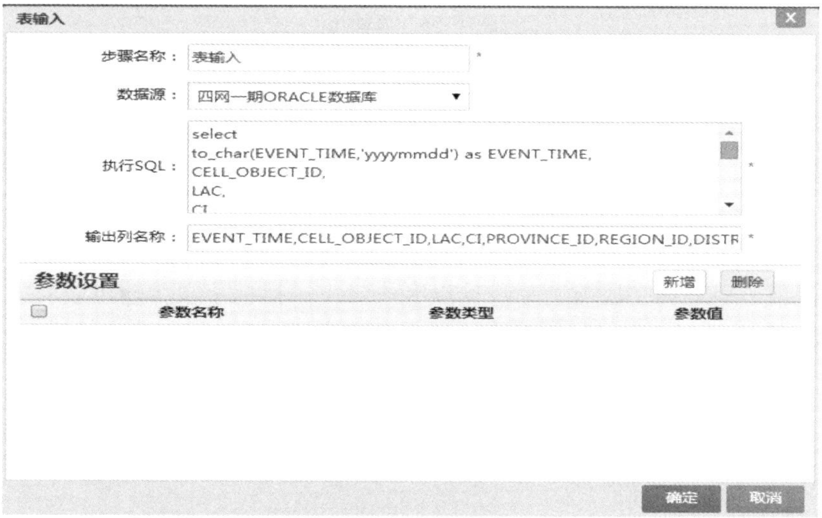

图4-35 表输入

配置参数：

<步骤名称>：通用属性，给组件命名并展现在拓扑图内。

<数据源>：选择要执行存储过程的数据库。

<执行 SQL>：键入需要执行的 SQL 名称。仅支持查询 SQL 以及有返回结果集的函数。

<输出列名称>：根据所填写 SQL 自动生成，若查询 SQL 中出现不规范字段名称或别名，则无法正常保存。

<参数设置>：可新增，删除参数，参数名称在 SQL 中被引用，参数方向分为输入与输出，参数设置每个参数所在行均为必填项。

⑧表输出

使用该组件，上一步输出的结果集写入到指定的数据库与表中，如图 4-36 所示。

图 4-36　表输出

配置参数：

<步骤名称>：通用属性，给组件命名并展现在拓扑图内。

<数据源>：选择要执行存储过程的数据库。

<输出表名称>：需写入数据表名称。

<字段映射>：将表内字段与上一步输出字段对应。目标字段为输出表内字段，映射值为上一步输入字段。不填写时为默认一一对应。

⑨XML 输出

将指定目录的 XML 文件按照配置的节点属性进行解析，输出成单条记录，如图 4-37 所示。

配置参数：

<步骤名称>：通用属性，给组件命名并展现在拓扑图内。

<文件源路径>：XML 文件所在的路径（单个文件）。

图4-37　XML 输入

<前面步骤参数>:勾选前面步骤则根据前面步骤输出参数获取文件。

<循环读取路径>:循环读取 XML 的路径。

<文件编码格式>:指定文件的编码格式。

<字段设置>:设置读取的字段以及字段读取的规则。

<名称>:读取出字段的名称,用于文件输出配置,必填项。

<XML 路径>:该路径以循环读取路径为参照,区分为三种情况。第一种情况是,若要读取的数据不在配置的循环读取路径中,则填写该数据在文档中的完全路径,以"/"根开始;第二种情况是,若要读取的数据在配置的循环读取路径中,但是是属性值,则配置成"@ +属性名称",如@ DN;第三种情况是,若要读取的数据在配置循环读取路径中,并且是节点值,则配置子节点的名称(不包含引号)如子节点为<V i="1">则配置为"V i=1"。

<是否为属性>:根据 XML 路径配置情况选择属性还是节点。

<字段类型>:要解析出的字段的类型,默认为 string,建议全部选择为 string。

<运算法则>:只针对节点下的子节点的算法,如求和、求平均。

⑩文件导出

该组件可将上一步的输出结果集导出为文件,可指定文件编码格式以及文件内容分隔符,常与表输入联合使用,如图4-38所示。

配置参数:

<步骤名称>:通用属性,给组件命名并展现在拓扑图内。

<文件名>:指定输出文件的名称。

<输出目录>:指定输出文件存放的路径,该路径必须存在。

<分割符>:导入文档中内容分隔符号。常用"|"。

<文件头标记>:对上一步输出的数据集字段进行过滤与指定顺序,若不填写则默认为上一步输出字段及顺序。

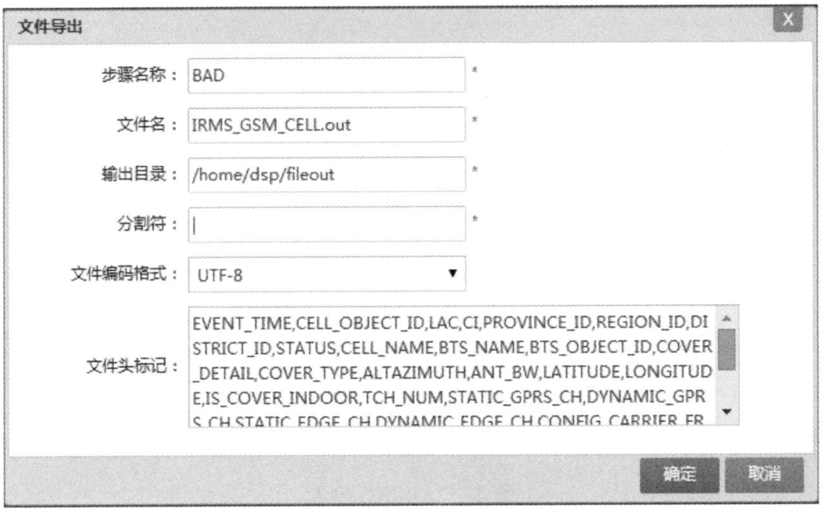

图 4-38　文件导出

⑪FTP 上传

连接到指定 FTP 将指定文件上传至 FTP，如图 4-39 所示。

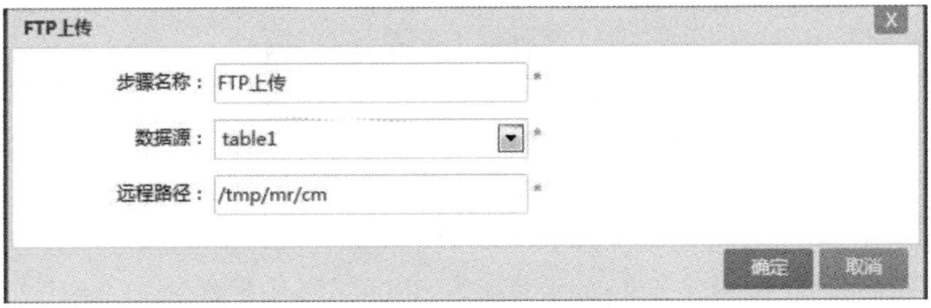

图 4-39　FTP 上传

配置参数：

<步骤名称>：通用属性，给组件命名并展现在拓扑图内。

<数据源>：选择要上传的 FTP 的数据源。

<远程路径>：要上传至 FTP 的路径。

⑫spark 任务组件

该组件可执行 spark 脚本，并设置其执行参数，如图 4-40 所示。

配置参数：

<步骤名称>：通用属性，给组件命名并展现在拓扑图内。

<数据源>：选择要 spark 脚本的数据源。

<任务名称>：spark JOB 名称。

<main 类>：jar 包入库函数。

<master>：执行模式。下拉选项中为 spark 的标准执行模式枚举。

图 4-40　spark 任务组件

<jar 包的路径>:被调用 jar 的存放路径及名称。

<sparksubmit>:spark 启动脚本所在觉得路径。

<执行内存>:执行 spark 时指定占用内存。

⑬OracleLoader

该组件是将指定的文件中的数据使用 SqlLoader 导入到 Oracle 中指定的表内。OracleLoader 配置参数如图 4-41 所示。

图 4-41　OracleLoader

<步骤名称>:通用属性,给组件命名并展现在拓扑图内。

<数据源>:选择要执行存储过程的数据库。

<表名>:需要导入数据的表的名称。

<数据插入方式>:在导入数据时,数据以何种形式写入数据库。insert:普通 insert 写入方式;append 以 append 方式追加写入 Oracle;truncate 再写入前情况数据(写入方式的具体区别请参考 Oracle 官方文档)。

<字段分割符>:导入文档中内容分隔符号,常用"|"。

<跳过行数>:从第一行开始计算,连续不入库行数。此参数一般用于有表头,或中断后继续录入。

<容错行数>:可选项,不填写为 2 000,若小于 0 则为默认值。文件导入被拒绝的最大行数,若拒绝数超过此值则操作失败。

<输出脚本路径>:Gpload 脚本存放路径,指定目录必须存在,并且该目录 SSP@ DP 具备操作权限。

<过滤条件>:与 SQL 中 where 条件一致,指定条件以过滤掉不需要的数据,可为空。

<文件头>:指定文件中所有列对应的字段信息,以逗号分隔。

<文件列表>:指定需要加载的文件的绝对路径。

<文件列与表达式>:指定文件列与数据库中列对应情况,可进行数据转换。

⑭SSH 执行

该组件可以远程到指定的 Linux/Unix 服务器并执行指定的脚本或者命令,如图 4-42 所示。

图 4-42　SSH 执行

配置参数:

<步骤名称>:通用属性,给组件命名并展现在拓扑图内。

<数据源>:选择要执行存储过程的数据库。

<执行类别>:选择执行的类别,分别为 脚本、命令。

<脚本名称>:指脚本存放的绝对路径。

<脚本内容>：指需要写入指定脚本中的内容,若为空,则不更改以前脚本中的内容。

<执行命令>：要执行的命令内容,如 rm – f XXX

⑮综合采集

此组件为特殊组件,针对性开发,其功能集合了 XML 解析、gpload 组件的功能,在配置属性方面可参考该两个组件,由于属性已写死,此处不多作描述,如图 4-43 所示。

图 4-43 综合采集接口适配器

此组件上一步输出必须是 XML 文件,可以连接到解压缩后。

配置参数：

<步骤名称>:通用属性,给组件命名并展现在拓扑图内。

数据源:选择需要入库的数据库。

表名:需要采集数据的表名。

加载数据文件名称:要采集的文件,在此处也可以是 XML 解析出来的文件路径及名称。

GP 加载脚本:gpload 加载脚本存放路径。

⑯FTP 中转

该组件为文件传输组件,主要实现从源 FTP 下载文件上传到指定的中间 FTP 目录,如图 4-44 所示。

配置参数：

<步骤名称>:通用属性,给组件命名并展现在拓扑图内。

<下载数据源>：指定要下载数据所在的数据源

<下载文件路径>:指定要下载的数据所在的目录。

<下载文件名称>:需要下载文件的名称,可使用通配符" * ",如" * ""file * "。

<上传数据源>:指定需要上传以存放文件的数据源。

<上传文件路径>:指定上传文件的存放目录。

<是否增量>:非增量;增量。区别在与上传文件前是否清空指定目录。

⑰文件输入

该组件可将已存在文件映射为指定格式,如图 4-45 所示。

图 4-44　FTP 中转站

图 4-45　文件输入

配置参数：

<步骤名称>：通用属性,给组件命名并展现在拓扑图内。

<文件源路径>：指定要处理的文件,可由上一步传输,勾选选择参数时不可编辑。

<选择参数>：根据数据是否有上一步提供而选择是否勾选。

<前面步骤参数>：当勾选选择参数时生效,可选择与该组件连接的步骤作为输入步骤。

<分割符>：文件中列与列之间的分隔符。

<文件编码格式>：指定文件的编码格式,如不知道编码格式,可在 Linux 下执行 file 命

令查看。

<文件头映射>:指定文件内列的映射输出关系。

<文件列名>:指定文件内列的名称。

<第几列>:指定文件列名称所对应的文件列。

⑱JMS 消息

该组件用于消息队列输出,为前端提供协议好的消息,从而进行下一步动作,如图 4-46 所示。

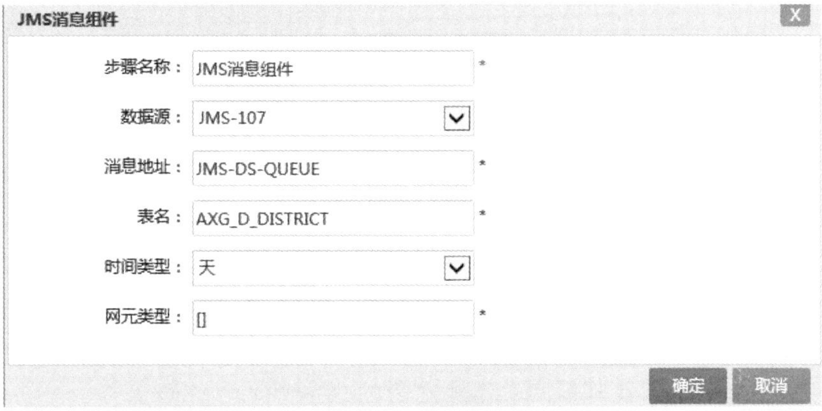

图 4-46　JMS 消息组件

配置参数:

<步骤名称>:通用属性,给组件命名并展现在拓扑图内。

<数据源>:发送消息的消息队列源。

<消息地址>:两端协商好的消息地址。

<表名>:消息发送内容中的表名,即数据处理完成的表名。

<时间类型>:所处理的数据的数据粒度。

⑲版本管理

基于不同的组件的版本,建设版本管理模块,主要针对目前平台上使用的各类型组件的版本进行统一的管理和查看,主要功能包括:

<组件名称>:通用属性,给组件命名并展现。

<组件版本>:组件针对的协议和第三方软件的版本。

<组件描述>:组件针对的协议和第三方软件的一些特点和特殊用法的描述,以及该版本组件设置的原因和参考依据。

<是否启用>:组件是否启用,如果未启用,则不在数据采集的功能列表中呈现。

<更新时间>:组件最后更新的时间。

(2)流数据管理

基于 SIP 协议建立会话并传输控制命令,建立信令和控制通道,实现联网系统各平台之间的控制命令和视频数据的传输和转换,具有高度开放性、兼容性。

①实时数据

应用端或解码器调阅实时图像时,首先向交换平台发出请求,经认证后,交换平台向该用户请求的前端及流媒体服务器发出相应调度指令,同时向该用户发出本次服务的相关组织信令。应用端用该信令向流媒体服务器发出实际的资源请求,前端视频流经流媒体服务器转发至客户端完成实时浏览。应用端请求中包含有应用端类型及网络信息,中心服务器根据该信息为应用端匹配相适应的流格式。

②视频回放

应用端或解码器调阅历史文件时,首先向主服务器发出请求,经认证后,服务器返回资源列表,应用端按需选择目标文件后,主服务器向流媒体服务器发出信令,从内部云上读取相应内容,并转为 RTSP 供应用端使用。这一过程同样具体应用端类型自动匹配能力。

(3)配置与操作

选用组件:鼠标停留在组件区要使用的组件上,按住左键不放,将其拖拽至编辑区相应位置。

删除组件:单击编辑区要删除的组件。

编辑组件:在编辑区双击需要编辑组件,弹出组件属性编辑框,对属性进行编辑。

连接组件:在编辑区将鼠标停留在连接发出组件上。

删除连接:在两个组件连接线上点击删除图标,删除组件间连接关系。

移动编辑区:在编辑区内空白区域,可移动编辑区展示界面。

4.4.1.3 数据构造管理

(1)预处理任务

此类任务是对各种规则、不规则数据在进行业务、汇聚操作前进行的处理,如拆分、合并、条件筛选等。该类任务界面与采集任务集成,如图4-47所示。

图4-47 预处理任务

①新增与删除

新增:点击新建任务进入新建任务界面;

<任务名>:任务展现与执行名称,该属性任务全局唯一。

<数据粒度>:配置任务处理的数据粒度,有15分钟、60分钟、一天可选。

<采集频度>:体现任务所处理数据的采集粒度,有时、天、周、月可选。

<任务描述>:描述任务功能、备注等,方便在列表中浏览。

配置好上述必选属性,即可点击"确定"按钮新增任务。

删除:选择需要删除的任务,点击"删除任务"将选中删除。

②编辑

编辑任务时,可对任务的属性,任务的功能进行编辑。

编辑任务属性:点击列表中需编辑任务,对任务属性进行编辑,见前一节。

编辑任务功能:进入任务配置界面,按照配置界面操作方法对任务功能进行操作与编辑。完成后,点击配置界面功能区域"保存任务"功能对任务进行保存。

③启动与撤销

状态:任务有三种状态,EDIT——任务已增加,但是未对其功能进行编辑配置;DEPLOY——启动部署状态,该状态下若有对应的前驱或探测任务驱动,则执行此类任务。STOP——停止状态,任务已停止,任何情况下都不会启动。

部署:当任务为停止状态下,点击启动按钮,启动任务。只有已部署的任务才会被调度。

停止:当任务为部署状态时,点击停止按钮,停止任务。任务已停止,任何情况下都不会启动。

(2)采集任务

此类任务是将预处理好或者不需要预处理的数据及文件采集到对应的系统数据库或文件系统中。该类任务界面与预处理任务集成。

①新增与删除

任务管理界面如图4-48所示。

图4-48　采集任务

新增:点击新建任务进入新建任务界面

<任务名>:任务展现与执行名称,该属性任务全局唯一。

<数据粒度>:体现任务所处理的数据粒度,有15分钟、60分钟、一天可选。

<采集频度>:体现任务所处理数据的采集粒度,有时、天、周、月可选。

<任务描述>:描述任务功能,备注等,方便在列表中浏览。

删除:选择需要删除的任务,点击"删除任务"将选中任务删除,可多选任务。

②编辑

编辑任务时,可对任务的属性、任务的功能进行编辑。

任务属性:点击列表中需编辑任务的图标,弹出编辑任务属性界面(与新增界面相同),对任务属性进编辑。

任务功能:点击列表中需编辑任务图标,进入任务配置界面,按照配置界面操作方法对任务功能进行操作与编辑。完成后,点击配置界面功能区域"保存任务"功能对任务进行保存。

③部署与撤销

状态:任务有三种状态,EDIT——任务已增加,但是未对其功能进行编辑配置;DEPLOY——启动部署状态,该状态下若有对应的前驱或探测任务驱动,则执行此类任务。STOP——停止状态,任务已停止,任何情况下都不会启动。

部署:当任务为停止状态下,点击启动按钮,启动任务。只有已部署的任务才会被调度。

停止:当任务为部署状态时,点击停止按钮,停止任务。任务已停止,任何情况下都不会启动。

(3)探测任务

探测任务是所有任务调度的开始,可对此类任务进行定时启动、周期启动,如图4-49所示。

图4-49 探测任务

①任务类别

任务类别如表4-5所示。

表4-5 任务类别

一级分类	二级分类	描述
主动探测	文件接口	按指定时间、指定周期在FTP上周期性获取新文件
	DB接口	按指定时间、指定周期在数据库上周期性获取新数据
被动探测	消息驱动	监听驱动信息。不可配置
	Socket	监听Socket信息。不可配置
	Web Service	监听Web Service信息。不可配置
定时	定时	在指定的时间点上,周期或一次性执行任务

②文件接口与 DB 接口

文件接口与 DB 接口均是主动探测,指在指定的周期时间内,对指定的数据源进行文件(文件接口,如 FTP)、数据(DB 接口,支持各种数据库)查询,并记录新数据、文件分布情况,如图 4-50 所示。

图 4-50　文件接口管理

<任务名称>:探测任务名称,任务全局唯一。

<任务描述>:对探测任务的描述,如:功能。

<探测间隔>:单位为分钟,指上次探测结束与下次探测开始时间间隔。

<数据周期>:探测数据的时间周期。

<抵消时长>:单位为分钟,指从指定探测时间开始,探测数据在时间节点上应该往前推延的时间。

<探测次数>:指在探测时间内,对探测到指定次数的数据或文件进行记录与采集。

<探测时长>:指探测任务总的探测时间,探测任务运行时间超过该值则停止。

<绝望时长>:到达该值之后,不管数据与文件的量是否符合要求,都进行采集。

<测量指标>:数据源——要探测的源;探测 SQL——用于探测的 SQL 条件;时间格式——数据源存放时间的格式;达标值——指达到一定数据量为合格探测的指标。

③定时任务

在指定的时长、按照一定的频率,在指定的时间点,执行与之关联的任务,如图 4-51 所示。

<任务名称>:探测任务名称,任务全局唯一。

<任务描述>:对探测任务的描述,如周期。

<数据周期>:指与之关联的任务所涉及的数据周期,以最小时间粒度为准。单位为分钟。

图 4-51　定时任务管理

<时间修正>：在数据周期上再往前推延的时间。如：时间周期为1 440，时间修正为1 440，那么是指两天前的数据。

<其他>：按照任务需求进行对应的时间选择。

④部署与撤销

状态：任务有两种状态，DEPLOY——启动部署状态，该状态下若有对应的前驱或探测任务驱动，则执行此类任务。EDIT——编辑状态，任务已停止，任何情况下都不会启动。

部署：当任务为停止状态下，点击启动按钮，启动任务，后台开始监听该任务。只有已部署的任务才会被监听。

停止：当任务为部署状态时，点击停止，停止任务。任务已停止，任何情况下都不会被监听。

4.4.1.4　任务调度引擎

任务调度引擎可通过后台定义的方式编辑任务及任务调度安全，通过任务调度引擎可实时掌握任务运行情况。

（1）任务管理

①策略管理

任务执行策略定义了作业失败后的执行策略，包括忽略（Job 失败后流程可以继续运行）、作业失败后的重试策略（失败后从断点执行还是重头执行，失败重试间隔，失败重试次数）和是否检查上次状态（如果检查，失败后不能自动运行，需要干预后重置状态）。

②任务分支管理

在构成一个作业流的诸多作业中，可以对每一个作业依据参数、作业执行状态、作业返回码等要素进行控制，从而实现对作业流更精准和复杂的控制，满足实际项目多种运用场景的需要。

③任务流嵌套

作业流可以引用作业流实现作业流的依赖要求。

作业/流优先级选项/VIP 通道。

在事件、计划调度和直接运行作业时可指定作业或作业流的优先级,并按优先级运行。

(2)任务控制台

管理控制台是用户设计调度作业、进行调度监控和资源监控的控制界面通过任务管理控制台创建采集任务。实现当前系统用户的查看的全部正在为注册应用提供数据交换服务的相关信息,包括应用名称、服务状态、请求次数、完成次数。

(3)引擎调度

通过任务管理控制台实时控制引擎调度,调度可分为手动任务调度和任务编辑。手动任务调度即用户通过控制台控制任务的启、停。任务编辑即对现有任务进行频率、策略等采集参数的编辑。

4.4.2　数据治理模块开发

4.4.2.1　概述

船舶智能制造的各环节系统众多,系统之间数据缺乏有效治理,导致了船舶数据冗余、分散、格式不一等问题,为了提高船舶数据质量,平台对数据管理与处理方面进行了开发,管理方面有数据源管理、数据字典管理、任务管理、任务监控、用户权限管理等。数据处理方面有 ETL 处理、任务流程处理等。

(1)数据源管理

平台开发的数据源管理模块可对 DB 数据源、SSH 数据源、FTP 数据源等多种数据源进行管理,可对数据源进行增、删、改、查等操作,如图 4-52 所示。

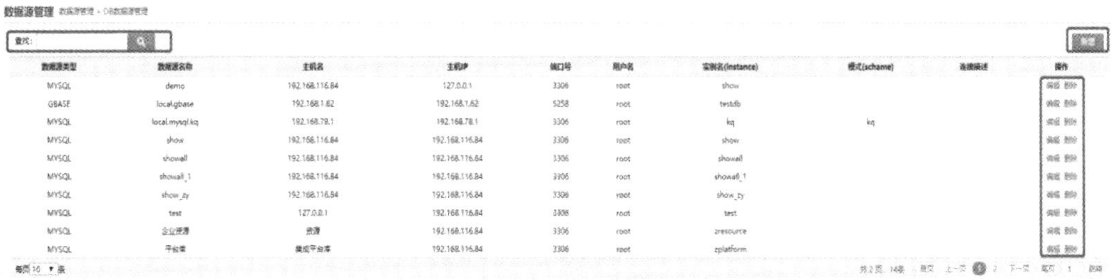

图 4-52　数据源管理

(2)任务监控

任务监控功能可对任务执行情况进行实时监控并返回任务详情,如任务触发类型、任务执行时间、任务结束时间、任务执行状态、任务频度以及任务执行日志等信息,如图 4-53 所示。

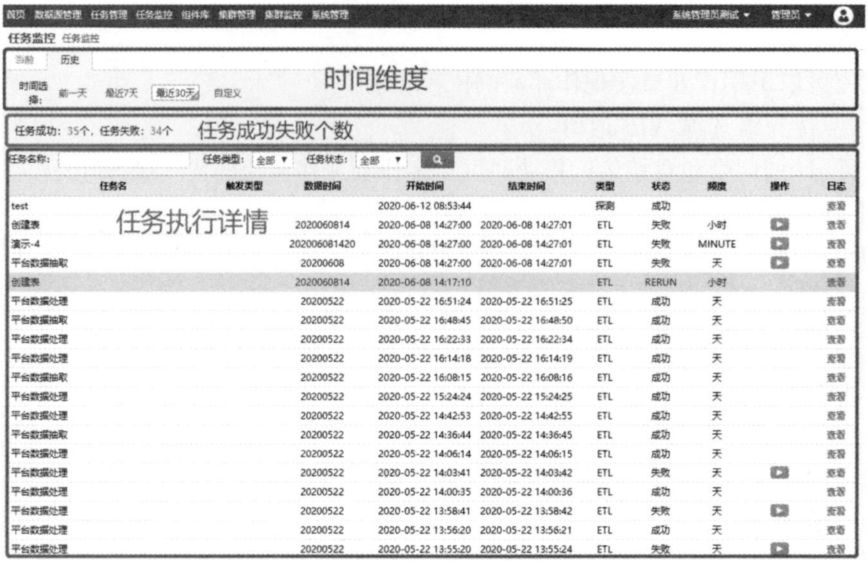

图 4-53　任务监控

（3）数据字典管理

数据字典管理用于管理系统中使用的字典数据,如数据库字典、数据类型字典、索引类型字典、分区类型字典等,如图 4-54 所示。

图 4-54　数据字典管理

（4）任务管理

平台开发的任务管理模块,具有任务创建、任务流程管理、任务执行调度等功能,可实现任务流程管控,对数据的一致性、完整性、有效性等进行管理返回任务执行日志,如图 4-55 所示。

（5）元数据管理

平台具有元数据管理功能,可通过服务封装的形式向性能管理系统的其他模块提供元数据维护接口。

元数据增加:支持增加新的元数据。

元数据删除:支持现有元数据删除。

图 4-55　任务管理

元数据修改：修改现有元数据。

元数据查询：根据不同条件查询元数据库中包含的元数据。

元数据导出：支持导出成 CSV/XML 文档。

（6）用户权限管理

平台可对用户角色进行添加、修改、删除、数据访问权限、菜单权限、系统访问权限等操作。不同用户赋予不同的数据访问权限，从而建立权限主体和客体之间的关系，达到权限控制的目标，如图 4-56 所示。

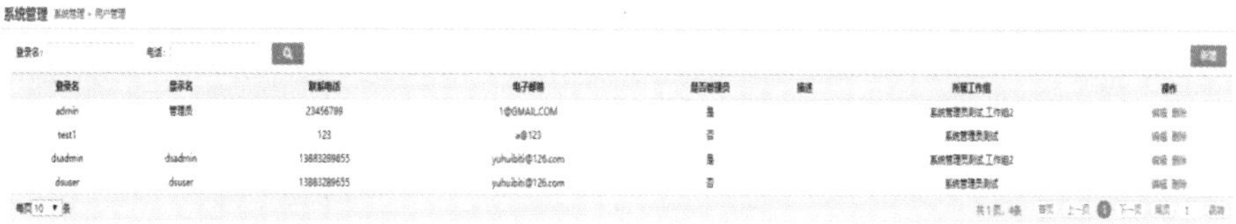

图 4-56　用户权限管理

（7）ETL 处理

可对不同数据源的数据进行抽取、转换、加载等操作。

船舶智能制造各系统数据库数据由于没有进行正规的数据管理，导致了船舶数据质量低、数据利用率低，存在脏数据、空数据、重复数据等问题。

平台通过 ETL 处理组件，如数据清洗组件、SSH 脚本组件、执行 SQL 组件等，将船舶各系统的不规则数据、脏数据、冗余数据、无效数据进行处理，提高船舶数据质量。

新增数据源，通过参数配置获得与数据源的适配接入，如图 4-57 所示。

通过 ETL 组件抽取数据源并对数据进行处理，数据抽取流程如图 4-58 所示。

启动创建好的 ETL 任务，任务管理界面如图 4-59 所示。

（8）数据质量控制

对数据处理过程中的各个阶段，执行数据质量监控，进行数据核查诊断，然后直观展现检查结果，如图 4-60 所示。

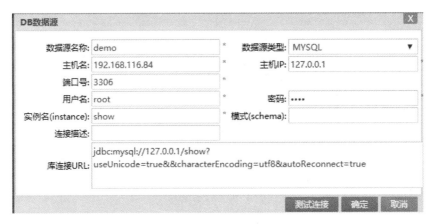

图 4-57 新增数据源

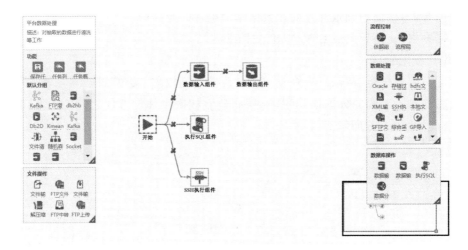

图 4-58 ETL 数据抽取流程

图 4-59 任务管理界面

图 4-60 数据质量

4.4.2.2 资源监控

实现对数据库集成平台的服务状态的定时巡检,系统根据配置的巡检策略,定时对平台各类服务接口的运行状态、性能、负载情况进行检查,如发现问题,则实时生成预警消息,并发送给相应的系统管理员。

(1)系统状态监控

展示物理设备、操作系统、平台、中间件的系统运行状态,如图 4-61 所示。监控指标包括:CPU 占有率、内存占有率、磁盘空间占有率、磁盘 IO 占有率、网络联通状态。

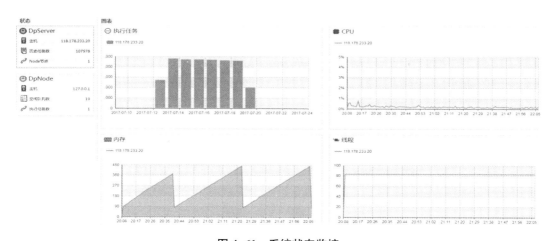

图 4-61 系统状态监控

①资源可用性检测

主要针对已经配置完成的数据资源可用性的监控,包括数据源的连通性、服务是否正常等。

②系统报警

各类服务接口的告警策略触发的告警通知、信息呈现和统计。告警内容包括系统服务不可用,网络连通性告警,网络延迟性告警。

③数据服务资源统计

实现对数据服务资源的统计,基于监控日志,从基本、数据源类型、链接时间、频度等多个方向,对数据服务资源运行情况进行统计分析,并采用业务视角展现服务。

(2)数据字典管理

①数据库字典

编码实例如表4-6所示。

表4-6　数据库字典编码实例

1	100	ORACLE	ORACLE
2	101	MSSQL	SQL SERVER
3	102	MYSQL	MYSQL
4	103	DB2	DB2
5	104	SYBASE	SYBASE
6	105	GREENPLUM	GREENPLUM
7	106	H2	H2
8	200	HIVE	HIVE
9	201	HBASE	HBASE
0	301	GBASE	GBASE

②数据类型字典

编码实例如表4-7所示。

表4-7　数据类型字典编码实例

1	Number
2	String
3	Date
4	Boolean
5	Integer
6	BigNumber
8	Binary
9	Timestamp

③索引类型

编码实例如表4-8所示。

表4-8　索引类型编码实例

1	b-tree 索引	普通索引
2	bitmap index	位图索引
3	LOCAL 索引	分区索引

④分区类型

编码实例如表4-9所示。

表4-9　分区类型编码实例

1	范围分区
2	LIST 分区
3	HASH 分区
4	范围分区-范围分区
5	范围分区-HASH 分区
6	范围分区-LIST 分区
7	LIST 分区-范围分区
8	LIST 分区-HASH 分区
9	LIST 分区-列表分区

⑤组件字典

编码实例如表4-10所示。

表4-10　组件字典编码实例

1	com. idss. core. task. step. block. BlockStep	block
2	com. idss. core. task. step. compress. CompressStep	compress
3	com. idss. core. task. step. dbinput. DbInputStep	DbInput
4	com. idss. core. task. step. dboutput. DbOutputStep	DbOutput
5	com. idss. core. task. step. distribute. DataDistributionStep	DataDistribution
6	com. idss. core. task. step. executesql. ExecuteSqlStep	executesql
7	com. idss. core. task. step. fileinput. FileInputStep	FileInput
8	com. idss. core. task. step. fileoutput. FileOutputStep	FileOutput
9	com. idss. core. task. step. ftpdown_step. FtpDownLoadStep	ftpDownload
10	com. idss. core. task. step. ftptransfer_step. FtpTransferStep	ftpTransfer

⑥ 组件参数字典

编码实例如表4-11所示。

表4-11　组件参数字典编码实例

1	1925	unblockKey	STRING
2	1926	unblockCount	STRING
3	1927	filePath	STRING

表 4-11（续）

4	1928	password	STRING
5	1929	outputpath	STRING
6	1930	fineNameRegular	STRING
7	1931	fromPre	BOOLEAN
8	1932	sql	STRING
9	1933	paramString	JSON
10	1934	outColumns	STRING

（3）项目资源管理

①应用接口注册

注册的信息包括：应用请求方标识、服务请求方名称、服务请求简述、所属业务条线、所属行政层级、所属应用系统类别、所属应用系统名称、管理单位名称、管理单位机构代码、服务请求方系统地址、服务请求方式等。

②应用接口授权

提供应用注册审核的功能，应用提交注册申请后，必须经过管理员授权才能访问。

③服务申请

提供数据交换申请功能，申请时需填写的信息包括：申请应用系统、接口端口、登记人、申请时间和数据表述信息；其中 数据表述信息主要包括：元数据、筛选条件等；也可以采用SQL 的方式登记数据交换申请的数据表述信息。

④应用服务概览

实现应用服务的相关信息、服务接口、服务请求方的列表方式呈现，用户可以查阅完整的应用服务注册信息。

（4）资源服务总线

①任务概览

实现当前系统用户查看的全部正在为注册应用提供数据交换服务的相关信息，包括应用名称、服务状态、请求次数、完成次数。

②授权管理

实现对当前的注册应用提供数据交换服务的接口鉴权服务，包括应用名称、交换规则、是否允许数据交换。

根据授权的结果给注册应用请求反馈结果，通过/不通过。

③路由调度

解析请求报文，报文的来源（原地址、端口）与交换规则设置的信息进行匹配，具有权限的数据交换请求将被确认，并得到有效返回。

④访问控制

匹配数据交换平台的应用标识，以及相关用户认证信息，如数字签名和数字证书等，具有权限的数据交换请求将被确认，并得到有效返回。

⑤接入适配

为了满足系统对不同数据源的接入功能,平台规范化封装生成的通用型的数据服务接口,主要包括:

文件接口:支持采用 HTTP、FTP 等标准的传输协议。支持 CSV/TXT/XML 等多种文件格式。

数据库接口:从数据源系统的数据库表或视图进行数据的抽取。

消息接口:消息接口支持 Web Service 技术、MQ 标准的消息队列技术、Socket 技术等。

实时数据传输接口:为实时数据采集共享传输协议。

⑥日志分析

实现对整个交换服务情况的统计,基于监控日志,从应用、时间等多个维度,对服务资源运行情况进行统计分析,并采用业务视角展现服务资源的实战成果。资源监控和日志功能:支持系统资源的实时监控。提供完整的操作日志、系统日志记录,可以进行方便的查看、导入导出。

审计查询功能实现系统、业务、管理员管理操作、安全等日志的查询。审计查询可查询四种日志:

系统日志查询:查询信息安全共享平台及其部件,包括操作系统、中间件、应用等的日志。

业务日志查询:查询业务数据日志,包括数据资源服务和应用服务的注册、授权和访问。

管理日志查询:查询平台管理员管理操作日志。

安全日志查询:查询安全告警日志。

4.4.2.3　数据资源管理

(1)元数据管理

①元数据维护

元数据的维护操作是原子操作,这些原子操作可通过服务封装的形式向性能管理系统的其他模块提供元数据维护接口,如图 4-62 所示。

元数据增加:支持增加新的元数据。

元数据删除:支持现有元数据删除。

元数据修改:修改现有元数据。

元数据查询:根据不同条件查询元数据库中包含的元数据。

元数据导出:支持导出成 CSV/XML 文档。

②元数据查询

元数据查询功能要求支持对历史版本信息的查询,以了解具体实体的历史变更情况。按关键字、分类、主题域名称等维度进行查询,展现该元数据的基本信息,如业务描述、技术描述、计量单位、所属分类等信息。

图 4-62　元数据维护

③指标管理

业务元数据包括业务术语、业务描述、业务指标以及业务规则等相关信息。

指标、报表、业务字典、维度数据以及编码都属于业务元数据的范围。

（2）元数据抽取

数据抽取实现配置与关联数据源及元数据等相关信息。数据输入组件如图4-63所示。

图 4-63　数据输入组件

物理模型区域由四部分组成,分别为:数据源概览区、操作栏、物理模型展示区、缩影区。

数据源概览区:该区域展示了已配置的数据源,并提供数据源配置入口。

操作栏:该区域可以对物理模型进行新建、同步、查询、导出操作。

物理模型展示区:该区域展示指定数据源下已同步或新建等已知的物理模型。

缩影区:该区域是物理模型展示区的缩影图。

①数据源概览

数据源概览,可提供已知数据源的展示、查找、编辑功能,同时在编辑功能中还提供数据源新增功能。

在数据源展示区,单击要预览的数据,即可查看到数据源下所有的物理模型,并在物理模型展示区展示,可以根据左侧提供的查找功能快速定位查找的模型。亦可通过操作栏目相关功能对数据源进行操作,如图4-64所示。

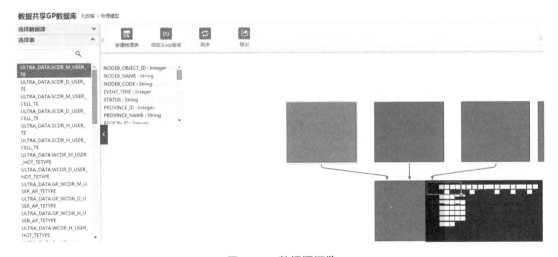

图4-64　数据源概览

②数据源操作

在选定数据源之后,可通过操作栏对数据源模型进行操作,如修改、新增、同步、导出等,如图4-65所示。

图4-65　数据源操作

③新建物理表

点击新建物理表,弹出新建界面,如图4-66所示。

图 4-66　新建物理表

<表名>:需要新建表的名称;

<描述>:表备注;

<字段设置>:指定表的字段组成及数据类型;

<分区设置>:指定表的分区类型及分区组成;

<SQL 显示>:显示在配置过程中的 SQL 实现。

④自定义查询

通过该功能,可查询数据库表内的数据明细,此为 SQL 接口,如图 4-67 所示。

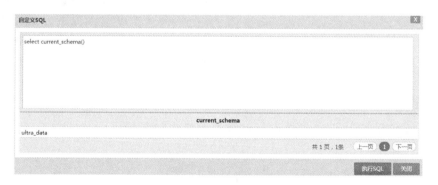

图 4-67　自定义 SQL

在自定义 SQL 中输入要执行的 SQL,点击执行 SQL 按钮,则在下方返回查询结果。点击关闭按钮,则关闭该界面。

⑤数据源同步

通过该功能,可将未通过该界面建立或已知未同步的模型同步到该界面并展示,如图 4-68 所示。

图 4-68　元数据和物理表同步

在操作界面中,可以看到已同步模型和未同步模型。点击未同步模型,并在右侧勾选物理表复选框,点击同步,则将模型同步到此界面。

(3)元数据分析

①血统分析

血统分析(也称血缘分析)是指从某一实体出发,往回追溯其处理过程,直到数据共享平台的数据源采集层,并且能够以图形的方式展现所有实体和处理过程,如图 4-69 所示。

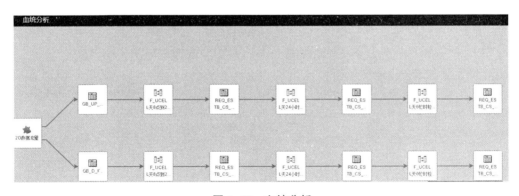

图 4-69　血统分析

②影响分析

影响分析是指从某一实体出发,寻找依赖该实体的处理过程实体或其他实体,如图 4-70 所示。如果需要可以采用递归方式寻找所有的依赖过程实体或其他实体。该功能支持当某些实体发生变化或者需要修改时,评估实体影响范围,并且能够以图形的方式展现所有实体和关联关系。

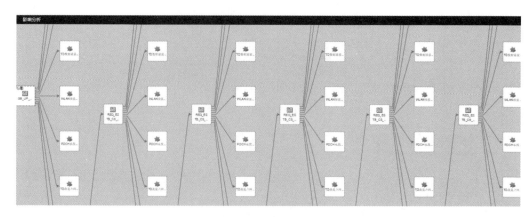

图 4-70　影响分析

③映射分析

用户能够查看数据处理程序内部的映射关系,了解数据加工过程的细节,以图形展现数据的处理过程,映射分析如图 4-71 所示。

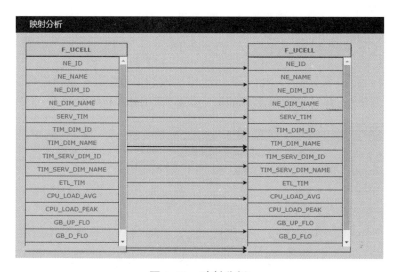

图 4-71　映射分析

④重要性分析

分析各元数据对象之间的关联密集度,分析数据中各层次的包、表等对象的重要程度,指导数据开发和维护团队对重点元数据进行重点关注和质量监控。

⑤数据质量评估

数据质量评估规则是指根据核查结果,对数据核查特性的一个量化评估规则。例如数据的完整性,可以根据数据的完整率对应评估;数据的及时性根据数据不及时的次数进行评估;数据的有效性根据数据的有效率进行评估;数据的一致性根据波动率超过阈值的次数进行评估。内容包括:

a.增加、修改、删除数据质量特性的考核规则;

b.保存考核规则的历史修订记录;

c.查看历史记录。

支持区分核查的数据内容,设置数据完整性、及时性、有效性、一致性的评分规则,根据核查结果以及核查评分规则的设置,自动提供核查评估报告,如表4-12所示。

表4-12　核查评估报告

考评表	细分	详细描述
完整性考核日报表	数据源性能完整性报表	呈现各数据源各性能数据集的数据完整率以及对应的评分
	数据源配置完整性报表	呈现各数据源各配置数据集的数据完整率以及对应的评分
	核查点配置完整性报表	呈现各核查数据集配置完整率以及对应的评分
	核查点性能完整性报表	呈现各核查数据集性能完整率以及对应的评分
	告警完整性	分OMC呈现每天的告警完整率
及时性考核日报表	数据源性能数据及时性	呈现各OMC各性能数据集的数据及时率以及对应的评分
	数据源告警数据及时性	呈现各OMC告警及时率以及对应的评分报表
	数据采集层性能数据及时性	分OMC呈现各性能数据集采集的数据及时率以及对应的评分
	数据采集层告警数据及时性	分OMC呈现告警及时率以及对应的评分
有效性考核日报表	数据源数据有效性报表	分OMC呈现各核查数据集的数据有效率以及对应的评分
	核查点数据有效性报表	分核查数据集呈现数据有效率以及对应的评分
数据质量综合评估日报表		数据源、各网管系统的数据完整性、及时性、有效性综合评估日报表
数据质量综合评估月报表		数据源、各网管系统的数据完整性、及时性、有效性综合评估月报表

4.4.2.4　ETL清洗

(1)ETL任务

ETL任务继采集任务之后,将已采集或不需要采集数据按照ETL配置规则进行对应的转换、清洗、汇聚。这类任务是 ETL 配置具体内容格式化之后的体现。

任务管理功能如下：

①新增与删除

新增：可通过 ETL 配置功能配置 ETL 规则，保存之后，系统自动添加对应的 ETL 任务到列表。也可手动添加（不推荐），手动添加部分为不推荐内容，在此不做出描述

删除：选择需要删除的任务，点击"删除任务"将选中任务删除，可多选任务。

②编辑

编辑任务时，可对任务的属性，任务的功能进行编辑。

任务属性：点击列表中需编辑任务对应行的图标，弹出编辑任务属性界面（与新增界面相同），对任务属性进编辑。

任务功能：点击列表中需编辑任务对应行的图标，进入任务配置界面，按照配置界面操作方法对任务功能进行操作与编辑。完成后，点击配置界面功能区域"保存任务"功能对任务进行保存。

③部署与撤销

状态：任务有三种状态，EDIT——任务已增加，但是未对其功能进行编辑配置；DEPLOY——启动部署状态，该状态下若有对应的前驱或探测任务驱动，则执行此类任务。STOP——停止状态，任务已停止，任何情况下都不会启动。

部署：当任务为停止状态下，点击启动按钮，启动任务。只有已部署的任务才会被调度。

停止：当任务为部署状态时，点击停止按钮，停止任务。任务已停止，任何情况下都不会启动。

（2）ETL 处理

①新增 ETL 项目

在元数据驱动 ETL 中，项目和 package 可以看作一级和二级分类。

鼠标移动到主界面的操作面板区域，选中第一个图标，从左侧弹出新增项目面板。

填写项目名称和简介，点击保存按钮，增加新项目。如果已经存在同名项目，提示"保存失败，名称重复"；如果在保存项目的同时有其他人新增项目可能会出现 id 重复导致不能提交，提示"保存失败，id 重复，请重新提交"，此时重新提交即可；如果提示"保存成功"，新项目被存入数据库。

②ETL 单元列表

在操作面板中，选中第三个图标，弹出树形的 ETL 单元列表。

树形列表会根据 url 地址中的项目、package 以及 ETL 单元自动展开项目、package，并自动高亮该 ETL 单元。

点击新增 ETL 单元，进入新增 ETL 单元界面；点击某 ETL 单元，进入该 ETL 单元编辑界面；点击 ETL 单元后面的"X"图标，删除该 ETL 单元。编辑 ETL 过程同新增 ETL。

③新增 ETL 单元

新增 ETL 单元入口有两种形式：新增 package 后会自动跳转到新增 ETL 单元页面；新增 ETL 单元，会跳转到新增 ETL 单元页面。

进入新增页面后,右侧出现一大片空白区域,该区域即 ETL 配置区域。

一个完整的 ETL 单元至少包含一个源表,一个目标表,以及他们之间的映射关系。一个复杂的 ETL 单元包含若干个源表、中间集,一个目标表。目标表只能和一个源表或者一个中间集进行关系映射。一个 ETL 单元只能有一个目标表。一个中间集可以和多个源表进行映射。

新增 ETL 单元的步骤如下:

a. 新增空白源表、空白中间集、空白目标表;

b. 为空白源表选择表,为空白目标表选择表;

c. 建立源表和中间集的关系;

d. 建立中间集和目标表关系,如果不存在中间集,建立源表和目标表的关系;

e. 保存。

④选择表

在源表或者目标表上,通过数据库和表名称筛选表选中表,并自动为源表或者目标表生成别名,如图 4-72 所示。

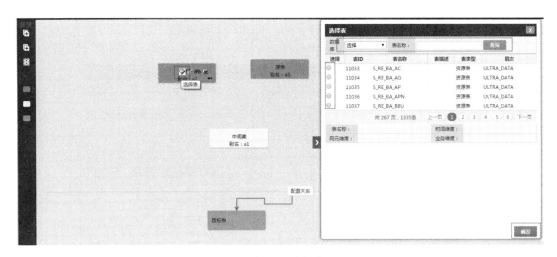

图 4-72　选择表

⑤建立源表与中间集关系

鼠标移动至源表上,点击"拖动连线"并拖动到中间集上,即建立了源表和中间集的关系。点击任意一条连线,配置连接关系,如图 4-73 所示。

连接类型有 left join、right join、inner join、full join、union。点击交换输入可以交换表顺序。选择表中第一列的 checkbox,设置为输出字段,如果输出别名名称一致必须对其中一个进行更改。选中连接键列的 checkbox 设置连接键,根据前面的顺序进行配对。

⑥设立目标表连接与保存

目标表可以直接和源表设置连接关系,也可以和中间表设置连接关系。配置过程相同。设置好连线后,点击配置关系,初始化配置,自动完成同名列的映射。选择转换规则,弹出转换规则配置框,可以重新选择字段,设置汇聚方式等。

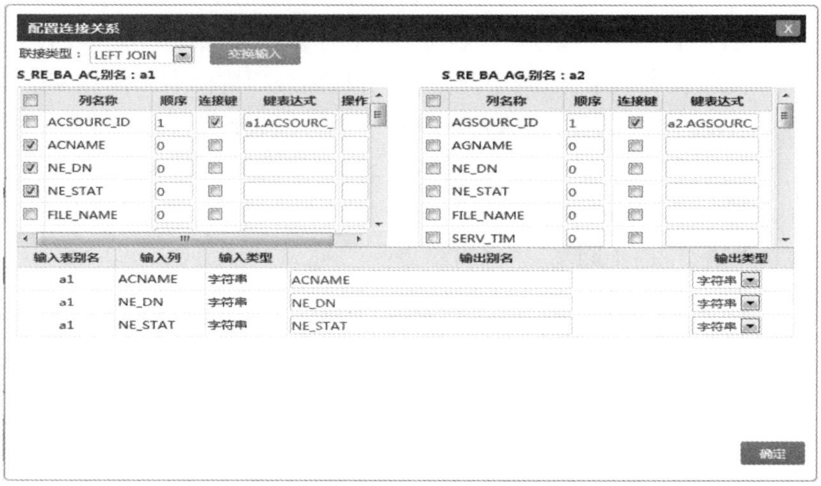

图4-73 建立源表与中间集关系

在配置映射关系过程中,填写完成单元名称等,完成汇聚规则和转换方式后,点击"保存ETL单元配置"按钮,完成整个ETL单元配置,如图4-74所示。

图4-74 映射表字段

(3)其他

①清洗规则

在ETL单元中,当数据从源表导入目标表,有时需要判断字段数值类型是否正确,过滤掉无价值的数据,检查导入数据SQL是否正确,在一些场景甚至需要手动写入SQL,此时就需要用到清洗规则。

②复制 ETL 单元

在进入某 ETL 单元编辑页面后,在操作面板区域有"复制"功能,点击弹出复制框,输入新单元名称,点击"确定"即可复制 ETL 单元。

4.4.2.5　数据质量控制

(1)数据及时性管理

处理过程执行及时性:根据处理进程开始时间和结束时间得到处理时长,根据公式,及时性=(时长−时长下限)/(时长上限−时长下限),若时长小于时长下限,则及时性为1。其中,开始时间和结束时间作为 DQE 指标保留在数据质量模块中,时长上限和时长下限可作为阈值常量存储。

输出数据及时性:根据输出数据生成时间和标量时间得到延时时长,根据公式,及时性=(延时时长−时长下限)/(时长上限−时长下限),若延时时长小于时长下限,则及时性为1。其中,数据生成时间和标量时间作为 DQE 指标保留在数据质量模块中,时长上限和时长下限可作为阈值常量存储。

源文件输出及时性:在接口规范中规定的传送时间窗口内文件(库表)接口及时准备数据的接口数量占总接口个数的百分比。其中,及时准备数据的接口数量、总接口个数作为 DQE 指标保留在数据质量模块中,规定的传送时间可作为阈值常量存储。

(2)数据完整性管理

参照资源完整性:此算法仅针对性能数据处理过程,完整性=|(性能条数/资源条数数)−1|,当取值大于1时,取1。其中,性能条数和资源条数作为 DQE 指标保留在数据质量模块中。

参照历史完整性:根据历史数据条数来分析当前完整性,可以参考完整性=当前行数/历史均值,当取值大于1时,取1。其中,当前行数和历史均值作为 DQE 指标保留在数据质量模块中。

文件个数完整性:对于源数据为多个文件接口的,可以参考完整性=在接口规范中规定的传送时间窗口内实有文件个数/应有文件数,其中,实有文件个数和应有文件个数作为 DQE 指标保留在数据质量模块中。

(3)数据有效性管理

列数有效性:接口文件(库表)中的实有列数和应有列数是否一样,保障源数据是有效可用的。一样即为有效,其中,实有列数和应有列数作为 DQE 指标保留在数据质量模块中。

值域有效性:统计单列数据取值是否在界定的值域范围内,算法公式为,当指标数值在定义的上下限内,则视为有效,有效性=有效个数/总个数。其中,有效个数和总个数作为 DQE 指标保留在数据质量模块中,上下限可以作为阈值常量存储。当核查列为多个时,可取算数平均值来得到整体有效性。

4.4.2.6 报警和处理

（1）告警设置

告警方式配置：告警方式支持控制台告警、邮件告警、syslog 告警、snmp trap 告警、短信告警等。一期先完成控制台告警，即当产生安全事件日志时，向控制台发送告警消息。

告警级别配置：即严重、重要、一般。不同级别可以支持不同告警方式。

告警策略配置：即哪些类型的安全事件需要告警。

（2）告警处理

①系统告警

系统告警实现系统告警策略触发的告警通知、信息呈现和统计。告警内容包括系统CPU、内存、硬盘达到设定告警值、网络连通性告警、网络延迟性告警。

②数据告警

数据告警实现交换业务告警策略触发的告警通知、信息呈现和统计。告警内容包括服务不可用，资源不可用。

③安全告警

安全告警实现安全告警策略触发的告警通知、信息呈现和统计。

4.4.3 数据服务模块开发

4.4.3.1 概述

为了更好地体现数据服务，平台主要对数据共享接口与数据可视化管理方面进行设计开发。一方面可通过接口的方式对外提供数据服务，另一方面可基于处理后的数据进行分析挖掘与可视化等操作。

（1）数据资源服务

平台提供了数据资源服务功能，如图 4-75 所示。一方面可根据数据源名称、类型、特点等进行查询，另一方可查看某数据源的数据详情，如结构、类型、名称、内容等。

图 4-75 数据资源服务

（2）可视化服务

平台开发的可视化服务功能主要涉及两方面：一方面是以可视化拖拉拽的方式进行任务流程创建，对数据进行处理；另一方面是将处理后的数据进行可视化展现。

平台根据数据源类型、数据类型等设计了多种功能组件,根据不同的需求选择不同的组件并以拖拉拽的方式进行任务流程搭建,对数据进行处理,如图4-76所示。

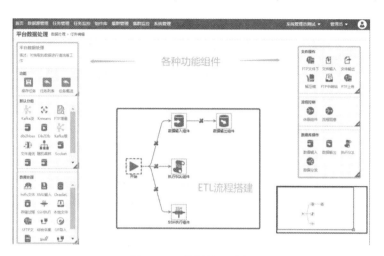

图4-76　数据处理流程

平台开发了多种可视化展示组件,如表格、折线图、柱状图、饼状图、雷达图等,可选用不同组件进行数据的可视化展示,如图4-77到图4-80所示。

(3)接口服务

为了实现对外部应用、专题应用和数据交换应用的接口,平台规范化封装生成了通用型的数据服务接口,主要包括数据库接口、和XML服务接口,如图4-81所示。

4.4.3.2　数据资源目录

数据源管理,用户可以全景式获得当前系统全部的数据源和数据结构信息,用于描述数据、内容、业务流程、服务、业务规则以及组织信息系统。

(1)资源注册

在数据源概览区,点击数据源编辑按钮,进入数据注册界面,如图4-82所示。

新增数据源:输入包括数据源类型、名称、数据源描述、服务接入信息(接口方式、软件版本、系统地址、端口号等)和有效性(是否启用)等属性。

数据源信息修改:修改包括数据源类型、名称、数据源描述、服务接入信息(接口方式、软件版本、系统地址、端口号等)和有效性(是否启用)等属性。

<库连接名称>:自定义,用于展示。

<类型>:指定数据源的连接类型,包含各种数据类型,如:数据库类型,Oracle、DB2、greenplum、MySQL 等;操作系统类型,ssh、scp;文件传输类型,ftp、sftp;消息队列类型JMS;等。

<主机名称>:要连接的数据源所在主机名称。

<主机IP>:要连接的数据源所在主机IP。

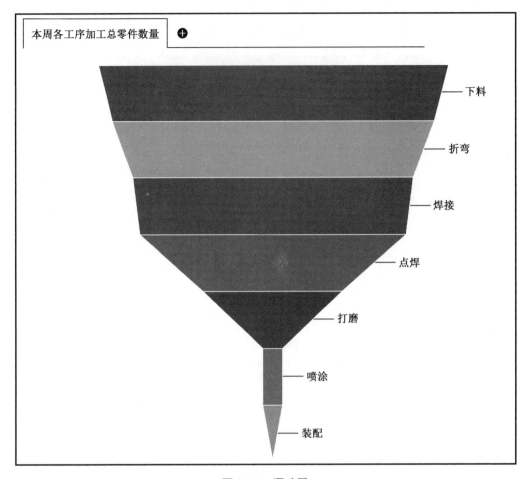

图 4-77　漏斗图

<实例名称>:连接的实例名称,若无实例名称,则可随意填写,但是在这里约定为连接类型。

<端口>:连接到数据源的端口。如:Oracle,1521;MySQL,3306;greenplum,5432 等。

<用户名>:连接到数据源所需的用户名。

<密码>:指定用户名的密码。

<模式>:可选,针对部分数据库。

<库连接描述>:可选。

<库连接 URL>:配置完成后生成的连接字符串。

在配置完成后,可点击测试按钮,对配置进行测试,看是否配置成功,此处暂时只能用于数据库连接的测试,ssh、ftp 等不可测试。测试通过后点击确定已保存。至此,在 ETL 配置中,物理模型中则可使用该数据源。

(2)资源发布

提供数据资源发布的功能,数据资源注册申请后,经过管理员审核发布后才能访问,如图 4-83 所示。

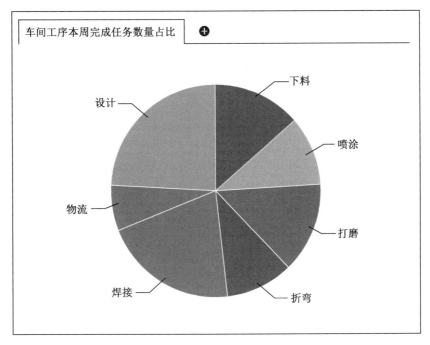

图4-78　饼图

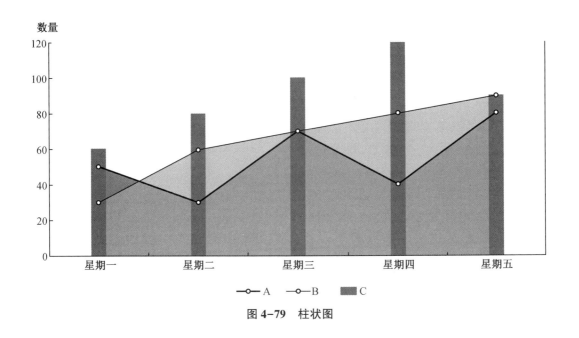

图4-79　柱状图

（3）资源浏览

①数据资源检索

按照数据资源的来源、数据源类型，按服务类型，按管理单位等分类检索，来源包括请求服务、本地总线、其他总线。

本周焊接、打磨、下料零件损坏个数 ➕

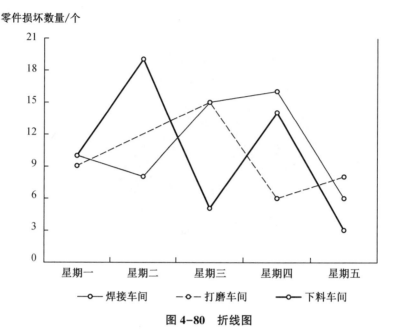

图 4-80　折线图

图 4-81　应用接口

②数据资源总览

查看全部接入的信息化系统或数据源,现实数据源名称、所属部门、数据源描述和接入时间。

③数据结构浏览

查看某数据源数据的浏览,包括结构、关联关系等,对于实时数据,则体现当前数据接入情况,如图 4-84 所示。

图 4-82　资源注册

图 4-83　资源发布

④数据浏览

查看数据源某一表结构的描述,如图 4-84 所示,包括字段定义、属性、描述,并提供查看全部数据的按钮,列出数据详单;注:数据查询功能,可以复用此处的页面设计。

4.4.3.3　可视化分析门户

提供针对数据分析和统计的门户 Portal,主要展示页面基本配置管理功能,包括门户页面、模版、图片资源等数据管理。

（1）门户管理

①门户主题管理

通过后台管理模块定制门户主题列表,以便针对不同角色以及不同权限的用户进行数据访问控制。

②部件管理

提供门户部件管理功能,包括新增部件、新增页面、新增外部链接框、分析主题制作、分析主题浏览等配置管理,可以配置部件分类、绑定模块标题和路径等属性。

图 4-84　数据浏览

③配置管理

提供门户展示页面基本配置管理功能,包括门户登录页、logo、登录页、版权、主题等配置管理。

（2）布局管理

通过拖拽、点击等友好的用户界面,非软件专业人员可方便地自行定制生成布局页面。页面可包括多种类型的容器及元素,可同时展示数据交换平台中的数据项、数据统计、分析结果等。

（3）数据源配置

通过定义数据源,确定页面中一个或多个数据来源。数据源是 Portal 取数据的访问驱动连接,支持 MySQL、Oracle 等多种数据库,目前数据源为整个 Portal 系统共享使用的,DSP数据源如图 4-85 所示。

MySQL 连接 URL 示例:

jdbc:mysql://localhost:3306/ip? useUnicode=true&characterEncoding=UTF-8

数据库主机地址:Localhost

数据库端口:3306

数据库实例:IP

Oracle 连接 URL 示例:

jdbc:oracle:thin:@ //localhost:1521 /testdb

数据库主机地址:Localhost

数据库端口:1521

图 4-85　DSP 数据源

（4）数据集配置

通过标准化的 SQL 语句和存储过程,对数据源中的数据按照需要构造数据集,并按照不同的插件,套用生成 Portal 快速图表。

数据集用于从数据库中取得数据。其中,脚本类型支持 SQL 和存储过程,目前只支持 SQL;输入参数,点击"测试"按钮后,系统会自动提取出 SQL 中的参数;数据集分类,私有数据集为该 Portal 页面内私有,公共数据集为所有 Portal 页面共享。

（5）数据分析主题

系统能够针对后台数据库表的语法对前端数据模型进行语义层转换,通过定义指标的标题、主题表的标题、维表的标题,能够对数据的业务含义进行有效的把控,软件还应支持建立数据模型时直接获取数据库表注释字段值作为相关指标的标题而无须逐个定义。

（6）数据可视化配置

配置饼图、柱状图、区块图、趋势图等多类型图元,便于运维人员快速创建数据可视化展示项。主要的可视化图表插件包括:

①查询面板组件

业务组件用于页面展示相关数据内容的一个呈现形式,如上查询面板组件,点击新增业务组件,选择自定义查询面板,然后绑定查询框的数据,参数类型在此选择时间粒度、参数名称、显示列、值列,根据数据集的脚本参数具体情况进行填写,默认值为 60（60 为天粒度）。

②线柱面混合图组件

选择新增组件类型线柱面混合组件,绑定好事先准备好的数据集,根据实际情况需要选择横（X）轴的参数。纵轴选择总流量 FLOW 字段,根据需要展示情况选择序列类型、方向进行保存。

③饼图（兼容环图）

选择新增业务组件按钮选择饼图（兼容环图）类型,绑定事先准备好的数据集,根据实际情况需要选择横（X）轴的参数选择,图 4-86 的例子则是以用户文件结构为例选择 BANDWIDTH_TYPE 作为横轴进行展示。纵轴选择 BANDWIDTH_USE,根据需要展示情况选择呈现形式,进行保存。

图 4-86 饼图(兼容环图)

④线柱面混合图(多指标切换)

此组件用于多个指标进行切换展示使用,绑定好事先准备好的数据集,根据实际情况需要选择横(X)轴的参数选择。序列类型为线,再依次添加各个指标参数、指标名称,保存即可,这样就能达到在同一横轴下切换各个指标的展示。

⑤柱状图(横向对比)

此组件用于横向柱状图对比,绑定事先准备好的数据集,选择对比维度。APP_TYPE_NAME 为横向维度。

⑥南丁格尔图

此组件用于南丁格尔玫瑰图,类似于饼图,如图 4-87 所示,绑定事先准备好的数据集,根据实际情况选择横(X)轴、纵(Y)轴,呈现形式选择半径模式,根据需求也可以选择面积模式,保存。

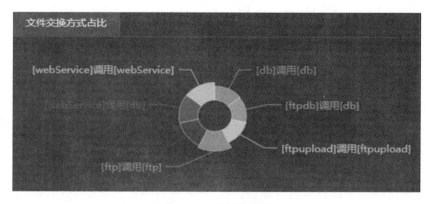

图 4-87 南丁格尔图

⑦自定义-keyvalue

此组件用于简单的文字展示,绑定事先准备好的数据集,根据实际情况选择每行显示数量,选择好呈现指标、单位,保存。

⑧自定义-表格

此组件用于简单的文字展示,绑定事先准备好的数据集,根据实际情况选择默认排序的字段、排序方式、页面显示条数。选择好数据集字段列会自动匹配,对显示名称进行手动修改,列宽、靠齐、格式化、操作根据实际需求修改。

⑨下钻设置

此功能是针对在页面上的部件,字段进行下钻需要的组件配置。第一列为字段名称,第二列为菜单名称,第三列为表达式,第四列可选择新窗口打开,最后一列为下钻页面地址。第三列里的表达式为 js 语法,报表运行时可以根据表达式是否成立而显示下钻菜单,数字类型写法如｛time_dim｝==40,字符串写法如"｛name｝"=="abc"。最后一列的下钻页面地址支持｛arg｝变量的写法。

⑩联动设置

此功能是针对在页面部件互相之间的关联设置,假设页面点击 time_key 进行条件查询之后,会输出另外一个字段 time_key_out 作为此部件的查询条件,例:｛time_key_out｝,另外则为输出参数(此时不需要填写)。这样就能联动关联好两个部件。

⑪预警设置

此功能针对在自定义表格部件中某一列或是某一行满足条件后对此进行染色,对单元格预警(某一列染色)或是行级预警(某一行染色)。预警表达式的写法为 js 的语法,报表运行时可以根据表达式是否成立而显示预警颜色,数字类型写法如｛time_dim｝==40,字符串写法如"｛name｝"=="abc"。

(7)其他功能

①查看日志功能

当点击进入制作某一个页面时,我们可以根据日志查看来判断数据集是否有误,小时粒度异常统计,点击查看日志就可以看到当前的数据集输出 SQL,以及是否有误从而来方便判断在未出数据时,是页面组件错误还是数据集错误。

②导出功能

进入一个页面制作时,对页面进行保存时可以选择页面导出,点击导出之后会出现编译加密的编码,此时可以手动复制保存成 TXT 或者 Excel 文档,在 Portal 首页上方会有导入按钮对页面的导入并且解密编码。

③复制页面

在页面制作时,遇见相同页面或是雷同只是需要细微修改时,我们可以选择复制页面达到方便快捷,复制的页面会在 Portal 列表,如需修改点击制作按钮即可。

④全局变量

全局变量常用于报表下钻至外部链接,防止因迁移或更改造成大量的报表修改。每个变量有个 Key 和 Value,以｛Key｝的方式使用,报表运行时会将｛Key｝替换成具体的 Value 值。

4.4.3.4 数据接口服务

（1）服务接口配置

①服务目录

将数据交换管理服务平台内的数据标准化，通过目录形式提供数据的纬度、共享方式、数据提供策略、接口数据格式等信息，供上层应用系统快捷的选择需求数据。

②数据共享接口

数据交换服务作为统一的数据加工及共享中心，具备通过以下方式交换并共享的数据计算结果的能力和接口：

a. 提供的数据信息完全由数据交换服务平台自行加工实现，包括数据模型和相应计算、数据聚合过程，该方式共享输出相对固定的数据模型，数据消费者可以直接从中获取自己所需要的数据；

b. 数据消费者使用数据交换服务平台提供的元数据配置功能，定义符合业务需求的指标并通过共享组件获取；

c. 数据消费者使用数据共享服务平台提供的数据库计算能力进行新指标的计算，使用元数据描述结果数据结构，获取结果数据并使用。

（2）应用接口

为了实现对外部应用、专题应用和数据交换应用的接口，平台规范化封装生成的通用型的数据服务接口，主要包括数据库接口、传输协议接口和 XML 服务接口，详细功能如图 4-88 所示。

图 4-88　应用接口

①数据库接口

数据库接口主要面向传统关系型数据 RDBMS、大数据计算引擎 SPARK、K-V 数据库 HBASE 及 Redis 等提供 SQL on query 的数据开放式工具插件，能够简便易行的为应用平台提供各类数据库读写服务。

RDBMS：支持 Oracle、MySQL、GBASE、SYBASE 等 30 多种数据库。

②NOSQL

利用 SPARKSQL 支持 HBASE、HIVE、CASSANDRA 操作、PHOENIX 支持 HBASE 查询，及其他使用到的 NOSQL 库。

SQL 解析引擎：

自定义 REDIS-SQL-ENGINE 支持 SQL 查询 REDIS；

STORM-SQL-ENGINE 支持 SQL 查询 STORM 数据能力；

支持 SQL 查询 MONGODB。

③传输协议

传输协议，主要以 MQ 和 FTP 协议为主，协议管理中主要是对 MQ 协议及 FTP 协议的管理，其中 MQ 协议包括队列管理器的配置和队列配置。其中队列管理器的配置管理主要功能有队列管理器配置信息的模糊查询(可按照管理器名称、通道名称、IP 地址、端口号、字符集进行查询)、队列管理器配置信息的新增、队列管理器配置信息的修改、队列管理器配置信息的删除、队列管理器配置信息的查看等功能。

FTP 协议的管理主要是对 FTP 协议配置信息进行管理。主要功能有 FTP 协议配置信息(FTP 服务器名称、IP 地址、端口号进行查询)、FTP 协议配置信息新增、FTP 协议配置信息修改及删除的查看等功能。

④XML 服务接口

平台将数据提取出来变为 XML 消息文件，经过加密封装、发送 XML 文档消息到对端数据交换平台，应用端接收 XML 文档、解析 XML 文档最后保存到对端数据库。

数据到 XML 文件的整体流程如下：

a.首先为 XML 关系模型建立根元素，建立的 XML 关系模型根元素为 message，该根元素里的元素类型是复杂类型。

b.然后为根元素构建复杂类型。复杂类型的子元素包含当前规则文件的文件名，数据表名等元素。

c.定义子元素，包括定义数据操作类型和映射表的主键。数据一致性约束条件的映射是使用 XML 中的 key 属性来对表的主键进行映射。

d.定义其他子元素，其他子元素也是复杂类型。任何一个被定义的复杂类型与一个关系模式的表的字段名相对应，完成独立的表结构对应。任何复杂类型的子元素都由该关系表里的列组成，关系表里的列名是这个根元素的子元素。

4.4.3.5　安全支撑服务

(1)安全支撑设计原则

①按身份授权，实行最小特权。

②纵深防御、立体配置，建立完整的信息安全体系。

③积极防御、动态监测、快速响应。

④灾难恢复与失效保护。

⑤技术防范与安全管理防范并重。

⑥保证系统的灵活性、可扩展性和易用性。

⑦个性化服务。

（2）安全体系建设

安全体系建设是一个持续循环改进的过程，在这个指导思想上，整体安全解决方案如图4-89所示。

图4-89中的策略、防护、检测、响应、恢复和改善组成的完整模型体系，这个模型的特点就是动态性和可管理性，可以说对信息安全的"相对性"给予了更好的描述。

图4-89　安全体系建设

按照P2DR3模型，安全建设可以最大限度地保护信息不受诸多威胁的侵犯，确保业务运行的连续性，将损失和风险降到最低程度。在安全策略的基础之上划分了管理安全、应用与系统安全、网络安全和物理安全等多个层次对信息进行保护、检测、响应、恢复和改善。

信息系统安全建设内容规划如图4-90所示。

	管理安全	应用安全	系统安全	网络安全	物理安全
保护	安全规章、制度、标准 安全组织 人力资源	身份认证 数字签名 权限控制 组件访问权限 加密	身份认证 权限控制	防火墙 代理服务器 访问控制列表 扫描器 防毒软件	环境隔离 门禁系统 消防系统 温、湿度控制系统 冗灾系统
检测	违规作业统计	文件、程序的散列签名 应用程序日志	登录控制 审计日志 文件签名	网络入侵检测 漏洞检测 病毒检测 布告	监控中心 感应探测装置
响应	制定紧急响应的方案	事件通知	接入控制 审计	事件响应 审查	自动调节装置
恢复	安全流程变更 组织调整	数据备份 数据恢复	系统升缓 打补丁	反击、控制 弥补自身漏洞	硬件系统 软件系统
改善	人员技能培训 修订安全制度 修订服务水平	权限更新	权限更新	防火墙规则更新 ACL更新 代理机制 病毒码更新	授权更新 更换设备

图4-90　信息系统安全建设内容规划

要保证系统安全，还要培养和建立专业化的系统管理和维护人员队伍，设置专门的系统安全管理工作岗位，制定行之有效的系统安全管理规范。除了进行日常的系统安全管理之外，对系统故障的准确判断、快速排除故障、建立有效的系统灾难处理机制、恢复系统数据、恢复系统正常工作状态策略，都是不可忽视的。

已经基于信息安全等级保护三级的要求构建了完整的信息安全保障体系，本系统属于数据交换管理服务平台组成部分，在本项目中重点考虑数据安全和应用安全部分，其余主机安全、网络安全、物理安全以及管理安全部分遵循集团统一的安全规范。

（3）外部云安全加固

首先根据功能的不同，分成计算域、服务域、维护域和网络域等部分，并设置不同的安全策略。在划分好安全域之后，就需要做好网络层面的安全配置。在网络层的设备中，防火墙是很重要的安全设备。在各个安全域之间，原则上都要配置防火墙，并设置不同的策略。

对于云平台支撑系统的主机，建议和外网隔离，不要允许从外网来访问，也不要和虚拟机在同一网段，防止被攻击后引起整个云平台的宕机。对操作系统的加固，还涉及操作系统层面的一些安全配置，如密码长度和修改周期等策略、日志审计策略、远程管理权限等。可以预制一个虚拟机，并把这个虚拟机配置得很安全，然后作为模版，通过克隆的方式，可以克隆出许多类似的安全主机来，这些安全主机不需要再进行大量的安全配置工作就可以投入使用。

（4）数据安全审计

安全日志查询功能实现查询和统计安全告警日志，包括对时间、安全告警类型、安全事件源、安全告警涉及的 IP、安全告警涉及的单位、安全告警涉及的用户组、安全告警涉及的用户、安全告警涉及的系统、安全告警涉及的设备、安全告警涉及的应用、安全告警涉及的安全策略、安全告警涉及的应用、安全告警涉及的报文、安全告警的具体内容、安全告警通知的管理员/邮箱/手机、处理结果类型、处理结果说明等。

（5）跨网数据交换

跨网的数据交换采用单向传输设备（网闸）来实现安全的网间数据交换，主要配置功能包括：

①安全隔离与信息单向导入系统单向数据库同步提供 ORACLE、SYBASE、DB2、MS SQLSERVER 等常见数据库的单向同步。支持同种数据库或异种数据库之间的同步、支持粒度到字段级同步以及特殊的条件同步。

②安全隔离与信息单向导入系统文件单向传输主要功能包含支持大量小文件及大文件的传输，支持重名策略，支持多级目录嵌套，支持不依赖于文件扩展名的文件格式检查以及病毒查杀功能。

③单向数据库同步部署方便，与系统、与客户数据库之间可以达到无缝结合，即用户无须修改数据库的任何环境，就能达到单向同步的效果。单向数据库同步在性能上基本能达到实时同步，以满足客户需求。

（6）存储安全

系统的安全保证至关重要，是设计方案中的重要内容。对于数据层来说，主要是如何在应用层和系统层对数据库系统及内部数据提供有效的保护策略。这在本系统中是通过统一的安全体系予以保证的。

采用数据库集群技术和分布式存储技术保证数据安全，采用多主机、多实例的方式提供数据库和存储服务。当某台主机由于意外情况停止服务时，集群中的其他机器会服务请求，避免服务中断的情况发生。此种模式不能解决数据库系统发生物理损害情况下的系统恢复。

（7）系统安全

数据的集中提高了单点故障的风险,但这完全可以通过周详的系统安全方案加以避免。同时集中模式减少了分布点、降低了安全方案的整体成本和复杂度,反而更加便于实现和管理。对于数据库系统安全方案而言其主要内容在于监控、配置管理、备份与恢复,这些是数据库可持续正常运行的基本保障。

硬件镜像:在数据存储硬件层,通过硬件镜像技术,实时地将数据库资料同时写入两套存储硬件中。此种方式最大的优点就是处理速度快,便于保证应用系统的连续运行;其缺点是投入成本较高,另外当主数据库的数据存储发生错误时,错误内容也会被复制到镜像系统中。

物理备份与恢复:采用数据库系统提供的物理备份恢复软件,结合数据库的日志体系,对数据库内容实现物理层面的完整备份和提供丰富的整体或局部数据恢复方式。此种方式性价比较高,但需要由专用的存储系统提供支持。

逻辑备份与恢复:采用数据库系统提供的逻辑备份与恢复软件,对数据库进行指定时间点的完整或局部的备份和恢复操作。此种方式最简单易行,但效率和数据的完整性无法得到很好的保证。

本平台核心数据库同时采用多种安全保障措施,包括采用数据库服务器集群的方式,解决数据库服务器的单点故障问题。

（8）安全数据交换节点

平台全部采用 Java 开发,使用两组 API:JCA 和 JCE。JCA（Java Cryptography Architecture）提供基本的加密框架,如证书、数字签名、消息摘要和密钥对产生器;JCE（Java Cryptography Extension）在 JCA 的基础上作了扩展,包括加密算法、密钥交换、密钥产生和消息鉴别服务等接口。通过使用这些 API,我们可以实现对一些传输数据,比如用户的密码,进行加、解密。

对外提供 Web Service 接口、HTTPS 接口、Socket 接口等多种并发服务接口。所有接口服务的自动部署与管理由服务总线进行控制。由中间件提供对外网的数据服务接口,同时与数据代理转发服务器进行通信,保障敏感数据不会从数据库层面泄露,具体的加密技术可以采用可逆算法与不可逆算法结合的方式,如验证类信息可以采用 MD5 不可逆算法实现加密存储,需要读取操作的信息则采用可逆算法实现加密存储。

（9）数据管道加密双向认证

利用安全套接字层（SSL）和传输层安全性（Transport Layer Security,TLS）协议,保证数据在传输过程中不会被未授权的人访问和修改。SSL 和 TLS 不是特定于 Java 的协议,它们是为维护通过套接字的数据的完整性和私密性而设计的网络层协议。Java 安全套接字扩展（JSSE）利用 SSL/TLS 可以进行安全的 Internet 通信,它提供了一个具有完整功能的应用程序框架——一个 Java 版本的 SSL 和 TLS 协议,这些功能包括数据加密、服务器认证、消息完整性等等。使用 JSSE,我们可以定义运行任意应用程序协议,包括 HTTP、TCP/IP、FTP,甚至 Telnet 的客户机与服务器之间的安全套接字连接。从数据加密的角度看,JSSE 结合了许多 JCE 中使用的概念和算法。

（10）证书与数据转发代理缓存服务

安全数据交换证书是云中心证书根证书的一个子项，证书由椭圆算法（ECC 算法）生成。客户端证书可生成为硬证书（如服务器上插入的 U 盘）。证书与数据转发代理服务提供证书动态交换与云中心证书交互验证、对内网数据库或是数据代理服务器的数据访问接口发布证书、自动在中间件服务器上生成外部访问接口证书、对数据交换内容进行队列缓存，防止网闸拥塞。

4.4.4　实例验证

4.4.4.1　国内某骨干船厂调研情况

对国内某骨干船厂进行调研，该船厂早年使用不同的软件工具、管理系统进行船舶辅助设计管理，从 2005 年以后该船厂开始上线 SEM（Shipbuilding Enterprise Management）系统，拟逐步实现在统一平台上的设计、生产、管理一体化集成应用，并辅以金蝶 HR 人事系统、金算盘财务系统、一卡通管理系统等，构建总体的信息系统应用框架体系。目前虽然 SEM 已经从业务上实现了生产管理、派工管理、物资管理等功能，但从船舶智能制造整理管理的角度，"信息孤岛"问题仍然存在，主要体现在以下几点：

（1）设计阶段主要使用系统为 TRIBON 系统，设计数据并未有统一的管理环境，由 TRIBON 系统导出的设计文件由管理员统一上传到 SEM 系统，上传到 SEM 系统的数据多为二维数据及托盘、BOM 等数据，没有三维数据。

（2）SEM 系统数据标准化方面设计不充分，存在需要管理员通过后台调整数据以及车间工作人员手动上传数据的情况，例如：

①托盘管理数据存在根据实际生产管理情况手动调整托盘数据的情况；

②托盘物资因为管理人员描述不规范存在多种表述方式，需要手动调整，例如，铭牌托盘内所有物资请在物资描述最后加上铭牌、告示牌、警告牌、指示牌等字眼，便于系统判断；

③同一种物资多种描述，需要手动调整，例如："气水密百叶窗"和"汽水密百叶窗"，"搁物架""搁架"和"钢搁架"。

（3）派工系统只分派任务到车间，车间内部派工则由车间管理人员通过车间内部电脑通过管理软件或者 excel 表等形式进行员工级别的派工。员工工作时长、绩效等则由班组长通过 excel 表统计的方式进行反馈。

（4）没有工艺管理数据，工艺数据主要靠查阅车间编制的 word 或者 excel 表格形式的文档或者靠施工人员的经验进行施工。

（5）针对新上线的自动化生产线管理系统并未与 SEM 系统进行连接，一些生产数据、设备控制程序等需要通过手动拷贝的形式导入。

4.4.4.2　验证数据源描述

根据以上调研结果，从设计、生产管理、车间管理、派工管理等方面选取有代表性的数据库进行数据集成的验证。具体抽取数据源描述如下：

（1）设计数据方面

主要选取使用 TRIBON 软件生产的设计数据所在的文件夹，具体数据包含 TRIBON 软件生产的各类设计数据，例如后缀为 .DXF 及 .IGES 等数据，如图 4-91 和图 4-92 所示。

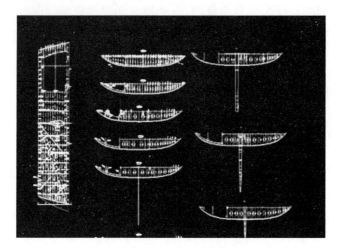

图 4-91　TRIBON 设计数据

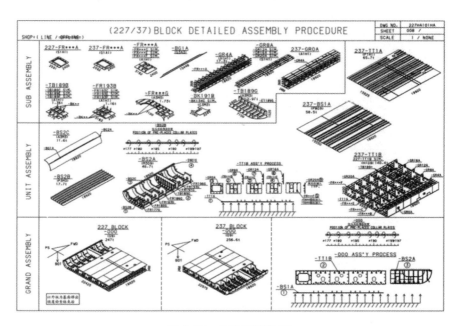

图 4-92　二维图纸数据

（2）生产管理方面

选取相关托盘数据、管系数据、托盘清单、工作测算等数据，代表性数据示例如表 4-13 至表 4-18 所示。

表 4-13　管子类型表部分数据示例

表字段	示例 1	示例 2	示例 3	示例 4
大分类	管子	管子	管子	管子
中类别	钢管	多芯管	紫铜管	排气管
小类别	无缝钢管	两芯管	不锈钢管	排气管
备注	（Null）	（Null）	大于等于 15 的,算在钢管内。紫铜管就等于小于 15	在附件内
属性 1	口径	口径	口径	口径
属性 2	壁厚	壁厚	壁厚	管长
属性 3	连接形式	投油	连接形式	（Null）
属性 4	管长	管长	管长	（Null）
属性 5	管级	芯数	（Null）	（Null）
属性 6	是否现校	（Null）	（Null）	（Null）
属性 7	是否带弯管	（Null）	（Null）	（Null）

表 4-14　阀件类型表部分数据示例

表字段	示例 1	示例 2	示例 3	示例 4	示例 5
大分类	阀件	阀件	阀件	阀件	阀件
中类别	止回阀	截止阀（包含球阀）	截止阀（包含球阀）	蝶阀	三通阀
小类别	安全阀	闸阀	放泄阀	蝶阀	气动阀
属性 1	通径	通径	通径	通径	通径
属性 2	重量	重量	重量	重量	重量
属性 3	是否是封舱件	是否是封舱件	是否是封舱件	是否是封舱件	是否是封舱件
属性 4	连接形式	连接形式	连接形式	连接形式	连接形式

表 4-15　管支架类型表部分数据示例

表字段	示例 1	示例 2	示例 3	示例 4
大分类	管支架	管支架	管支架	管支架
中类别	管支架	管支架	管支架	角钢支架
小类别	滑动支架	管子支架	管子吊架	角钢支架
属性 1	重量	口径	口径	口径壁厚

表 4-16　管附件类型部分数据示例

表字段	示例 1	示例 2	示例 3	示例 4	示例 5
大分类	管附件	管附件	管附件	管附件	管附件
中类别	滤器	保护罩(管系)	膨胀节	液位计	铭牌
属性 1	通径	重量	通经	个数	个数
属性 2	重量	规格	重量	（Null）	（Null）
属性 3	（Null）	是否是封舱件	是否是封舱件	是否是封舱件	是否是封舱件
属性 4	连接形式	连接形式	连接形式	连接形式	连接形式

表4-17　托盘清单

表字段	示例1	示例2	示例3	示例4	示例5	示例6	示例7
name_7	M116-1101	M116-3101	M181-3004	F116-8001	K002-4001	V923-5200	M123-2123
orgn_kor	机装设计室	机装设计室	机装设计室	舾装设计室	工法室	舾装设计室	机装设计室
pml_no	101FF110121	10AFF130121	10AFF130531	110FF120121	111HA610148	11BFF430321	123FF420125
pml_desc	101分段铁舾件安装托盘表(C)	10A总段铁舾件安装托盘表(P)	10A总段设备安装托盘表(P)	110分段舾件安装托盘表(B)	111分段脚手马安装托盘表(C)	艉部上甲板通风铁舾件安装托盘表(P)	123分段风管(及支架)安装托盘表(B)
unt	ST	ST	ST	ST	EA	ST	ST
qty	104	1	1	1	18	1	1
mat_cd	NFROM0021101	NFTPF314310A	NFROM813007X	NFTHG0022110	SJJPSCC1GGG	NFVMV00380B	NFVDU1052123
mat_desc	防滑条(油漆代码:U5)	平台(部件号:MP10A1-NTPF-314W)	凝水油分监测单元	拉手	镀锌脚手踏步200*360,型号为SCC1G	方形菌型通风筒C-700	矩形风管零件(部件名:VB123-DU0105)
name_2	型材	栏杆扶梯类	单元	栏杆扶梯类	栏杆扶梯类	风管附件	风管
name_3	方钢	平台	单元	栏杆	踏步	方形菌型通风筒	矩形风管零件
name_4	防滑条	平台	凝水油分监测单元	拉手	镀锌脚手踏步	方形菌型通风筒	矩形风管零件
dwg_no	101FF111MF	10AFF131MF	10AFF132MF	110FF121FF	111HA611KF	11BFF431FF	123FF421MF
unt_wt	0.9	75.5	0	3.7	2.49	0	88.4
wt	93.6	75.5	0	3.7	44.82	0	88.4
name_1	101	10A	10A	110	111	11B	123
name_6	P07000	P05000	P05000	P07000	P07000	P02000	P02000

表4-18 管件工时测算表

表字段	示例1	示例2	示例3	示例4	示例5	示例6	示例7	示例8	示例9
分段	101	101	101	101	101	234	826	834	912
安装图号	101FP111TF	101FP111TF	101FP111TF	101FP111TF	101FP111TF	234FP121PF	826FP121PF	834FP121PF	912FP121TF
安装托盘	101FP110121	101FP110121	101FP110141	101FP110191	101FP110191	234FP120121	826FP120121	834FP120151	912FP120191
物资描述	PRE-无缝管 管48*4Q/ SWS50-001-200620#	PRE-无缝钢 管34*4.5Q/ SWS50-001- 200620#	护圈	吸入口 BS125S 0.6 MPa 钢热 镀锌参照 CB/T 495—1995	防击板 D100*10	PRE-有缝钢 管（LSAW) 560*10Q/ SWS50-001- 2006Q235-B	PRE-无缝钢 管89*7.5Q/ SWS50-001- 200620#	4430 非石棉 垫片 16050 GB 2502—89 (61 * 107)	直角软管接头阀 DN15PN1.0 青铜 CBM 1109—82 法兰接口 GB 2506—89
管子口径	48	34				560	89		
管子长度	3262.3	2359.36				5979	150		
管子壁厚	4	4.5				10	7.5		
管级	3	3				3	3		
是否带弯管	是	否				否	否		
管子连接方式	紧固件	紧固件	紧固件	紧固件	紧固件	紧固件	紧固件	紧固件	紧固件
阀通径	0	0	0.5	40	32	0	0	0	0
附件规格			0	0	100				
直径	0	0		0		0	0	0	0
附件通径或周长	0	0	0.5	40	32	0	0	0	0

表 4-18（续）

表字段	示例 1	示例 2	示例 3	示例 4	示例 5	示例 6	示例 7	示例 8	示例 9
安装件重量	18.26	8.76	2.72	17	0.11	873.11	21.9	0	2.73
安装件个数	1	1	1	1	1	1	1	4	1
作业阶段	C	C	C	C	C	B	B	B	B
安装方式	特殊	特殊	普通	普通	普通	特殊	特殊	普通	普通
类别	管子	管子	阀附件	阀附件	阀附件	管子	管子		阀附件
安装件编码	TC101-AM30-01	TC101-MI20-03	TC101_PC_001	PJBNSBS-125	PJF24-10-42	PB234-BA69-01	PB826-MA56-01	垫片	PVNAHVSMV-SLO
是否舷侧管	N	N	N	N	N	N	N	N	N
安装图页	013	010	006	011	009	000	000	001	014
分段类型	机舱	机舱	机舱	机舱	机舱	双层底	艏部	艏部	上建
标准工时	4.85	3.23	0.7	0.6	1	36.39	4.23	0	1

（3）生产计划方面

代表性数据如表4-19至表4-22所示。

表4-19　分段生产计划表

表字段	示例1	示例2	示例3	示例4
序号	1400	1407	1416	1431
工程号	XXXX	XXXX	XXXX	XXXX
总段号	66G	66J	67A	67F
分段号	267	529	431	536
匹配号	H1491267	H1491529	H1491431	H1491536
制作场地	向海		8#平台制作分段	8#平台制作分段
预处理		2019-10-15		
部件完工		2019-10-31	2019-9-25	2019-10-11
组立开工		2019-11-11	2019-10-3	2019-10-23
8#平台制作分段				
完整性		2019-12-24	2019-11-19	2019-11-28
预舾装				
油漆			2019-12-10	2019-12-23
分段需求	2020-2-11	2020-2-18	2019-12-12	2019-12-26
总组			2019-12-13	2019-12-27
搭载			2020-1-3	2020-1-13

表4-20　生产计划表

表字段	示例1	示例2	示例3	示例4
序号	M18	M20	D8	D11
工程号	XXXX	XXXX	XXXX	XXXX
项目描述	主甲板面漆二度	压载舱2/4/6/9舱封舱（P/S）	可拆版吊装	机舱打磨油漆完工
责任部门	涂装部	总装一部	搭载部	涂装部
计划日期	H1491267	H1491529	H1491431	H1491536
月份	向海		8#平台制作分段	8#平台制作分段

表4-21　先行中日程计划

表字段	示例1	示例2	示例3	示例4
BlockZone	ENGINEROOM	ENGINEROOM	D/BOTTOM	D/BOTTOM
ErecBlockNo	104	10A	20D	20G

表 4-21（续）

表字段	示例 1	示例 2	示例 3	示例 4
AssyBlockNo	104	101	204	207
CuttingStart	267	529	431	536
CuttingFinish	2019. 06. 12	2019. 03. 15	2019. 04. 20	2019. 05. 24
SubAssyStart	2019. 06. 14	2019. 03. 16	2019. 04. 23	2019. 05. 27
SubAssyFinish	2019. 06. 19	2019. 03. 22	2019. 04. 27	2019. 05. 31
AssemblyStart	2019. 06. 26	2019. 03. 29	2019. 05. 07	2019. 06. 07
AssemblyFinish	2019. 07. 01	2019. 03. 30	2019. 05. 11	2019. 06. 12
AssyOutfittgStart	2019. 07. 17	2019. 05. 24	2019. 06. 07	2019. 07. 12
AssyOutfittgFinish	2019. 07. 06	2019. 04. 05	2019. 05. 17	2019. 06. 18
UnitErec	2019. 07. 11	2019. 04. 10	2019. 05. 22	2019. 06. 22
PrePantgStart	2019. 07. 18	2019. 05. 14	2019. 05. 22	2019. 06. 26
PrePantgFinish	2019. 07. 22	2019. 05. 28	2019. 06. 15	2019. 07. 23
…	…	…	…	…

表 4-22　标准工期

表字段	示例 1	示例 2	示例 3	示例 4
BlockZone	ENGINEROOM	ENGINEROOM	D/BOTTOM	D/BOTTOM
ErecBlockNo	104	10A	20D	20G
AssyBlockNo	104	101	204	207
WorkShop	U	U	U	U
BAY				
Cutting	3	3	3	3
FAB				
CuttingLB	−4	−6	6	5
SubAssy	7	7	7	7
SubAssyLB	17	7		298
Assy	15			27
AssyStart				
AssyTerm				
OutfitStart	5	5	5	5
OutfitTerm	5	5	5	5
OutfitLB	−2			−15
PreOutfit	4	18	33	23

表 4-22(续)

表字段	示例 1	示例 2	示例 3	示例 4
UnitErec				
UnitErecLB	30	25	12	−267
Prepaint	9	9	9	8
PrepaintLB	−19	−19	−7	−10
SubTotal	60	44	63	79

（4）派工管理方面

选取代表性数据库如表 4-23 和表 4-33 所示。

表 4-23 编制号船派工单（全船各部门）

表字段	示例 1	示例 2	示例 3	示例 4
WPNO	021FF12	021FF12	022FF12	101FE11
WPDescription	021/031 分段铁舾件安装	021/031 分段铁舾件安装	023/033 分段铁舾件安装（B）	101 分段电舾装件安装（C）
WPQty	0.0	0.0	0.0	0.0
QtyUnit	KG	KG	KG	KG
BudgetM/H	0.0	0.0	0.0	0.0
Dept	L 制造部	L 制造部	L 制造部	组立部
WPOrg	L 组立作业区	L 组立作业区	L 组立作业区	支持作业区
porg-afterchange				支持作业区
Prod. PlanDateStart	2019. 03. 15	2019. 03. 15	2019. 03. 15	2019. 03. 15
Prod. PlanDateFinish	2019. 11. 05	2019. 11. 05	2019. 11. 05	2019. 08. 07
NO	01	02	01	01
Description	021 分段铁舾件安装（B）	021 分段铁舾件安装（B）	023 分段铁舾件安装（B）	101 分段电舾装件安装（C）
Qty	0.0	0.0	0.0	0.0
QtyUnit	KG	KG	KG	KG
Budget	0.0	0.0	0.0	0.0
Prod. PlanDate. Start	2019. 03. 15	2019. 03. 15	2019. 03. 15	2019. 03. 15
Prod. PlanDate. Finish	2019. 11. 05	2019. 11. 05	2019. 11. 05	2019. 08. 07
Prod. PlanDate. Modify	No	No	No	No
WorkOrg.				P09505
Group				综合铜工 2 班

表 4-24　部门工作包编制

表字段	示例 1	示例 2	示例 3
Proj. No	H1309	H1419	
WP-No	E00PB14	31APB13	31APS13
Description	E00 区域打磨	31A 总段打磨	31A 总段涂装
Budget	289.0	0	0
WorkQty	955.0	0	0
QtyUnit	M2	M2	M2
WorkOrg.	外场二作业区	外场三作业区	外场三作业区
WS			
WorkShop			
WorkPlace			
Pro. PlanDate. Start	2018.05.29	2018.11.19	2018.11.19
Pro. PlanDate. Finish	2019.03.20	2019.01.30	2019.01.30
WorkPlanDate. Start	2018.05.10	2016.04.01	2016.04.01
WorkPlanDate. Finish	2020.05.01	2019.12.18	2019.12.18
Progress	289.0	0	0
Actual	43.0	0	0
WorkActualDate. Start	2019.04.18		
WorkActualDate. Finish	2019.07.16		

表 4-25　部门派工单编制 (按月度)

表字段	示例 1	示例 2	示例 3
Proj. No	H1399	H1399	H1452
编号	D00FM95	F30FT45	717FP12
Description	码头钳工其他工作	F30 苏伊士灯吊效用试验	717 分段管子安装
W/O 数量	2	1	2
预算工时	0	0	0
工作物量	0	0	0
物量单位	ST	ST	PC
作业计划开始日期	2018.08.24	2018.08.24	2018.12.12
作业计划结束日期	2019.12.21	2019.12.21	2019.10.08
结算工时	0	0	0
实际投入工时	431.0	30.0	0
作业实际开始日期	2019.05.06	2019.06.03	
作业实际结束日期		2019.08.22	

表 4-26 班组长反馈

字段	示例 1	示例 2	示例 3	示例 4
工号	87945	89318	89925	JTY040
作业者	员工 A	员工 B	员工 C	员工 D
组				
作业可能工时	8.0	8.0	8.0	10.0
Non-Work'g M/N	0.0	0.0	0.0	0.0
实际投入工时	8.0	8.0	8.0	10.0
Proj. No		H1480-103HA21-04	H1480-401HA21-02	H1490-235HA21-02
作业完成		Yes	NO	No
OP 编码	42	11	11	11
日班	7.5	2.0	5.5	7.5
加班				2.0
夜班				
早班				
合计	7.5	2.0	5.5	9.5
被支援组织			部件电焊 G 班	

表 4-27 部门派工单编制（按组织分配）

表字段	示例 1	示例 2	示例 3
Proj. No	H1399	H1399	H1452
W/P. No	D00FM95	F30FT45	67AFP13
W/O 编	01	01	02
W/O 名称	码头系泊设备钳工其他工作	苏伊士灯吊效用试验	67A 总段管子焊接（P）
预算工时	0	0	0
工作物量	0	0	0
物量单位	KG	KG	PC
作业组织	船装一钳工 2 班	船装一钳工 2 班	船装一铜工 4 班 L
Prod. PlanDate 开始	2018.08.24	2018.08.24	2018.12.21
Prod. PlanDate 完成	2019.06.21	2019.06.21	2019.06.18
作业计划开始日期	2018.08.24	2018.08.24	2018.12.12
作业计划结束日期	2019.12.21	2019.12.21	2019.10.08
WeeklyPlanDate 开始	2018.08.24	2018.08.24	2018.12.12
WeeklyPlanDate 完成	2019.12.21	2019.12.21	2019.10.08
结算工时	0	0	0
实际投入工时	54.5	30.0	122.0
作业实际开始日期	2019.05.06	2019.06.03	2019.06.24
作业实际结束日期		2019.08.22	2019.07.14

表 4-28 日出勤实绩

表字段	示例 1	示例 2	示例 3
作业者	员工 A	员工 B	员工 C
职工	班组长	员工	员工
工号	914716	958057	958626
组			
计划出勤时间	0800-1700	0800-1700	0800-1700
实际出勤时间	0800-1700	0800-1700	0800-1700
勤怠情况 1			
勤怠情况 2			
勤怠情况 3			
勤怠情况 4			
勤怠情况 5			

表 4-29 日生产实绩

表字段	示例 1	示例 2	示例 3
工号	914716	958057	958626
作业者	员工 A	员工 B	员工 C
组			
作业可能工时	8.0	8.0	8.0
Non-Work'gM/H	0.0	0.0	0.0
实际投入工时	0.0	0.0	0.0
Proj. No			
WO 编号			
作业完成			
OP 编码			
日班			
加班			
夜班			
早班			
合计			
耗材名称			
数量	0.0	0.0	0.0
单位			
物量名称			
数量	0.0	0.0	0.0
单位			

表 4-30　工程进度率查询

表字段	示例 1	示例 2	示例 3
号船	H1464	H1464	H1464
阶段	下坞	起浮	出坞
部门	加工部	制造一部	船装部
预算工时	38431.90	80414.10	90428
已完成预算工时	38299.88	0	50273.80
修正后完成预算工时	67.20	60988.10	40939.60
工程进度率	99.66%	0.00%	55.60%
修正进度率	0.17%	75.84%	45.27%

表 4-31　部门派工单编制

字段	示例 1	示例 2	示例 3
序号	1	2	3
号船	H1458	H1458	H1458
派工单编码	103FE120101	103FE120201	104FP120101
项目分区	B	B	B
项目编号	103	103	104
作业类别	分段电舾件安装	分段电舾件焊装	分段管系安装
派工单施工单位	103 分段电舾安装	103 分段电舾焊装	104 分段管系安装
预算工时	42	17	153
预算物量	42	17	153
物量单位	H	H	H
预算金额			
标准工时			
标准物量			

表 4-32　派工单反馈表

字段	示例 1	示例 2	示例 3	示例 4
序号	1	2	3	4
班组	部件装配 B 班	部件装配 B 班	部件装配 B 班	部件装配 B 班
小组	ALL	ALL	ALL	ALL
工号	89971	8A0208	89273	89447
姓名	员工 A	员工 B	员工 C	员工 D
可用工时	8	8	8	8

表 4-32（续）

字段	示例 1	示例 2	示例 3	示例 4
实绩物量	0	0	0	0
结算物量	0	0	0	0
结算金额	0	0	0	0
OPCODE	11	11	11	11
白班	0	0	0	0
加班	0	0	0	0
晚班	0	0	0	0
早班	0	0	0	0

表 4-33 制造一部职位信息表

字段	示例 1	示例 2	示例 3
作业区	管理室	准备作业区	平直作业区
负责人	员工 A	员工 B	员工 C
职位	作业长	作业长	作业长
科室简介	负责部门整体计划与考核、安全、质量、人事、设备等日常管理工作	负责所有钢板，型材的预处理及吊马制作工装	负责船体艏、艉及机舱部分曲形分段制作
联络部门/单位	各相关部门	刚配库	各自后道
信息流	各类日常管理工作	钢板预处理信息	分段完成情况

（5）生产线反馈数据方面

包含 JSON、XML 格式的接口数据，也包括生产线控制设备直接反馈的指令数据，样例如下：

①JSON 接口数据样例：

{"id"：10，"pipeid"：11，"processcode"："02"，"relstarttime"："2017-02-0812：00：00"，"relfintime"："2017-02-0812：00：10"，"equipmentno"："Equippment001"，"str1"："9999"，"str2"："yuio"，"num"：78}

②XML 接口数据样例：

<? xmlversion="1.0" encoding="utf-8"? >
-<InfoType="管件物料信息">
-<ATTRIBUTES>
<ATTRIBUTEName="条码" Value="" />
<ATTRIBUTEName="工程编号" Value="PX121" />
<ATTRIBUTEName="法兰刻码" Value="PX1214402-IG00144601(11)" />
<ATTRIBUTEName="内托号" Value="T/F-271-4-1" />

```
<ATTRIBUTEName=" 安装托盘" Value ="02-WS664.4404461G" />
<ATTRIBUTEName=" 表面处理" Value =" 热镀锌" />
<ATTRIBUTEName=" 表面处理厂家" Value =" 武汉市宏星宏远热镀锌有限公司" />
<ATTRIBUTEName=" 实物框" Value ="" />
<ATTRIBUTEName=" 集配场地" Value ="" />
<ATTRIBUTEName=" 标识牌编码" Value ="" />
<ATTRIBUTEName=" 出厂扫描时间" Value ="" />
<ATTRIBUTEName=" 回场扫描时间" Value ="" />
<ATTRIBUTEName=" 集配完成市间" Value ="" />
</ATTRIBUTES>
</Info>
```

③生产线通信报文数据说明如表4-34所示。

表 4-34 生产线通信报文数据说明表

控制信息（共 1Byte：0）			加工模式（共 1Byte：0）	
控制信号（1Byte）			加工模式（1Byte）	
1/2/3/…			1/2/3...	
1-任务/2-停止/3-启动/…			1-工位 1 工作/2-工位 2 工作/4-双工位工作	
主管材信息（共 99Byte：2-99）				
任务序号 （12Byte）	工程编号 （20Byte）	管材条码 （20Byte）	材质 （1Byte）	管材外径 （2Byte）
201703210001	PX121	51	1/2	149
年月日+4 位流水	PROJECT_NO 不足补空格	STUFF_BARCODE 不足补空格	1-碳钢 2-不锈钢	PIPE_DIAMETER
管材壁厚 （2Byte）	管材内径 （2Byte）	管材长度 （2Byte）	管段数量 （1Byte）	备用（36Byte）
3	146	8500	3	
PIPE_THICKNESS		PIPE_LENGTH	SUBPIPE_COUNT	
管段 1 信息（共 300Byte：100-399）				
管段序号 （1Byte）	是否有加工信息 （1Byte）	焊接加工工位 （1Byte）	工程编号 （20Byte）	管件编号 （20Byte）
1	1/2	1/2	PX121	00-BB00091151
	1-有 2-无	1-1 工位 2-2 工位	PROJECT_NO 不足补空格	CODE_ID 不足补空格
设计长度 （2Byte）	切割长度 （2Byte）	法兰焊接 （1Byte）	（48）法兰 1 材质 （1Byte）	法兰 1 规格 （20Byte）
4130	4122	1/2/3	1/2	6100100

表 4-34（续）

DESIGN_LEN	INCISE_LEN	1-不焊接 2-单焊接 3-双焊接	碳钢 不锈钢 LINKER_TYPE	LINKER_SIZE
法兰 1 物资代码 （20Byte）	法兰 1 公称压力 （20Byte）	法兰 1 标准号 （20Byte）	（129）法兰 2 材质 （1Byte）	法兰 2 规格 （20Byte）
260601039	内容暂定	内容暂定	1/2	6100100
MATERIAL_ID			碳钢 不锈钢 LINKER_TYPE	LINKER_SIZE
法兰 2 物资代码 （20Byte）	法兰 2 公称压力 （20Byte）	法兰 2 标准号 （20Byte）	备用 （101Byte）	
260601039	内容暂定	内容暂定		
MATERIAL_ID				
管段 2 信息（共 300Byte：400-699）				
管段 3 信息（共 300Byte：700-999）				
管段 4 信息（共 300Byte：1000-1299）				
…				
管段 20 信息（共 300Byte：5800-6099）				
管段 N 信息（共 300Byte：(N-1)＊300+100-(N-1)＊300+399）				

（6）其他文件数据

船厂同时存在包含图片与文字的非结构数据资料等，如图 4-93 所示。

4.4.4.3　实例数据集成

数据集成的步骤为：

首先对船舶数据库数据进行适配接入，然后通过数据采集组件对数据进行采集，并将采集的数据进行清洗、转换等操作提高数据质量，同时对基础数据库数据进行主题数据库建模，最终通过数据库、接口、数据可视化等方式提供数据服务。

标准名称	电焊作业标准书		标准号	SWS(JG-Z)038	发布日期	2012/12/22	编制部门	加工部
工位技能	主技术	电焊	被代替标准号		实施日期	2012/12/22	编制	
	辅助技术	修补、打磨	作业场地	部件作业区	投入人员	1人	标检	
	可选技术	埋弧焊	使用工具和设备	角焊机、送丝机、砂轮机、榔头、刷子等			审核	
考核指标	85米/8小时		使用劳动保护用品	工作服、安全帽、防光眼镜、防尘口罩、电焊手套、翻毛皮鞋、耳塞			批准	

作业顺序	作业内容与方法	安全、环保、健康要求	质量要求	维修要求
作业前	1.准备电焊使用工具:电焊机、角焊机、砂轮机、角磨机、电焊榔头等常用工具。 2.根据零部件要求调整好焊接规范(电压、电流、气压、速度)。 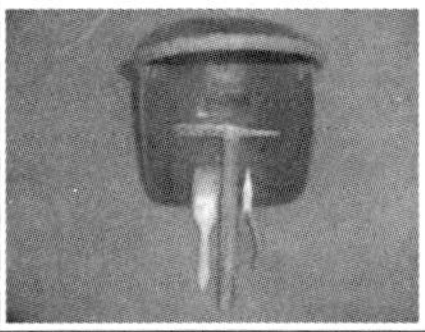	1.电焊作业人员须凭证上岗,上岗证随身携带。 2.正确穿戴和使用劳动防护用品。 3.检查作业现场四周环境,消除不安全因素。 	1.确认前道工序质量无缺陷。 2.检查装配是否达到要求,定位焊是否达标,是否有漏装、错装或未完工的。 3.熟悉并掌握FSFC规范、焊接操作规范、焊接工艺要求、WPS工艺要求。 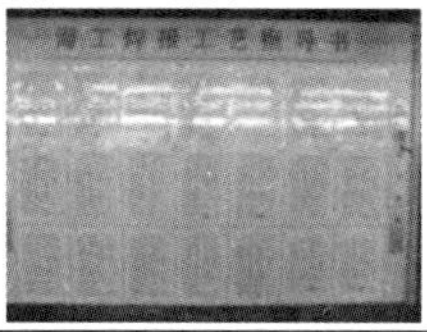	1.做好日保养,日点检工作。 2.检查气路是否有泄漏,电线是否完好。 3.检查砂轮机、角焊机运转正常,导电嘴等易损件是否需更换。 
作业中	1.调整焊接参数保证焊接质量,焊缝光顺。 2.密切观察焊接情况,检查焊角是否有气孔、咬口、焊瘤、卷边、单边、咬边、飞溅等常见缺陷,发现焊接缺陷出现应立即停止施焊,查清原因恢复施焊。 3.修补打磨不良焊缝。 4.清除焊接飞溅。 	1.焊接过程中需要注意周围情况。 2.使用榔头时,防止榔头飞出伤人; 3.电焊和打磨时,须戴好防尘口罩; 4.T型材等材料不允许私自使用手、撬杠等方式翻身,必须让理料工、起重工配合翻身,防止压伤手脚; 5.在工作时注意周边环境,防止被别人伤害; 6.吊码由理料工或者起重工定位,电焊工焊接,再由班组长确认。 	1.严格遵守焊接工艺,先立后平,有对接先焊对接; 2.保证焊接成型良好,包角饱满圆滑,包角不小于焊角的1.5倍,焊角上下口误差不超过2豪米; 3.对接焊缝必须在引熄弧板上处起、熄弧,对接焊缝宽度大于14 mm和角焊缝大于7.0 mm以上的,必须清除多道焊,多层多道焊时,每层焊渣和药皮必须清除,层与层间过渡自然饱满,层间过渡无内凹现象,焊缝光顺; 4.打磨按标准要求,角尺度合格,检查修补是否处理到位,焊角符合要求,打磨是否到位,做好自检,底板补漆不能太厚,保持均匀; 5.冬季低于5℃焊前要预热; 6.禁止所有电焊工实施假焊; 7.密切观察焊接情况,检查焊角是否有气孔,咬口,焊瘤,卷边,单边,咬边,飞溅等常见缺陷,发现焊接缺陷出现应该立即停止施焊,查清原因恢复施焊; 8.不良焊缝修补时不能点焊修补,修补长度不能小于50 mm。	1.发现设备有异常或存在安全隐患时送修; 2.检查使用皮带是否破皮,如有碳皮现象及时包扎。 

图 4-93 文件数据

(1)数据源获取

通过数据源管理功能,通过配置数据源信息获得与不同数据源的接入,根据数据源实际情况,数据主要类型及配置方式可分为以下几种:

①数据库数据,主要为结构化二维数据,具体配置方式如图 4-94 所示。

图 4-94 DB 数据源配置

②文件类型数据,包括设计阶段图纸,车间管理阶段管理文件、工艺文件等,具体配置实例如图 4-95 所示。

图 4-95　文件类型数据配置

③自动化产线数据，包括 XML、JSON 格式的 Web Service 接口等，具体配置示例如图 4-96 所示。

图 4-96　接口数据配置

④自动化产线指令数据，数据包形式。

可通过文件读取形式直接存放数据包，也可通过接口模块发布为接口服务，在通过接口方式读取数据。

（2）数据采集及处理

通过平台数据采集组件对不同类型的数据进行采集处理，通过配置 SQL 脚本等进行数据处理,如图4-97和图4-98所示。

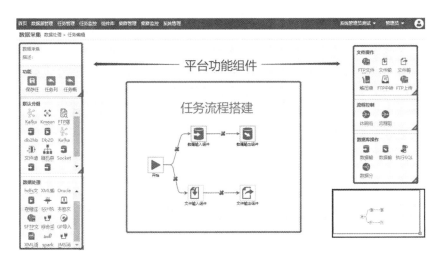

图4-97　数据采集流程

图4-98　执行SQL

　　数据采集阶段采集到的数据具有大量的脏数据、重复数据、无效数据等,或者数据因为格式不一致需要处理为相同的格式。

　　如图4-99到图4-101所示采集到的数据,里面含有许多空值、脏值及无效数据等。

　　需要对此类数据进行处理保证数据的有效性、一致性、完整性,并将处理后的数据加载到平台基础数据库,流程如图4-102所示。

　　对以上数据清洗后结果如图4-103到图4-105所示。

　　批量数据处理、监控配置界面展示如图4-106到图4-108所示。

　　(3)数据服务

　　数据服务主要包括三种,数据共享、分析决策与数据接口服务。

WX_id	WX_ctime	WX_SB	WX_ttime	WX_stime	WX_etime	WX_sh	WX_nservice	WX_wservice	money
1	2019-07-03	折弯机-01	5	2019-07-03	2019-07-03	配件	1	NULL	200
2	2019-07-10	激光下料机-01	30	2019-07-10	2019-07-11	螺母	1	NULL	200
3	2019-07-03	点焊机-01	28	2019-07-03	2019-07-04	焊头	1	NULL	300
4	2019-08-03	滚圆机-01	26	2019-08-03	2019-08-04	手柄	1	NULL	523
5	2019-08-03	折弯机-02	4	2019-08-03	2019-08-03	辅助装置	NULL		1500
6	2019-10-03	数控机床-01	27	2019-10-03	2019-10-04	轴	NULL	1	1600
7	2019-10-03	打磨机-01	29	2019-10-03	2019-10-04	磨片	1		50
8	2019-12-03	滚圆机-02	50	2019-12-03	2019-12-05	手柄	NULL	1	560
9	2019-12-03	点焊机-01	29	2019-12-03	2019-12-04	焊头	NULL		1200
10	2020-01-03	打磨机-01	30	2020-01-03	2020-01-04	手柄	1	NULL	300
11	2020-01-03	折弯机-03	49	2020-01-03	2020-01-05	折弯刀	1	NULL	320
12	2020-01-03	数控机床-02	48	2020-01-03	2020-01-05	主轴	1	NULL	340
13	2020-02-03	激光下料机-02	50	2020-02-03	2020-02-05	通气管	1	NULL	362
14	2020-02-03	打磨机-01	52	2020-02-03	2020-02-05	磨片	1	NULL	150
15	2020-03-03	点焊机-01	56	2020-03-03	2020-03-05	焊机	1	NULL	160
16	2020-03-03	打磨机-01	55	2020-03-03	2020-03-05	磨片	1	NULL	180
17	2020-04-03	激光下料机-01	57	2020-04-03	2020-04-05	激光头	1	NULL	220
18	2020-04-03	打磨机-03	30	2020-04-06	2020-04-05	磨片	NULL		-100
19	2020-04-05	点焊机-01	56	2020-02-03	2020-04-05	焊头		NULL	-200

图 4-99　清洗前数据(1)

PG_id	PG_LGid	PG_dp	PG_name	PG_num	PG_time	PG_etime	PG_stime	PG_wg	PG_xl	PG_zw	PG_dh	PG_dm	PG_zp	PG_pt
1	1	1	张三	5	2020-05-01	2020-05-03	2020-05-01	0	1	1	1	1	1	1
2	2	1	李四	4	2020-05-03	2020-05-03	2020-05-04	0	1	1	1	1	1	1
3	3	1	王五	7	2020-05-05	2020-05-05	2020-05-05	0	1	0	1	1	1	1
4	4	2	赵六	8	2020-05-04	2020-05-05	2020-05-05	0	1	0	1	1	1	1
5	5	2	钱七	5	2020-05-05	2020-05-05	2020-05-06	1	1	0	0	1	1	1
6	6	2	张云	5	2020-05-06	2020-05-07	2020-05-08	1	100	0	0	0	1	1
7	7	3	张赵	4	2020-05-08	2020-05-10	2020-05-11	1	1	0	0	0	1	1
8	8	3	王一	8	2020-05-08	2020-05-10	2020-05-10	0	1	1	1	0	-30	1
9	9	3	王三	3	2020-05-08	2020-05-11	2020-05-11	0	1	1	0	0	1	1
10	10	3	王三	2	2020-05-10	2020-05-12	2020-05-12	0	1	1	0	0	1	1
11	11	4	强二	1	2020-05-10	2020-05-12	2020-05-12	0	1	1	1	1	1	1
12	12	4	张二	5	2020-05-10	2020-05-12	2020-05-13	1	1	1	1	1	1	1
13	13	1	张三	5	2020-05-11	2020-05-12	2020-05-12	1	1	0	1	1	1	1
14	14	1	王五	6	2020-05-12	2020-05-12	2020-05-13	1	1	0	1	1	1	1
15	15	2	赵六	12	2020-05-13	2020-05-13	2020-05-14	1	-500	1	1	1	1	1
16	16	3	张赵	13	2020-05-14	2020-05-14	2020-05-15	0	1	1	1	1	1	1
17	17	2	钱七	14	2020-05-15	2020-05-15	2020-05-15	0	1	1	1	1	1	1
18	18	3	王一	15	2020-05-16	2020-05-17	2020-05-17	0	1	1	1	1	1	1
19	19	4	强二	16	2020-05-18	2020-05-18	2020-05-19	0	1	1	0	1	1	1
20	20	4	强二	4	2020-05-19	2020-05-19	2020-05-19	0	1	1	0	0	1	1
21	21	2	张云	5	2020-05-20	2020-05-21	2020-05-21	0	1	1	1	1	1	1
22	22	2	张云	13	2020-05-22	2020-05-22	2020-05-22	0	1	1	421	1	1	1
23	23	3	王三	14	2020-05-23	2020-05-23	2020-05-23	0	1	0	1	1	-1	1
24	24	3	王三	1	2020-05-24	2020-05-24	2020-05-25	1	1	0	1	1	1	1
25	25	3	土一	2	2020-05-25	2020-05-25	2020-05-26	1	1	0	0	1	1	1
26	26	4	强二	2	2020-05-25	2020-05-26	2020-05-26	0	1	0	0	0	1	1
27	27	4	强一	4	2020-05-25	2020-05-26	2020-05-27	1	1	0	1	1	1	1
28	28	2	张云	6	2020-05-25	2020-05-27	2020-05-27	1	1	0	1	1	1	1
29	29	1	张三	7	2020-05-25	2020-05-28	2020-05-28	0	1	0	1	1	1	1
30	20	1	李四	8	2020-05-29	2020-05-30	2020-05-30	0	1	0	0	0	1	1
31	21	1	李五	9	2020-05-29	2020-05-30	2020-05-30	0	1	1	0	0	1	1

图 4-100　清洗前数据(2)

JQ_name	JQ_rtime	JQ_rname	JQ_time
激光下料机-01	40	张三	2019-12-01
激光下料机-02	35	李四	2019-12-01
激光下料机-03	40	王五	2019-12-01
折弯机-05	46	折5	2019-12-01
折弯机-02	40	折2	2019-12-01
折弯机-03	36	折3	2019-12-01
折弯机-04	42	折4	2019-12-01
折弯机-01	36	折1	2019-12-01
点焊机-01	48	点1	2019-12-01
点焊机-02	42	点2	2019-12-01
点焊机-03	42	点3	2019-12-01
滚圆机-01	25	滚1	2019-12-01
滚圆机-02	10	滚2	2019-12-01
滚圆机-03	20	滚3	2019-12-01
焊接机器人-01	50	焊1	2019-12-01
焊接机器人-02	60	焊2	2019-12-01
焊接机器人-03	55	焊3	2019-12-01
焊接机器人-04	56	焊4	2019-12-01
焊接机器人-05	50	焊5	2019-12-01
激光下料机-04	NULL	NULL	NULL
NULL	60	NULL	NULL
NULL	NULL	NULL	2020-05-22
滚圆机-01	NULL	NULL	NULL

图 4-101　清洗前数据(3)

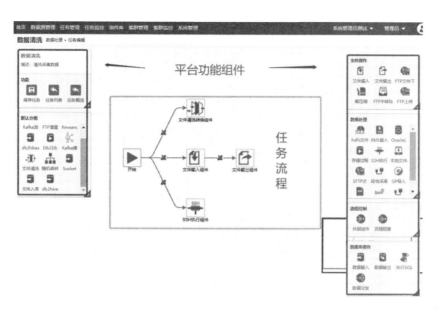

图 4-102　数据清洗流程

WX_id	WX_ctime	WX_SB	WX_ttime	WX_stime	WX_etime	WX_sh	WX_nservice	WX_wservice	money
1	2019-07-03	折弯机1	5	2019-07-03	2019-07-03	配件	1	0	200
2	2019-07-03	激光下料机1	30	2019-07-10	2019-07-11	螺母	1	0	200
3	2019-07-03	点焊机1	28	2019-07-03	2019-07-04	焊头	1	0	300
4	2019-08-03	滚圆机1	26	2019-08-03	2019-08-04	手柄	1	0	523
5	2019-08-03	折弯机2	4	2019-08-03	2019-08-03	辅助装置	0	1	1500
6	2019-10-03	数控机床1	27	2019-10-03	2019-10-04	轴	0	1	1600
7	2019-10-03	打磨机1	29	2019-10-03	2019-10-04	磨片	0	1	50
8	2019-12-03	滚圆机2	50	2019-12-03	2019-12-05	手柄	0	1	560
9	2019-12-03	点焊机	29	2019-12-03	2019-12-05	焊头	0	1	1200
10	2020-01-03	打磨机1	30	2020-01-03	2020-01-04	手柄	1	0	300
11	2020-01-03	折弯机3	49	2020-01-03	2020-01-05	折弯刀	1	0	320
12	2020-01-03	数控机床	48	2020-01-03	2020-01-05	主轴	1	0	340
13	2020-02-03	激光下料机2	50	2020-02-03	2020-02-05	通气管	1	0	362
14	2020-02-03	打磨机1	52	2020-02-03	2020-02-05	磨片	1	0	150
15	2020-03-03	点焊机1	56	2020-03-03	2020-03-05	焊机	1	0	160
16	2020-03-03	打磨机3	55	2020-03-03	2020-03-05	磨片	1	0	188
17	2020-04-03	激光下料机1	56	2020-04-03	2020-04-05	激光头	1	0	220

图 4-103　清洗后数据(1)

PG_id	PG_LGid	PG_dp	PG_name	PG_num	PG_time	PG_etime	PG_stime	PG_wg	PG_xl	PG_zw	PG_dh	PG_dm	PG_zp	PG_pt
1	1	1	张三	5	2020-05-01	2020-05-01	2020-05-01	0	1	1	1	1	1	1
2	2	1	李四	4	2020-05-03	2020-05-03	2020-05-04	0	1	1	1	0	1	1
4	4	2	赵六	8	2020-05-05	2020-05-05	2020-05-05	0	1	1	1	0	1	1
5	5	2	钱七	2	2020-05-04	2020-05-05	2020-05-06	1	1	1	0	0	1	1
6	6	2	张云	5	2020-05-06	2020-05-07	2020-05-07	1	0	1	0	0	1	1
7	7	3	张赵	4	2020-05-08	2020-05-10	2020-05-11	1	1	0	0	0	1	1
9	9	3	王三	3	2020-05-08	2020-05-11	2020-05-11	1	1	1	0	0	1	1
10	10	3	王三	2	2020-05-10	2020-05-12	2020-05-12	1	1	1	0	0	1	1
11	11	4	强一	1	2020-05-10	2020-05-12	2020-05-12	0	1	1	0	1	1	1
12	12	4	强二	2	2020-05-10	2020-05-12	2020-05-13	1	1	1	1	0	1	1
13	13	1	张三	5	2020-05-11	2020-05-11	2020-05-12	1	1	0	1	1	1	1
14	14	1	王五	6	2020-05-12	2020-05-12	2020-05-13	1	1	1	0	1	1	1
15	15	2	赵六	12	2020-05-13	2020-05-13	2020-05-14	1	1	1	1	1	1	1
16	16	3	张赵	13	2020-05-14	2020-05-14	2020-05-15	1	1	1	0	1	1	1
17	17	2	钱七	14	2020-05-15	2020-05-15	2020-05-15	1	1	1	0	0	1	1
18	18	3	王一	15	2020-05-17	2020-05-17	2020-05-17	1	1	0	1	0	1	1
19	19	4	强一	16	2020-05-18	2020-05-18	2020-05-18	0	1	1	0	0	1	1
20	20	4	强二	5	2020-05-19	2020-05-19	2020-05-19	0	1	1	1	0	1	1
21	21	2	张云	2	2020-05-20	2020-05-21	2020-05-21	1	1	1	1	1	1	1
22	22	2	张云	13	2020-05-22	2020-05-22	2020-05-22	1	1	1	0	1	1	1
23	23	3	王二	14	2020-05-23	2020-05-23	2020-05-23	0	1	0	1	1	1	1
24	24	3	王三	3	2020-05-24	2020-05-24	2020-05-25	1	1	1	0	0	1	1
25	25	3	王三	1	2020-05-25	2020-05-25	2020-05-26	1	0	0	0	0	1	1
26	26	4	强二	2	2020-05-25	2020-05-26	2020-05-26	0	1	1	1	0	1	1
27	27	4	强一	9	2020-05-25	2020-05-26	2020-05-27	0	1	1	1	1	1	1
28	28	2	张云	2	2020-05-27	2020-05-27	2020-05-27	0	1	1	1	1	1	1
29	29	1	张三	7	2020-05-27	2020-05-28	2020-05-28	0	1	1	1	1	1	1
30	20	1	李四	8	2020-05-29	2020-05-30	2020-05-30	0	1	1	0	0	1	1
31	21	1	李五	9	2020-05-29	2020-05-30	2020-05-30	0	1	1	1	0	1	1

图 4-104　清洗后数据(2)

JQ_name	JQ_rtime	JQ_rname	JQ_time
激光下料机1	40	张三	2019-12-01
激光下料机2	35	李四	2019-12-01
激光下料机3	40	王五	2019-12-01
折弯机5	46	折5	2019-12-01
折弯机2	40	折2	2019-12-01
折弯机3	36	折3	2019-12-01
折弯机4	42	折4	2019-12-01
折弯机1	36	折1	2019-12-01
点焊机1	48	点1	2019-12-01
点焊机2	42	点2	2019-12-01
点焊机3	42	点3	2019-12-01
滚圆机1	25	滚1	2019-12-01
滚圆机2	10	滚2	2019-12-01
滚圆机3	20	滚3	2019-12-01
焊接机器人1	50	焊1	2019-12-01
焊接机器人2	60	焊2	2019-12-01
焊接机器人3	55	焊3	2019-12-01
焊接机器人4	56	焊4	2019-12-01
焊接机器人5	58	焊5	2019-12-01

图 4-105　清洗后数据(3)

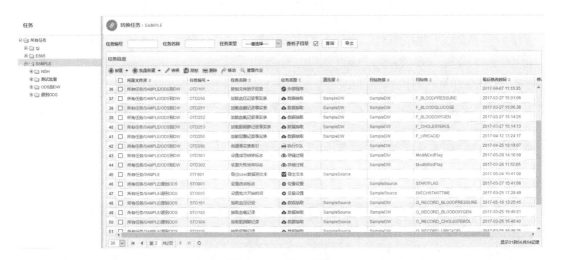

图 4-106　任务转换

数据共享主要是基于源数据库抽取处理形成基础支撑数据库,基础支撑数据库可针对原有或新建系统、平台分析决策模块等提供数据支撑。基础支撑数据库通过数据抽取、清洗、处理等操作形成零件库、派工管理库等,如图 4-109 所示。

分析决策主要基于数据仓库模型,进行面向基于主题数据的分析决策,图 4-110 所示为管段下料的主题分析决策模型,根据主题库可进行不同维度的数据分析。

图 4-107 任务详情

图 4-108 任务监控

同时,平台可根据分析结果进行自定义可视化展示,针对车间任务管理、人员等主题数据分析结果的自定义可视化布局如图 4-111 所示。

基于平台的基础数据和主题数据,可通过定制化的接口模块向外部提供服务,接口服务示例如图 4-112 所示。

通过针对国内某骨干船厂的生产管理数据库、图纸文档数据、车间控制层数据的采集处理汇聚,并形成相关数据服务,验证了平台可对结构化和非结构化数据进行采集处理以及加载,同时通过构建基础支撑库和主题库,形成了数据库统一管理的能力,可针对业务系统、分析决策系统等提供基于数据库以及接口方式的数据共享及服务,平台同时具备统计、分析以及可视化展现的能力。面向船舶智能制造的统一数据库集成平台通过实例验证满足车间层级集成要求。

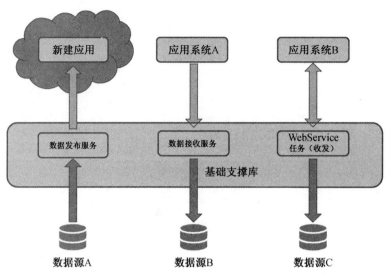

图 4-109　数据共享

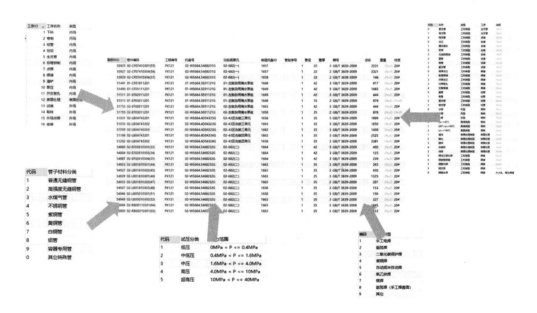

图 4-110　管段下料主题分析模型

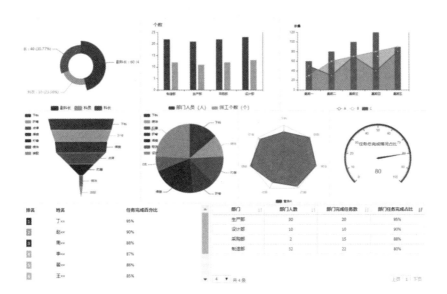

图 4-111　可视化展现

图 4-112　接口服务

4.5　本章小结

　　本章针对国内大中型船舶制造企业"信息孤岛"现象，提出面向船舶智能制造的统一数据库集成平台解决方案。首先按照统一数据库集成平台顶层架构提出数据库集成设计规范，结合前文补充了数据采集层、数据处理层以及展示层的设计规范。然后搭建了包含数据汇集平台、数据治理平台、大数据资源中心和大数据共享平台的统一数据库集成平台。并介绍数据采集、数据治理、数据服务三大模块开发方案，完善统一数据库集成平台的功能应用。最后以国内某骨干造船企业为应用对象，验证集成平台解决方案的应用情况，为其他造船企业建设统一数据库集成平台工作提供指导意义。

参 考 文 献

［1］余南平.中国制造2025:国家战略、国际经验与上海发展［M］.上海:上海人民出版社,2017.

［2］张小强.工业4.0、智能制造与企业精细化生产运营［M］.北京:人民邮电出版社,2017.

［3］秦如明.船舶制造执行系统的开发与集成关键技术研究［J］.科技创新与应用,2012(23):79.

［4］卞德志,胡昌平,杨哲,等.面向船舶制造的统一数据库集成平台应用研究［J］.舰船科学技术,2020,42(13):134-138.

［5］李伟.船舶建造数字化技术［J］.中国新技术新产品,2016(22):34-35.

［6］张怡敏,卜佳,李杨梅,等.ETL技术在船舶制造海量异构数据处理中的应用［J］.造船技术,2020(5):77-82.

［7］胡晓轩,朱琦,王浩,等.面向船舶制造车间的数据采集与监控系统［J］.造船技术,2020(4):68-74.

［8］刘杰,宋海涛.基于云计算技术的船舶数据采集与传输网关设计［J］.舰船科学技术,2018,40(2):126-128.

［9］KOITZSCH K. Pro Hadoop Data Analytics［M］.Berkeley,CA:Apress,2017.08-23.

附录 A 不同数据源之间映射实例

A.1 当前环境

（1）OS

more /etc/redhat-release

Red Hat Enterprise Linux Server release 5.1（Tikanga）

（2）Oracle

Oracle Database 11g Enterprise Edition Release 11.2.0.1.0-64bit Production

（3）MySQL

5.1.46-community-log MySQL Community Server

A.2 所需的包

mysql-connector-odbc-5.1.8-1.rhel5.x86_64.rpm

unixODBC-2.2.11-7.1.x86_64.rpm

unixODBC-2.2.11-7.1.i386.rpm

A.3 配置过程

（1）在机器 A 上安装相关包。

rpm-ivh mysql-connector-odbc-5.1.8-1.rhel5.x86_64.rpm

yum installunixODBC

（2）在机器 B 上创建 MySQL 用户并授权。

grant select onuser_global. * to HEUtest'@ 192.168.1.107 identified by 'HEUtest';

（3）配置机器 A 上的 /etc/odbc.ini 文件,添加如下内容:

［HEUtest］

Driver = /usr/lib64/libmyodbc5.so

Server =192.168.1.106

User =HEUtest

Password =HEUtest

Port =3322

database =user_global

/usr/lib64/libmyodbc5.so 为 odbc 驱动;

192.168.1.106 为要访问 MySQL 所在 IP;

HEUtest 为登录 MySQL 服务器用户名；

3322 为 MySQL 数据库端口。

（4）在机器 A 使用 isql 命令进行测试。

isql HEUtest

+---------------------------------------+

Connected！

sql-statement

help [tablename]

quit

+---------------------------------------+

能够连接上表示 ODBC 配置成功。

下面进行 Oracle 方面的配置，如无特殊说明均在机器 A 上配置。

（5）在/opt/oracle/11.2/db_1/hs/admin/目录下，配置 init HEUtest.ora 文件，init HEUtest.ora 命名方式为 init+服务名+.ora。添加如下内容：

```
# HSinit parameters
#
HS_FDS_CONNECT_INFO=HEUtest
HS_FDS_TRACE_LEVEL=debug
HS_FDS_SHAREABLE_NAME=/usr/lib64/libmyodbc5.so
HS_LANGUAGE=AMERICAN_AMERICA.WE8ISO8859P1
HS_FDS_SQLLEN_INTERPRETATION=32
HS_LONG_PIECE_TRANSFER_SIZE=1258291
# ODBC specific environment variables
#
#set DBCINI=
set DBCINI=/etc/odbc.ini
```

HS_FDS_CONNECT_INFO 为服务名，与前面保持一致；

HS_FDS_TRACE_LEVEL 为日志跟踪级别，不使用时可以设为 OFF；

HS_FDS_SHAREABLE_NAME 为 ODBC 驱动；

HS_LANGUAGE 为 Provides Heterogeneous Services with character set, language, and territory information of the non-Oracle data source. The value must use the followingformat：language[_territory.character_set]，为异构服务器的字符集，语言；

HS_FDS_SQLLEN_INTERPRETATION 允许 64 bit 驱动可以使用 32 bit 标准，具体解释可以参考 Oracle 文档 ID 554409.1。

（6）修改 tnsnames.ora 文件，添加如下内容：

```
HEUtest=
(DESCRIPTION=
    (ADDRESS=(PROTOCOL=TCP)(HOST=s1.db.sns.mdc.139.com)(PORT=1521))
(CONNECT_DATA=
```

　　（SID＝HEUtest）

　　　）

　　（hs＝ok）

　　）

其中 SID 为前面定义的服务名；

HOST 为本机的机器名或者 IP；

PORT 为本机的数据库监听器端口。

（7）修改 listener. ora 文件，添加如下内容：

（SID_DESC＝

　　（SID_NAME＝HEUtest）

　　（ORACLE_HOME＝/opt /oracle /11. 2 /db_1）

　　（PROGRAM＝dg4odbc）

（ENVS＝LD_LIBRARY_PATH＝/opt /oracle /11. 2 /db_1 /lib：/opt /oracle /11. 2 /db_1 /odbc /lib）

　　）

SID_NAME 为服务名；

PROGRAM 为使用 dg4odbc 驱动。

（8）重新启动 listener ，基本内容如下：

lsnrctl status

Service "HEUtest" has 1 instance(s).

　　Instance "HEUtest" , status UNKNOWN, has 1 handler(s) for this service...

如果看到 HEUtest 这个服务，则表示 listener. ora 配置成功。

（9）创建 Oracle 中创建数据库链接。

sqlplus scott /tiger

create database link ln_HEUtest connect to "HEUtest" identified by "HEUtest" using ′HEUtes′；

A. 4　安装过程中遇到的问题

1. 配置完成后，执行 SQL 报如下错误：

SQL> select ＊ fromdual@ ln_HEUtest；

select ＊ fromdual@ ln_HEUtest ＊

ERROR at line 1：

ORA-28511：lost RPC connection to heterogeneous remote agent using

SID＝ORA-28511：lost RPC connection to heterogeneous remote agent using

SID＝（DESCRIPTION＝（ADDRESS＝（PROTOCOL＝TCP）（HOST＝s1. db. sns. mdc. 139. com）（PORT＝1521））

（CONNECT_DATA＝（SID＝HEUtest）））

ORA-02063：preceding line from LN_HEUTEST

Process ID：18585

Session ID：96 Serial number：207

在 initHEUtest. ora 文件中添加如下参数：

HS_LANGUAGE=AMERICAN_AMERICA. WE8ISO8859P1

2. 从异种数据库拷贝大数据量时,报错如下:

insert intoauth_user select * from auth_user@ ln_HEUtest

*

ERROR at line 1:

ORA-03113:end-of-file on communication channel

Process ID:19180

Session ID:96 Serial number:227

Alert 文件有如下报错:

ORA-07445:exception encountered:core dump [npixfc( )+243] [SIGSEGV] [ADDR: 0x7FFF086B7C08] [PC:0x59BAB0D] [Address not mapped to object] [ ]

ORA-28511:lost RPC connection to heterogeneous remote agent using SID=ORA-28511:lost RPC connection to heterogeneous remote agent using SID=(DESCRIPTION=(ADDRESS=(PROTOCOL=TCP)(HOST=s1. db. sns. mdc. 139. com)(PORT=1521))(CONNECT_DATA=(SID=HEUtest)))

ORA-02063:preceding line from LN_HEUTEST

Incident details in:/opt/oracle/diag/rdbms/ora11g/ora11g/incident/incdir_13360/ora11g_ora_17512_i13360. trc

A. 5 透明网关的限制

(1)BLOB and CLOB data cannot be read by pass-through queries

(2)Updates or deletes that include unsupported functions within a WHERE clause are not allowed

(3)Does not support stored procedures

(4)Cannot participate in distributed transactions;they support single-site transactions only

(5)Does not support multithreaded agents

(6)Does not support updating LONG columns with bind variables

(7)Does not supportrowids

(8)COMMIT or ROLLBACK in PL/SQL Cursor Loops Closes Open Cursors

(9)UPDATE and DELETE statements with the WHERE CURRENT OF clause are not supported by the gateway because they rely on the Oracle implementation

(10)The gateway does not support the CONNECT BY clause in a SELECT statement

(11)The Oracle ROWID implementation is not supported

(12)EXPLAIN PLAN Statement

(13)The gateway does not support the START WITH condition and NOWAIT in a SELECT statement

附录 B　数据流图绘制方法

B.1　数据流图概述

数据流图也称数据流程图（Data Flow Diagram，DFD），是一种便于用户理解、分析系统数据流程的图形工具。它摆脱了系统的物理内容，精确地在逻辑上描述系统的功能、输入、输出和数据存储等，是系统逻辑模型的重要组成部分。

B.2　数据流图的基本图形元素

数据流图中的基本图形元素包括数据流（Data Flow）、加工（Process）、数据存储（Data Store）和外部实体（External Agent）。其中，数据流、加工和数据存储用于构建软件系统内部的数据处理模型；外部实体表示存在于系统之外的对象，用来帮助用户理解系统数据的来源和去向。

（1）数据流

数据流由一组固定成分的数据组成，表示数据的流向。在数据流图中，数据流的流向包括：从一个加工流向另一个加工；从加工流向数据存储（写）；从数据存储流向加工（读）；从外部实体流向加工（输入）；从加工流向外部实体（输出）。

数据流图中的每个数据流用一个定义明确的名字表示。除了流向数据存储或从数据存储流出的数据流不必命名外，每个数据流都必须有一个合适的名字，以反映该数据流的含义。

值得注意的是，数据流图中描述的是数据流，而不是控制流。

数据流或者由具体的数据属性（也称数据结构）构成，或者由其他数据流构成。组合数据流是由其他数据流构成的数据流，它们用于在高层的数据流图中组合相似的数据流，以使数据流图更便于阅读。

（2）加工

加工描述了输入数据流到输出数据流之间的变换，也就是输入数据流经过什么处理后变成了输出数据流。每个加工都有一个名字和编号。编号能反映出该加工位于分层数据流图中的哪个层次和哪张图中，也能够看出它是哪个加工分解出来的子加工。

一个加工可以有多个输入数据流和多个输出数据流，但至少有一个输入数据流和一个输出数据流。数据流图中常见以下三种错误：

①有输入但是没有输出，我们称之为"黑洞"。因为数据输入到过程，然后就消失了，在大多数情况下，建模人员只是忘了输出。

②有输出但没有输入。在这种情况下，可能是输入流被忘记了。

③输入不足以产生输出，我们称之为"灰洞"。产生这一问题的原因有：错误的命名过

程;错误命名的输入或输出;不完全的事实。"灰洞"是最常见的错误,也是最使人为难的错误。一旦数据流图交给了程序员,到一个加工的输入数据流必须足以产生输出数据流。

(3)数据存储

数据存储用来存储数据。通常,一个流入加工的数据流经过加工处理后就消失了,而它的某些数据(或全部数据)可能被加工成输出数据流,流向其他加工或外部实体。除此之外,在软件系统中还常常要把某些信息保存下来供以后使用,这时可以使用数据存储。例如,在派工系统中,派工时产生的派工单要随着建造进度不断发放,在统计物料和工时时还要使用派工单的相关信息。因此,派工单可以作为数据存储在派工系统中。

每个数据存储都有一个定义明确的名字标识。可以有数据流流入数据存储,表示数据的写操作;也可以有数据流从数据存储流出,表示数据的读操作;还可以用双向箭头的数据流指向数据存储,表示对数据的修改。

这里要说明的是,数据流图中的数据存储在具体实现时可以用文件系统实现,也可以用数据库系统实现。数据存储的可以使用磁盘、磁带或其他存储介质。

(4)外部实体(外部主体)

外部实体是指存在于软件系统之外的人员或组织,它指出系统所需数据的发源地(源)和系统所产生的数据的归宿地(宿)。例如,对于一个派工系统而言,设计管理系统提供料单(输入数据流),所以料单是派工系统的一个源;而派工系统要将总的派工物料使用表(输出数据流)传递给物资管理系统,所以物资管理系统是该系统的一个宿。

在许多系统中,某个源和某个宿可以是同一个人员或组织,此时,在数据流图中可以用同一个符号表示。生产管理人员向系统提供派工单,而系统向生产管理人员反馈工时统计,所以在派工系统中,生产管理人员既是源又是宿。

源和宿采用相同的图形符号表示,当数据流从该符号流出时,表示它是源;当数据流流向该符号时,表示它是宿;当两者皆有时,表示它既是源又是宿。

B.3　数据流图的扩充符号

在数据流图中,一个加工可以有多个输入数据流和多个输出数据流,此时可以加上一些扩充符号来描述多个数据流之间的关系。

(1)星号(*)

星号表示数据流之间存在"与"关系。如果是输入流,则表示所有输入数据流全部到达后才能进行加工处理;如果是输出流,则表示加工结束将同时产生所有的输出数据流。

(2)加号(+)

加号表示数据流之间存在"或"关系。如果是输入流,则表示其中任何一个输入数据流到达后就能进行加工处理;如果是输出流,则表示加工处理的结果是至少产生其中一个输出数据流。

(3)异或(○+)

异或表示数据流之间存在"互斥"关系。如果是输入流,则表示当且仅当其中一个输入流到达后才能进行加工处理;如果是输出流,则表示加工处理的结果是仅产生这些输出数据流中的一个。

B.4 数据流图的层次结构

一个复杂的软件系统可能涉及上百个加工和上百个数据流,甚至更多。如果将它们画在一张图上,则会十分复杂,不易阅读,也不易理解。

根据自顶向下逐层分解的思想,可以将数据流图按照层次结构来绘制,每张图中的加工个数可大致控制在"7 加减 2"的范围内,从而构成一套分层数据流图。

(1)层次结构

分层数据流图的顶层只有一张图,其中只有一个加工,代表整个软件系统,该加工描述了软件系统与外界之间的数据流,称为顶层图,如图 B-1 所示。

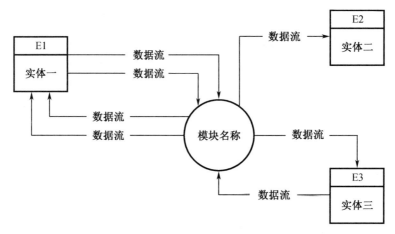

图 B-1　顶层图

顶层图中的加工(即系统)经分解后的图称为 0 层图,0 层图也只有一张,依次可以继续向下划分,如图 B-2 和图 B-3 所示。处于分层数据流图最底层的图称为底层图。在底层图中,所有的加工不再进行分解。分层数据流图中的其他图称为中间层,其中至少有一个加工(也可以是所有加工)被分解成一张子图。在整套分层数据流中,凡是不再分解成子图的加工称为基本加工。

(2)图和加工的编号

如果某图(记为 A)中的某一个加工分解成一张子图(记为 B),则称 A 是 B 的父图,B 是 A 的子图。若父图中有 n 个加工,则它可以有 0~n 张子图,但每张子图只对应一张父图。

为了方便对图进行管理和查找,可以采用下列方式对数据流图中的图和加工编号:

①若顶层图中只有一个加工(代表整个软件系统),则该加工不必编号。

②0 层图中的加工编号分别为 1,2,3。

③子图号就是父图中被分解的加工编号。

④对于子图中加工的编号,若父图中的加工编号为 x 的加工分解成某一子图,则该子图中的加工编号分别为 x1,x2,x3,…。

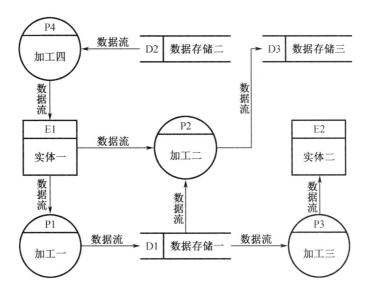

图 B-2 第 0 层数据流图

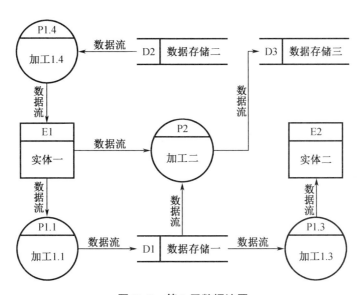

图 B-3 第 1 层数据流图

B.5 分层数据流图的画法

(1)画系统的输入和输出

系统的输入和输出用顶层图来描述,即描述系统从哪些外部实体接收数据流,以及系统发数据流到哪些外部实体。

顶层图只有一个加工,即待开发的软件系统。顶层图中的数据流就是系统的输入/输出信息。顶层图中通常没有数据存储。

（2）画系统的内部

将顶层图的加工分解成若干个加工，并用数据流将这些加工连接起来，使得顶层图中的输入数据流经过若干个加工处理后变换成顶层图的输出数据流，这张图称为0层图。从一个加工画出一张数据流图的过程实际上就是对这个加工的分解。

①确定加工。这里的加工指的是父图中某加工分解而成的子加工，可以采用下面两种方法来确定。

a. 根据功能分解来确定加工。一个加工实际上反映了系统的一种功能，根据功能分解的原理，可以将一个复杂的功能分解成若干个较小的功能，每个较小的功能就是分解后的子加工。这种方法多应用于高层数据流图中加工的分解。

b. 根据业务处理流程确定加工。分析父图中待分解的加工的业务处理流程，流程中的每一步都可能是一个子加工。特别要注意在业务流程中数据流发生变化或数据流的值发生变化的地方，应该存在一个加工，该加工将原数据流（作为该加工的输入数据流）处理成变化后的数据流（作为该加工的输出数据流）。该方法较多应用于低层数据流图中加工的分解，它能描述父加工中输入数据流到输出数据流之间的加工细节。

②确定数据流。当用户把若干个数据看作一个整体来处理（这些数据一起到达，一起加工）时，可以把这些数据看成一个数据流。通常，实际工作环境中的表单就是一种数据流。

在父图中某加工分解而成的子图中，父图中相应加工的输入输出数据流就是子图边界上的输入/输出数据流。另外，在分解后的子加工之间应增添一些新的数据流，这些数据流是加工过程中的中间数据（对某子加工输入数据流的改变），它们与所有的子加工一起完成了父图中相应加工的输入数据流到输出数据流的变换。如果某些中间数据需要保存，以备使用，那么可以表示为流向数据存储的数据流。

同一个源或加工可以有多个数据流流向另一个加工，如果它们不是一起到达和一起加工的，那么可以将它们分成多个数据流。同样，同一个加工也可以有多个数据流流向另一个加工或宿。

③确定数据存储。在由父图中某加工分解而成的子图中，如果父图中该加工存在流向数据存储的数据流（写操作），或者存在从数据存储流向该加工的数据流（读操作），则这种数据存储和相关的数据流都画在子图中。

在分解的子图中，如果需要保存某些中间数据，以备以后使用，那么可以将这些数据组成新的文件。在自顶向下画分层数据流图时，新数据存储（首次出现的）至少应有一个加工为其写入记录，同时至少存在另一个加工读取该数据存储的记录。

对于从父图中继承下来的数据存储，在子图中可能只对其读记录，或者写记录。

④确定源和宿。通常在0层图和其他子图中不必画出源和宿，有时为了提供可读性，可以将顶层图中的源和宿画在0层图中。

当同一个外部实体（人或组织）既是系统的源，又是系统的宿时，可以用同一个图形符号来表示。为了画图的方便，避免图中线的交叉，同一个源或宿可以重复画在数据流图的不同位置以增加可读性，但它们仍代表同一个实体。

（3）画加工的内部

当数据流图中存在某个比较复杂的加工时,可以将它分解成一张数据流图子图。分解的方法是将该加工看作一个小系统,该加工的输入输出数据流就是这个假设的小系统的输入/输出数据流,然后采用画0层图的方法画出该加工的子图。

B.6　分层数据流图的审查

在分层数据流图画好后,应该认真检查图中是否存在错误或不合理(不理想)的部分。

（1）分层数据流图的一致性和完整性

分层数据流图的一致性是指分层数据流图中不存在矛盾和冲突。这里讲的完整性是指分层数据流图本身的完整性,即是否有遗漏的数据流、加工等元素。所以,分层数据流图的一致性和完整性实际上反映了图本身的正确性。但是图本身的正确性并不意味着分析模型的正确性,分析模型的正确性要根据模型是否满足用户的需求来判断。

①分层数据流图的一致性

a. 父图与子图的平衡。父图与子图平衡是指任何一张数据流图子图边界上的输入/输出数据流必须与其父图中对应加工的输入输出数据流保持一致。

由于一张子图是被分解的加工的一种细化,所以这张子图应该保证可以画到父图中替代被分解的加工,因此保持父图与子图平衡是理所当然的。

如果父图中某个加工的一条数据流对应于子图中的几条数据流,而子图中组成这些数据流的数据项全体正好等于父图中的这条数据流,那么它们仍然是平衡的。

保持父图与子图平衡是画数据流的重要原则。自顶向下逐层分解是降低问题复杂性的有效途径。然而,如果只分别关注单张图的合理性,忽略父图与子图之间的关系,则很容易造成父图与子图不平衡的错误。

b. 数据守恒。数据守恒包括两种情况:第一种情况是指一个加工的所有输出数据流中的数据必须能从该加工的输入数据流中直接获得,或者能通过该加工的处理而产生;第二种情况是加工未使用其输入数据流中的某些数据项。这表明这些未用到的数据项是多余的,可以从输入数据流中删去。当然,这不一定就是错误,只表示存在一些无用数据,但是这些无用的数据常常隐含着一些潜在的错误,如加工的功能描述不完整、遗漏或不完整的输出数据流等。因此,在检查数据守恒时,不应该忽视对这种情况的检查。

c. 局部数据存储。这里讨论分层数据流图中的一个数据存储应该画在哪些数据流图中,不应该画在哪些数据流图中。

在一套完整的分层数据流图中,任何一个数据存储都应有写和读的数据流,否则这个文件就没有存在的必要。除非这个数据存储的建立是为另一个软件系统使用或者这个数据存储是由另一个软件系统产生和维护的。

在自顶向下分解加工的过程中,如果某个加工需要保存一些数据,同时在将加工的同一张数据流图上至少存在另一个加工需要读这些数据,那么该数据存储应该在这张数据流图上画出。也就是在一张数据流图中,当一个数据存储作为多个加工之间的交界面时,该数据存储应该画出。如果在一张数据流图中,一个数据存储仅与一个加工进行读/写操作,

并且在该数据流图的父(祖先)图中未出现过该数据存储,那么该数据存储只是相应加工的内部文件,则不应该在这张数据流图中画出。

d. 一个加工的输出数据流不能与该加工的输入数据流同名。同一个加工的输出数据流和输入数据流,即使它们的组成成分相同,仍应该给它们取不同的名字,以表示它们是不同的数据流。但是允许一个加工有两个相同的数据流分别流向两个不同的加工。

②分层数据流图的完整性

a. 每个加工至少有一个输入数据流和一个输出数据流。一个没有输入数据流或者没有输出数据流的加工通常是没有意义的。当出现这种情况时,常常意味着可能遗漏了某些输入数据流或输出数据流。

b. 在整套分层数据流图中,每个数据存储应至少有一个加工对其进行读操作,有另一个加工对其进行写操作。对于某一张数据流图来说,可以只写不读或只读不写。

c. 分层数据流图中的每个数据流和文件都必须命名(除了流入或流出数据存储的数据流外),并保持与数据字典一致。

d. 分层数据流图中的每个基本加工都应有一个加工规约。

(2)构造分层数据流图时需要注意的问题

①适当命名。数据流图中的每个数据流、加工、数据存储、外部实体都应被适当命名,名字应符合被命名对象的实际含义。通常,数据流名可用名词或形容词加名词来描述;加工名可以用动词或及物动词加宾语来描述;数据存储名可以用名词来描述;外部实体可以用实际的人员身份或组织的名称来描述。

用户在命名时应注意以下问题:

a. 名字应反映整个对象(如数据流、加工),而不是只反映它的某一部分。

b. 避免使用空洞的、含义不清的名字,如"数据""信息""处理""统计"等。

c. 如果发现某个数据流或加工难以命名,往往是数据流图分解不当的征兆,此时应考虑重新分解。

②画数据流而不是控制流。数据流图强调的是数据流,而不是控制流。在数据流图中一般不能明显地看出其执行的次序。为了区分数据流和控制流,可以简单地回答下列问题:这条线上是否有数据流过?如果有,表示是数据流,否则,表示是控制流。

③避免一个加工有过多的数据流。当一个加工有过多的数据流时,意味着这个加工特别复杂,这往往是分解不合理的表现。解决的办法是重新分解,步骤如下:

a. 把需要重新分解的某张图的所有子图连接成一张图;

b. 把连接后的图重新划分成几个部分,使各部分之间的联系最小;

c. 重新定义父图,即b步骤中的每个部分作为父图中的一个加工;

d. 重新建立各子图,即b步骤中的每个部分都是一张子图;

e. 为所有的加工重新命名并编号。

④分解尽可能均匀。理想的分解是将一个问题(加工)分解成大小均匀的若干个子问题(子加工)。也就是说,对于任何一张数据流图,其中的任何两个加工的分解层数之差不超过1。如果在同一张图中,某些加工已是基本加工,而另一些加工仍需分解若干层,那么

这张图就是分解不均匀的。

⑤先考虑确定状态,忽略琐碎的细节。在构造数据流图时,应集中精力先考虑稳定状态下的各种问题,暂时不考虑系统如何自动、如何结束、出错处理以及性能等问题,这些问题可以在分析阶段的后期,在需求规约中加以说明。

⑥随时准备重画。对于一个复杂的软件系统,其分层数据流图很难一次开发成功,往往要经历反复多次的重画和修改,才能构造出完整、合理、满足用户需求的分层数据流图。

(3)分解的程度

在自顶向下画数据流图时,为了便于对分解层数进行把握,可以参照以下几条与分解有关的原则:

①7 加减 2;

②分解应自然,概念上应合理、清晰;

③只要不影响数据流图的易理解性,可适当增加子加工数量,以减少层数;

④一般来说,上层应分解得快一些(即多分解几个加工),下层应分解得慢一些(即少分解几个加工);

⑤分解要均匀。